FRANCIA

S0-BKB-734

Mapa de la Península Ibérica
ESPAÑA Y PORTUGAL

San Sebastián

NAVARRA

⑪

MONTES PIRINEOS

Pamplona

Huesca

② R. EBRO

Soria

Gerona

Zaragoza

Lérida

Barcelona

⑥

Tarragona

Teruel

MALLORCA

MENORCA

Castellón de la Plana

Palma

ISLAS

Valencia

⑩ R. JÚCAR

BALEARES

IBIZA

Albacete

FORMENTERA

Alicante

R. SEGURA

Murcia

① Andalucía
② Aragón
③ Asturias
④ Castilla la Nueva
⑤ Castilla la Vieja
⑥ Cataluña
⑦ Extremadura
⑧ Galicia
⑨ León
⑩ Levante
⑪ Navarra
⑫ Provincias Vascongadas

ISLAS CANARIAS

LANZAROTE

I. DE PALMA

Santa Cruz

FUERTEVENTURA

TENERIFE

GOMERA

Las Palmas

GRAN

HIERRO

CANARIA

OCÉANO

R MEDITERRÁNEO

ATLÁNTICO

MILLAS
0   50 100

KILÓMETROS
0 50 100

ARGELIA

ÁFRICA

palacios

Orán

Nota: Se expresa también el nombre del de
la capital cuando es distinto de la provincia.

Espáña

Síntesis de su civilización

SEGUNDA EDICIÓN

THE SCRIBNER SPANISH SERIES

General Editor, Juan R.-Castellano

JERÓNIMO MALLO

Revisada y aumentada por
JUAN RODRÍGUEZ-CASTELLANO

ESPAÑA

SÍNTESIS DE SU CIVILIZACIÓN

Segunda edición

CHARLES SCRIBNER'S SONS · NEW YORK

Printed in the United States of America
SBN 684-41351-5 (cloth)
Library of Congress Catalog Card Number: 71-96062

A la memoria de mi buen amigo Jerónimo Mallo

PREFACIO

En el prólogo a la primera edición de este libro escribía el buen amigo Jerónimo Mallo que su propósito había sido "resumir en una exposición breve y precisa el desarrollo y el contenido de la civilización española, para facilitar a los alumnos de nuestros colegios y universidades el conocimiento de lo que es esencial y característico de la nación creadora de la lengua a cuyo estudio se dedican."

Con tal propósito está muy de acuerdo el que escribe ahora estas líneas. Sin embargo, ocurre con frecuencia que los que escriben historias de la civilización española muestran preferencia por temas que ellos consideran fundamentales. El mismo profesor Mallo admite que le "pareció indispensable conceder una atención especial a ciertos elementos cuyo estudio está poco divulgado." Entre otros menciona: (1) las instituciones de los reinos cristianos medievales, como los fueros municipales y los municipios libres, que juntamente con las Cortes, han sido manifestaciones típicas del sentido democrático del pueblo español; (2) la *leyenda negra*, en su doble aspecto peninsular e hispanoamericano; y (3) los problemas internos fundamentales de la España moderna.

Por mi parte, he respetado todo lo referente a las instituciones medievales y todo lo que escribe el profesor Mallo sobre "la interpretación de la lucha que el pueblo español viene sosteniendo desde hace siglo y medio por un régimen político fundado en la justicia, la libertad y la democracia." En cambio, no me ha parecido prudente resucitar la "leyenda negra" ni conceder excesivo espacio a la segunda República y a la Guerra civil española, hechos pasados cuya importancia vista a distancia va disminuyendo y cuyo juicio histórico conviene revisar con más objetividad.

Mi mayor atrevimiento ha sido el de ocuparme en los últimos capítulos de los problemas existentes en la España de hoy, pues siempre hay el peligro de que la historia desmienta mañana lo que se dice en 1969. La mayoría de mis asertos, sin embargo, merecen cierta credibilidad por estar entresacados de recientes publicaciones españolas.

Al fin de cada capítulo se insertan algunas notas que tienden a aclarar puntos dudosos. Después del texto el lector encontrará una sección dedicada a preguntas y temas referentes a la materia tratada en cada capítulo. El Indice cronológico, con la fecha de importantes acontecimientos en la historia de España ha sido colocado al principio del libro para mayor facilidad en su consulta.

Confío que tanto las adiciones como los cortes hechos por mí merezcan la misma buena acogida que recibió este libro en su primera edición. Confío asimismo en que con la ayuda del vocabulario—en que no sólo aparecen palabras aisladas, sino expresiones idiomáticas y formas irregulares de algunos verbos—el estudiante pueda leer el texto con relativa facilidad durante su segundo año de estudio de la lengua española.

No sería justo terminar este prefacio sin hacer constar la profunda gratitud que debo a mi esposa, Helen, por la valiosa ayuda que me ha prestado en la preparación del manuscrito.

J. R.-C.

ÍNDICE DE MATERIAS

Índice de materias

ÍNDICE CRONOLÓGICO

I. PREHISTORIA Y EDAD ANTIGUA

[*Antes de Jesucristo*]

Siglos XX a XII—Pinturas prehistóricas en España.

Siglo XI—Colonización fenicia.

Siglos IX y VI—Invasiones de los celtas.

Siglos VII a III—Establecimiento de colonias griegas.

Siglos V a III—Invasión y conquistas de los cartagineses.

219 Destrucción de la ciudad de Sagunto por los cartagineses.

218 Comienza la conquista romana de España.

139 Muerte del guerrillero lusitano Viriato.

135 Destrucción de Numancia por los romanos.

24–19 El emperador Augusto termina la conquista de Iberia.

[*Después de Jesucristo*]

Siglos I a V—Se completa la romanización de Hispania.

Siglo I—Empieza la cristianización de Hispania. (Se cree que en el año 60 el apóstol San Pablo predicó el Evangelio en la Península.)

212 El emperador Caracalla concedió la ciudadanía romana a los hispanos.

301 Crueles persecuciones de cristianos en tiempo de Diocleciano.

318 El obispo Arrio de Alejandría crea una secta que lleva su nombre— el *arrianismo*.

323 El emperador Constantino (306–337) se convierte al cristianismo.

325 El Concilio de Nicea condena la herejía de Arrio.

380 El emperador Teodosio (de origen hispano) convierte el cristianismo en religión del Estado romano.

395 A la muerte de Teodosio el Imperio romano se divide: el de *Occidente* tiene su capital en Roma; el de *Oriente* elige como capital a Bizancio (hoy Istambul o Constantinopla).

409 Invasión de suevos, vándalos y alanos.

[414–711] *Conquista y ocupación de Hispania por los visigodos.* Algunos reyes: *Eurico* (466–484), fundador de la monarquía visigoda.

Leovigildo (568–586), conquistó el reino de los suevos y trató de imponer al arrianismo en todos sus dominios.

Recaredo (586–601), se convirtió al cristianismo ante el Concilio III de Toledo y lo declara la religión oficial del Estado.

Don Rodrigo (710–711), último rey de los visigodos.

476 Se disuelve el Imperio romano de Occidente.

549–629 Ocupación bizantina de una parte del sur de Hispania.

599 San Isidoro sucede a su hermano, San Leandro, en el arzobispado de Sevilla.

622 El 16 de julio de este año empieza la Hégira musulmana.

654 Aparece el *Liber Judiciorum* o *Lex Visigothorum*, importante código de leyes comunes a hispano-romanos y visigodos que ha de influir en la legislación española posterior.

694 Cruentas persecuciones de judíos por los visigodos.

711 Batalla de Guadalete y destrucción del reino visigodo.

II. LA ESPAÑA MUSULMANA [711–1492]

622 Principia la Era musulmana.

632 Muerte del profeta Mahoma.

711 Invasión de la Península Ibérica por los musulmanes.

711–719 Conquista casi total de la Península Ibérica.

711–756 España gobernada por Emires dependientes del califa de Damasco.

732 Derrota de los musulmanes en Poitiers (Francia).

[756–929] *Emires independientes* de Damasco. Entre ellos:

Abderrahman I (756–788), fundador del *Emirato de Córdoba*.

Abderrahman II (822–852).

Abderrahman III (912–929).

785 Se empieza la construcción de la mezquita de Córdoba.

[929–1031] *Califas de Córdoba*. Entre ellos:

Abderrahman III (929–961), fundador del *Califato de Córdoba* o de *Occidente*.

Alháquem II (961–976).

Hixem II (976–1008). Victorias del general Almanzor.

936 Se da comienzo a la construcción del palacio de Medina-Zahra.

985 Almanzor conquista Barcelona.

997 Almanzor llega a Santiago de Compostela y destruye la ciudad.

1002 Muerte de Almanzor.

1031 El Califato se fracciona en más de 20 Estados, llamados *Reinos de Taifas*.

1085 Alfonso VI de Castilla se apodera de la estratégica ciudad de Toledo.

Alfonso I EL BATALLADOR (1104–1134), rey de Aragón y Navarra, recobró la ciudad de Zaragoza en 1118.

[1037–1284] **Reino de León y Castilla:**

Fernando I (1035–1065), unió el Condado de Castilla y el reino de León. A su muerte tuvo la mala fortuna de dividir el reino entre sus hijos, hasta que Alfonso triunfó de sus hermanos.

Alfonso VI (1072–1109), destierra de Castilla al Cid, llegó al río Tajo y se apoderó de Toledo.

[De 1157 a 1230 estos dos reinos se separaron. Reyes de León solamente fueron Fernando II y Alfonso IX (1188–1230).]

Fernando III EL SANTO (1217–1252), consiguió la unión definitiva de Castilla y León en 1230.

Alfonso X EL SABIO (1252–1284), famoso por su afición a las letras.

[1162–1285] **Reino de Aragón y Cataluña:**

Alfonso II (1164–1196), heredó de su madre el reino de Aragón y de su padre el Condado de Cataluña.

Pedro II (1196–1213), tomó parte en la batalla de Las Navas de Tolosa.

Jaime I EL CONQUISTADOR (1213–1276), contemporáneo de Fernando III *el Santo*, conquistó Mallorca y Valencia.

Pedro III EL GRANDE (1276–1285), conquistador de Sicilia.

1075 Se empieza a construir la catedral de Santiago de Compostela.

1076 Aparece la *Cançó de Santa Fe*, para algunos el primer poema escrito en catalán.

1080 El Cid es desterrado de Castilla por el rey Alfonso VI.

1085 Conquista de la estratégica ciudad de Toledo.

1094 El Cid conquista Valencia.

1099 Muerte del Cid en Valencia.

1102 Los soldados del Cid abandonan Valencia.

1106 El judío aragonés Pedro Alfonso, ya cristianizado, compila y traduce al latín cuentos orientales con el nombre de *Disciplina clericalis*.

1118 La ciudad de Zaragoza es reconquistada.

1125 Se organiza la "Escuela de Traductores" de Toledo.

1139 Victoria de los portugueses sobre los musulmanes en Ourique.

1140 Fecha aproximada de la composición del *Poema de Mío Cid*. Aparición de las primeras "jarchas."

1143 Alonso Henríquez es proclamado rey de Portugal.

1164 Fundación de la Orden de Calatrava.

1175 Fundación de la Orden de Caballeros de Santiago.

1179 El Papa Alejandro III reconoce la independencia de Portugal.

1188 Se termina la construcción del "Pórtico de la Gloria."

ESTADOS CRISTIANOS MEDIEVALES
(2) Desde el siglo XIV hasta fines del siglo XV

1369 Pedro I el Cruel es asesinado por su hermano Enrique.

1370 La provincia de Vizcaya pasa al dominio del reino de Castilla.

1385 Gran victoria de los portugueses en Aljubarrota sobre los castellanos.

1390 Pablo de Santa María, rabino mayor de la ciudad de Burgos, acepta públicamente el cristianismo.

1391 Matanza de judíos por el populacho, en Sevilla.

1401 Las Islas Canarias pasan definitivamente a la corona de Castilla.

1412–54 La "Corte literaria" de Juan II.

1415 El rey de Portugal conquista Ceuta, en el norte de África.

1442 Alfonso V de Aragón se apodera de Nápoles.

1445 Aparece el "Cancionero de Baena."

1451 Nacimiento de la Reina Isabel en Madrigal de las Altas Torres (Ávila).

1453 Muere en el cadalso el condestable Álvaro de Luna.

1474 Se establece la Imprenta en Valencia.

1476 Jorge Manrique alaba en sus *Coplas* la corte de Juan II.

IV. ÉPOCA DE LOS REYES CATÓLICOS [1479–1516]

1479 Don Fernando hereda la corona de su padre y se realiza entonces la unión del reino de Aragón con el de Castilla, ocupado desde 1474 por Dª Isabel.

[1504–1506] Juana *la Loca* y Felipe *el Hermoso* gobiernan en Castilla.

[1506–1516] Regencia del rey Fernando.

[1516–1517] Regencia del Cardenal Cisneros.

1480 El Papa Sixto IV aprueba el establecimiento del Tribunal de la Inquisición en España.

1485 Colón llega al convento de la Rábida, procedente de Portugal.

1492 Conquista de Granada (2 de enero).

Expulsión de los judíos (31 de marzo).

Descubrimiento de América (12 de octubre).

Publicación de la primera *Gramática* castellana, de Nebrija.

Aparece la popular novela *Cárcel de Amor.*

1494 El Papa Alejandro VI concede el título de *Católicos* a los reyes de España.

1499 Se publica en Burgos la primera edición de *La Celestina.*

1503 Triunfos militares de "El Gran Capitán" en Italia.

1504 Muere la reina Isabel en el castillo de la Mota.

1506 El cardenal Cisneros funda la Universidad de Alcalá durante su primera y breve Regencia.

1508 Publicación de la novela caballaresca *Amadís de Gaula.*

1509 Expediciones militares del cardenal Cisneros al norte de África. Matrimonio de Catalina, hija de los Reyes Católicos, con Enrique VIII de Inglaterra.

1512 Anexión del reino de Navarra.

1513 Vasco Núñez de Balboa descubre el Océano Pacífico.
Juan Ponce de León descubre la Florida.

1516 Díaz de Solís descubre el "Mar Dulce" (la desembocadura del Río de la Plata).
Muere el rey Fernando el Católico.

1517 Se termina la impresión de la *Biblia Políglota Complutense*, obra en seis volúmenes dirigida por el cardenal Cisneros.
Muere el cardenal Cisneros.
Llega de los Países Bajos el hijo de Juana *la Loca* para encargarse del trono español.

V. ESPAÑA BAJO LA DINASTÍA AUSTRÍACA (SIGLOS XVI Y XVII)
[1517–1556] **Carlos V**

1517 Carlos V llega a España de los Países Bajos.
Martín Lutero (fraile agustino) inicia la Reforma protestante— 31 de octubre—al clavar sus 95 tesis en la puerta de la iglesia del castillo de Wittemberg.

1519 Carlos V es elegido emperador de Alemania.

1519–1522 Hernán Cortés se apodera del Imperio azteca.

1520 Fernando de Magallanes descubre el Estrecho que lleva su nombre.

1522 Sebastián de Elcano termina el primer viaje alrededor del mundo.

1523 El rey francés Francisco I es hecho prisionero en la batalla de Pavía.

1527 Roma es saqueada por las tropas de Carlos V.
Asamblea en Valladolid para examinar las doctrinas de Erasmo.

1531 Miguel Servet descubre la circulación pulmonar de la sangre.

1533 Francisco Pizarro toma la ciudad de Cuzco, antigua capital del Imperio incaico.

1534 Creación del virreinato de Nueva España (México).

1535 Conquista de Túnez donde fueron rescatados muchos cautivos cristianos.
Los españoles se apoderan del Milanesado.

1536 Mendoza funda la ciudad de Buenos Aires.
Jiménez de Quesada funda la ciudad de Santa Fe de Bogotá.
Muerte de Erasmo en Basilea (Suiza).
La Iglesia prohibe la lectura de las obras de Erasmo.

1540 Fundación de la Compañía de Jesús por Ignacio de Loyola.

1542 Hernando de Soto descubre el río Misisipí.

1545-1564 Celebración del Concilio de Trento.

1547 Batalla de Mühlberg entre Carlos V y los príncipes protestantes de Alemania.

1551 Fundación de las Universidades de Lima y de México.

1552 Aparece la muy discutida obra de Bartolomé de Las Casas: *Brevísima relación de la destrucción de las Indias*.

1553 Miguel Servet es condenado a morir en la hoguera por los calvinistas suizos.

1554 Publicación de *La Vida de Lazarillo de Tormes*.
Matrimonio de Felipe II con la reina inglesa María Tudor.

1556 Carlos V renuncia la corona y se retira a un monasterio.

[1556-1598] Felipe II

1557 Batalla de San Quintín (10 de agosto), ganada por Felipe II.

1558 Muerte de Carlos V.

1559 Se publica *La Diana*, novela pastoril de Montemayor.
Se celebran los famosos "Autos de fe" contra protestantes.
Aparece el *Índice Expurgatorio* contra libros prohibidos.

1561 Felipe II traslada la corte de Toledo a Madrid.

1563 Empieza la construcción del Monasterio de El Escorial.

1565 Pedro Menéndez de Avilés funda San Agustín (Florida).

1567 Se publica la *Recopilación de las Leyes de Indias*.

1568 Nueva sublevación de los moriscos de las Alpujarras.

1571 Batalla naval de Lepanto, en la que tomó parte Cervantes.

1574 Se abre en Madrid el "Corral de la Pacheca," hoy Teatro Español.

1576 *El Greco* establece su residencia en Toledo.

1581 Felipe II es coronado rey de Portugal.

1583 Se publica *La perfecta casada* y una parte de *Los nombres de Cristo*, de Fray Luis de León.

1584 La reina Isabel de Inglaterra en guerra abierta con Felipe II.

1587 El corsario inglés Drake ataca las costas españolas.

1588 Destrucción de la "Armada Invencible."

1595 Publicación de las *Guerras civiles de Granada*.

[1598-1621] Felipe III

1599 Publicación de la Primera parte de *Guzmán de Alfarache*.

1601 El rey traslada la capital a Valladolid por cinco años.
Aparece la *Historia de España* del Padre Juan de Mariana.

1605 Publicación de la Primera parte del *Quijote*.

1607 Se publica el primero de los *Sueños* de Quevedo.

1609-1613 Expulsión definitiva de los moriscos.

1615 Publicación de la Segunda parte del *Quijote*.

Se empieza la construcción del Palacio Real de Madrid.

1744 La antigua Biblioteca Real recibe el nombre de Biblioteca Nacional.

[1746–1759] Fernando VI

1751 Se prohibe la masonería en España.

1752 Se establece la Academia de Bellas Artes de San Fernando.

1758 El Padre Isla publica su *Fray Gerundio de Campazas*.

[1759–1788] Carlos III

1761 Se firma el "Pacto de Familia" entre España y Francia.

1764 Se termina la construcción del Palacio Real.

1766 Estalla en Madrid el "Motín de Esquilache."

1767 Los jesuitas son expulsados de España.

1771 La Real Academia Española publica su primera *Gramática*.

1778 España autoriza el comercio libre con sus posesiones de América.

1782 Fundación del Banco Nacional de San Carlos, hoy Banco de España.

[1788–1808] Carlos IV

1789 Estalla la revolución francesa.

1792 Godoy, el favorito de la reina, es nombrado Primer Ministro.

1793 Cadalso escribe sus *Cartas marruecas*.

Los soldados de la República francesa derrotan a los españoles.

1796 Se firma con Francia el Tratado de San Ildefonso en la esperanza de recobrar Gibraltar.

1805 Derrota hispano-francesca en la batalla naval de Trafalgar.

Publicación de *El sí de las niñas*, de Moratín.

1808 Abdicación del rey y de su hijo Fernando en Napoléon.

Invasión de la Península por las tropas del emperador francés y comienzo de la Guerra de Independencia en España.

Napoléon proclama rey de España a su hermano José Bonaparte.

La Junta Suprema Central inicia la resistencia contra los invasores.

1809 Inglaterra envía un ejército a la Península al mando del Duque de Wellington para proseguir la "Peninsular War."

1810 Al encontrarse España sin rey legítimo, las colonias hispano-americanas empiezan su lucha por la independencia.

1812 Los representantes de las provincias españolas se reúnen en Cádiz y proclaman la primera Constitución.

1813 Las Cortes de Cádiz suprimen la Inquisición. José Bonaparte se ve obligado a abandonar España.

[1874–1885] **Alfonso XII**

    1874 Caída de la República (3 de enero) y Restauración de la monarquía de los Borbones.

    Juan Valera publica su *Pepita Jiménez* y Alarcón su bien conocido *El sombrero de tres picos*.

    1876 Se promulga una nueva Constitución.

    Giner de los Ríos funda la Institución Libre de Enseñanza.

    1878 Se termina la guerra de Cuba con la firma del "Pacto de Zanjón."

    1879 Pablo Iglesias organiza el Partido Socialista.

    1880 Menéndez y Pelayo publica su *Historia de los heterodoxos españoles*.

    1883 La condesa de Pardo Bazán publica *La cuestión palpitante*.

    1885 Muere el rey Alfonso XII (25 de nov.) a la edad de 29 años y la reina María Cristina de Austria (su madre) se ocupa de la Regencia.

[1885–1902] **Regencia de María Cristina**

    1886 El 17 de mayo nace el último rey de España.

    1888 Fundación de la Unión General de Trabajadores (UGT).

    1893 Se estrena la famosa zarzuela "La verbena de la Paloma."

    1897 Cánovas del Castillo, sostén de la monarquía, es asesinado.

    Ganivet da a conocer su *Idearium español*.

    1898 Se firma el Tratado de París con los Estados Unidos, perdiendo España sus últimas colonias: Cuba, Puerto Rico, las Filipinas y varias islas en el Pacífico.

    1902 Alfonso XIII es declarado mayor de edad y a los 16 años empieza a reinar.

VII. LA ESPAÑA DEL SIGLO XX

[1902–1931] **Alfonso XIII**

    1902 Azorín publica *La voluntad* y Valle-Inclán sus *Sonatas*.

    1903 Se crea el Instituto de Reformas Sociales.

    1905 de Falla compone su *La vida breve*.

    1906 Ramón y Cajal recibe el Premio Nobel de Medicina.

    Isaac Albéniz estrena la suite *Iberia*.

    1907 Se crea la "Junta para Ampliación de Estudios."

    1909 Huelga general en España.

    La "semana trágica" de Barcelona.

    Benavente estrena *Los intereses creados*.

    Estalla de nuevo la guerra de Marruecos.

1910 El partido socialista envía por primera vez diputados a Cortes.

1911 Creación de la CNT (Confederación Nacional del Trabajo), partido de tendencias francamente anarquistas.

1912 Unamuno publica *Del sentimiento trágico de la vida.*

1914 Estalla la primera Guerra Mundial. (España permaneció neutral.)

1917 Formación de las Juntas Militares de Defensa.

Huelga general en todo el país, dominada por el Ejército.

1921 Desastre del ejército español en Marruecos.

1922 Jacinto Benavente recibe el Premio Nobel de Literatura.

1923 Rebelión militar del general Primo de Rivera, con aprobación real, y establecimiento de un régimen dictatorial.

1925 Con la ayuda de Francia se consiguió la pacificación en Marruecos.

1926 Ramón Franco—hermano del general Franco—hizo el primer vuelo transatlántico (España-Buenos Aires).

1928 El poeta García Lorca se dio a conocer con su *Romancero gitano.*

1929 Ramón Menéndez Pidal publica *La España del Cid.*

1930 Caída de la Dictadura de Primo de Rivera.

Se publica *La rebelión de las masas*, obra de Ortega y Gasset.

[1931-1939] **La segunda República española**

1931 Alfonso XIII abandona España.

El 14 de abril se proclama la República.

El 9 de diciembre se promulga una nueva Constitución.

1933 Antonio Primo de Rivera, hijo del dictador, funda la "Falange."

1936 Alzamiento del Ejército contra la República y comienzo de la Guerra civil.

1939 El 26 de enero se rindió Barcelona.

El 1º de abril se entregó Madrid y con ello terminó la cruenta Guerra civil española.

Emigración de miles de españoles a países de Europa y América.

[1939-?] **El Estado Nacional-Sindicalista** bajo la dictadura personal del general Francisco Franco.

1940 Muere en el destierro Manuel Azaña, último Presidente de la segunda República española.

1941 Muere en Roma (28 de febrero) Alfonso XIII.

1942 Aparece la primera novela de José Cela: *La familia de Pascual Duarte.*

1946 Las "Naciones Unidas" rompen relaciones con la dictadura de Franco.

1953 Se firma el Concordato entre España y el Vaticano.

Alianza militar con los Estados Unidos y ayuda económica de este país a cambio de tres bases aéreas y una base naval.

1956 El poeta Juan Ramón Jiménez recibe el Premio Nobel de Literatura.

España es admitida en las Naciones Unidas.

Con excepción de las ciudades de Melilla y Ceuta, España abandona su Protectorado en Marruecos.

1959 Estabilización de la peseta.

1963 Ratificación del tratado de Bases con los Estados Unidos, a cambio de material de guerra y ayuda económica.

1967 Devaluación de la peseta española (70 pesetas por dólar).

1968 El tratado de bases militares con los Estados Unidos no se ratificó este año debido a la exorbitante cantidad (un billón de dólares) que exigía el gobierno español por el uso de las bases durante cinco años. (En los EE. UU. aparecen protestas contra el coste de estas bases.)

España

Síntesis de su civilización

VISTA PARCIAL DE TORLA, pueblecito de la provincia de Huesca enclavado en los Pirineos Centrales.

CAPÍTULO PRELIMINAR

INDICACIONES GEOGRÁFICAS

SITUACIÓN Y EXTENSIÓN

La Península Ibérica,[1] que comprende dos naciones—España y Portugal—está situada en el extremo sudoeste de Europa.* Se halla unida al resto del continente europeo por el istmo de los Pirineos, que tiene 220 millas de longitud; y está separada de África por el Estrecho de Gibraltar, de una anchura de ocho millas. El 85 por 100 de la superficie de la Península corresponde a España, y el 15 por 100 a Portugal.

Limita la Península Ibérica al norte con Francia y el mar Cantábrico—así se denomina aquella zona del Atlántico—; al este con el mar Mediterráneo; al sur con el Mediterráneo y el Atlántico; y al oeste con el Atlántico y Portugal.

Además del territorio peninsular, forman parte del dominio de España las Islas Baleares, situadas en el Mediterráneo, a corta distancia de su costa oriental, y las Islas Canarias, próximas a la costa occidental de África.

La superficie peninsular del territorio español comprende 190.115 millas cuadradas. Sumándole la de las Islas Baleares y Canarias el total es de 194.232 millas cuadradas. Por su extensión es la España peninsular el tercer país de Europa, y el quinto en población.

PERFIL OROGRÁFICO

Hay en el centro de la Península una extensa elevación (la Meseta central, o altiplanicie castellana), que ocupa un poco más de la tercera

* Las Notas se encuentran al fin de cada capítulo.

parte de la superficie total de España. La altura media de esta meseta se eleva unos 1.968 pies.

Hay por toda España grandes macizos montañosos que se enlazan a veces en largas cordilleras. La zona donde más abundan es la faja superior del norte, desde Galicia a Cataluña. Las sierras gallegas, la cordillera Cantábrica y los Pirineos casi se unen en una línea orográfica. Pero hay montañas y cordilleras por todo el territorio, incluso en el sur, donde está la mayor elevación que es el pico de Mulhacén, en Sierra Nevada, con 11.500 pies de altura.[2]

MARES Y PUERTOS

El Cantábrico por el norte, el Atlántico por el sur y el oeste, y el Mediterráneo por el sur y el este, son los mares que bañan las costas de España. Largas penetraciones del mar en determinadas zonas de costa dan origen a las rías, algunas de las cuales se utilizan mucho para la navegación. Famosas por la belleza del paisaje son las rías gallegas.

Cuenta España con numerosos puertos. Citaremos sólo los más importantes por razón del tráfico. Los de Barcelona, Valencia, Cartagena, Alicante y Málaga en el Mediterráneo; los de Cádiz, Vigo y Coruña en el Atlántico; y los de Gijón, Santander y Bilbao en el Cantábrico.

PAISAJE CASTELLANO.
En el campo de la Mancha, inmortalizado por Cervantes, se ve un molino de viento y dos pastores que guardan sus rebaños de ovejas.

RED HIDROGRÁFICA

La configuración de la superficie del territorio, donde tanto abundan las montañas y los valles, ha dado origen a numerosos ríos, cuyos caudales se encaminan por las tres vertientes, la Cantábrica, la Atlántica y la Mediterránea. De los nueve ríos mayores de España—ninguno comparable en magnitud y recorrido a los grandes ríos de América—, cinco corren a desembocar en el Atlántico y cuatro en el Mediterráneo. El Miño es el río de Galicia. El Duero es el gran río de Castilla la Vieja. El Tajo es la mayor corriente fluvial de Castilla la Nueva. El Guadiana, que se dirige a Extremadura, ofrece la particularidad de tener una gran parte de su recorrido subterráneo. El Guadalquivir es el magnífico río de Andalucía. El Ebro, más caudaloso que ninguno, cruza parte de Castilla con inclinación hacia el este, para penetrar por el sur de Cataluña y salir al mar. El Júcar, el Segura y el Turia son los ríos que van a fertilizar las tierras de Levante. En general los ríos españoles son poco caudalosos, particularmente en los meses de verano. No hay en España lagos importantes.

EL CLIMA

El clima español se caracteriza, dentro de su gran variedad, por dos notas bien acusadas: riqueza de sol y pobreza de lluvias. España es uno de los países de Europa en que se goza de más horas de sol, pues la duración de la luz solar oscila entre nueve horas para el día más corto de invierno y quince horas para el más largo de verano. En cambio de los beneficios del sol, sufre los perjuicios de la escasez de lluvia, aumentados por la gran evaporación originada por la energía solar. Las lluvias son escasas, en general. Sólo hay una zona de precipitación abundante, la del norte, al chocar las masas de vapor acuoso con las altas montañas. Galicia y Cantabria son las regiones más favorecidas de lluvias. En el centro del país hay también zonas que por diversas causas gozan del beneficio de las lluvias, pero predominan las comarcas secas, que comprenden quizá las dos terceras partes del suelo español.

Las temperaturas varían mucho, según las regiones, con el mínimo en enero o febrero y el máximo en agosto. En la región costera del norte la temperatura es poco variable, sin extremos de calor ni de frío. En el litoral mediterráneo las temperaturas son algo más altas, aunque siempre moderadas, y muy raras veces descienden en invierno de los 30 grados. En Castilla las temperaturas son extremadas, pasando de 100 en verano con alguna frecuencia y descendiendo a cero algunas veces. De todos modos, la temperatura más baja registrada en España ha sido la de 15 grados bajo

CASAS COLGADAS. Estas curiosas casas están colocadas a la orilla del cerro en que está situada la ciudad de Cuenca. Estuvieron habitadas por muchos años, pero hoy han sido convertidas en Museo.

cero. En el Pirineo hay otra zona fría como la de Castilla, pero pocas veces pasa de 100 en el verano. En el sur, en Andalucía, el clima es más caluroso. En invierno disfrutan de una media de 50, pero en verano pasa la media de 80 y alguna vez llega a marcar el termómetro 110. Hay lugares de clima delicioso, como Málaga, Alicante y Mallorca. El cielo está muchos días despejado, más de 150 días en la mitad sur de España y más de 120 en las cuatro quintas partes del país.

POBLACIÓN

España tiene actualmente 32 millones de habitantes, de los cuales una mitad vive en las capitales de provincia. La densidad demográfica es de 155 habitantes por milla cuadrada. Las ciudades mayores son Madrid,[3] capital de la nación, con más de tres millones de habitantes; Barcelona, que pasa de dos millones; Valencia y Sevilla, con más de medio millón; y con cifras superiores a 300.000 habitantes, Zaragoza, Bilbao y Málaga; tres capitales de provincia llegan a 200.000 y catorce rebasan los 100.000 habitantes.

AGRICULTURA Y MINERÍA

Además de cereales, hortalizas y frutas, hay otros productos agrícolas. Se destacan en el conjunto, por la cuantía de las cosechas, el olivo, la vid, la naranja, la almendra y el arroz.

El subsuelo es rico en minerales. Las principales explotaciones son las de mercurio, cobre, hierro, carbón y plomo.

LAS REGIONES Y PROVINCIAS

Por razones históricas y geográficas España se divide en doce regiones, pero administrativamente consta de 47 provincias peninsulares. A éstas habría que añadir tres provincias insulares.

Regiones	*Provincias**
Galicia	Coruña, Lugo, Orense, Pontevedra.
Asturias	Oviedo
León	León, Zamora, Salamanca.
Castilla la Vieja	Santander, Burgos, Logroño, Soria, Palencia, Valladolid, Segovia, Ávila.
País Vasco	Vizcaya (*Bilbao*), Guipúzcoa (*San Sebastián*), Álava (*Vitoria*).
Navarra	Navarra (*Pamplona*).
Aragón	Huesca, Zaragoza, Teruel.
Cataluña	Gerona, Barcelona, Lérida, Tarragona.
Levante	Castellón, Valencia, Alicante, Murcia, Albacete.
Castilla la Nueva	Madrid, Toledo, Ciudad Real, Cuenca, Guadalajara.
Extremadura	Cáceres, Badajoz.
Andalucía	Huelva, Cádiz, Sevilla, Córdoba, Málaga, Jaén, Granada, Almería.
Islas Baleares	Archipiélago de cinco islas: Mallorca, Menorca, Ibiza, Formentera y Cabrera. (Capital: *Palma*.)
Islas Canarias	*Las Palmas* es la capital de tres islas: Gran Canaria, Lanzarote y Fuerteventura. *Santa Cruz* es la capital de cuatro islas: Tenerife, Palma, Hierro y Gomera.

* Por lo general, las capitales y las provincias llevan el mismo nombre. Sólo hemos subrayado aquéllas en que los nombres no corresponden.

NOTAS

1. El nombre de *Iberia* se lo dieron los griegos a esta península. Más tarde los romanos la llamarán *Hispania* y los árabes, *Al-Andalus,* de donde procede el nombre *Andalucía.*

2. En la isla de Tenerife se encuentra el pico más alto de Europa después del *Mont Blanc,* en Suiza. Se llama *Teide* y tiene una altura de 12.300 pies.

3. Fue el rey Felipe II quien fijó la residencia de la corte en Madrid, que así quedó convertida en capital de la nación. Su padre, Carlos V, mandó arreglar el alcázar para que sirviera de acomodo a la corte cuando viajaba entre sus dos capitales: Toledo y Valladolid.

4. Por motivos políticos y administrativos se convirtieron en provincias tres de las posesiones españolas en la costa occidental de África: Sahara, Río Muni y la isla de Fernando Poo. Estas dos últimas recibieron su independencia de España y se han constituido en un Estado libre con el nombre de "Guinea Española."

CALLE DE ALCALÁ, una de las más conocidas de todo Madrid.

CAPÍTULO I

LA PREHISTORIA Y EL PRINCIPIO DE LA HISTORIA

Para la Península Ibérica o Hispánica la historia principia alrededor del año 1000 a. de C., pues existen datos escritos sobre hechos ocurridos desde entonces en su territorio. Las referencias más antiguas son las de la Biblia, y después las de escritores griegos y latinos. Todo lo sucedido anteriormente corresponde a la prehistoria.

LA PREHISTORIA

Se calcula que el hombre prehistórico ya habitaba la Península entre los años 20.000 y 15.000, durante el período de la última glaciación del continente europeo. Este hombre encontraba refugio contra el frío en las cuevas, donde fabricaba utensilios de hueso o pedernal para la caza de animales—muchos de los cuales desaparecidos hoy.

A todo lo largo de la cordillera cantábrica y en el sur de Francia se han descubierto cavernas que atestiguan la existencia de hombres pertenecientes a la "raza de Cro-magnon." [1] De todas estas cuevas, las más famosas son las de Altamira, no lejos de la ciudad de Santander y a corta distancia de Santillana del Mar. Los miles de turistas que las visitan cada año son atraídos por las pinturas polícromas, mayormente de bisontes, que aparecen en los techos. Dos cosas en particular llaman la atención del visitante: (1) el buen estado de conservación de las pinturas—quizás debido a que la luz solar no penetra dentro—y (2) la habilidad de aquel hombre prehistórico en la utilización de colores y de las protuberancias de las rocas para dar mayor realismo y plasticidad a las figuras de animales: unas en carrera, otras echadas o en pie. Hay pinturas rupestres

POBLADO CELTA.
En el noroeste de España,
sobre todo en Galicia,
se han descubierto restos
de *poblados* o *castros* celtas,
situados en lugares altos
para defenderse en caso
de peligro. Nótese que estos
castros eran de planta
circular.

(sobre rocas) en otras cuevas descubiertas en el norte de España y sur de Francia, pero ningunas son comparables a las de Altamira. Con razón se ha dado el nombre de "Capilla Sixtina del arte cuaternario" al techo de Altamira.

A otros hombres prehistóricos de época algo posterior pertenece otro tipo de pinturas y grabados encontrados en cuevas del este y sur de España. Pero aquí no sólo aparecen figuras de animales sino también humanas—todas ellas estilizadas y hechas con pocos trazos. Cuando aparecen formando grupos, tal vez representen escenas de caza, de batallas entre tribus enemigas o, posiblemente, escenas de bailes sagrados y de carácter fálico.

LOS ANTIGUOS POBLADORES

Entre los siglos XI y VI a. de C. la Península Ibérica estuvo habitada por varios elementos demográficos: (*a*) pueblos que de antiguo vivían ya en su territorio—los *iberos*; (*b*) pueblos que fueron a la Península en varias oleadas migratorias y allí se establecieron—*los celtas*; (*c*) pueblos de contingente menos numeroso que llegaron con propósito de colonización comercial y establecieron ciudades en la costa del Mediterráneo—los *fenicios* y los *griegos*; y (*d*) pueblos que llegaron a la Península en plan de conquista—los *cartagineses* y los *romanos*.

LOS IBEROS

En realidad no se sabe con certeza quiénes fueron los primeros pobladores de la Península. Según algunos historiadores, los iberos ya habitaban este territorio desde tiempos prehistóricos que no pueden precisarse. Parece que un importante núcleo de ellos llegó del norte de África y se estableció en el sureste.[2] De este núcleo engrandecido irradiaron probablemente grupos que fueron extendiéndose por la región de Levante, cruzaron los Pirineos y regresaron después a la Península para establecerse en el centro. Se supone que al ocupar así una extensa zona del país se sobrepusieron a posibles pobladores anteriores.

Créese que eran dolicocéfalos,[3] de cabello oscuro y de baja estatura. Moralmente se distinguían por su lealtad y sentimientos hospitalarios y belicosos. De la lengua que hablaban tenemos indicios en las inscripciones que han sido objeto de estudio por el historiador Manuel Gómez-Moreno y sus discípulos.

El grado de su civilización se puede observar en sus esculturas, piezas de cerámica y en las joyas de oro y plata descubiertas en lugares muy distintos. El rasgo más característico de su cerámica es el de dar forma de campana a sus vasijas, por cuya razón se ha dado el nombre de "vaso campaniforme" a este estilo.

Digno de notar en su escultura es que en las regiones de Levante, donde hubo más contacto con griegos y fenicios, era más refinada; mientras en regiones del interior era más tosca y rudimentaria. A este segundo grupo pertenecen figuras de animales labradas en granito y de forma tan indistinta que, según el lugar donde han sido descubiertas, las llaman hoy toros, becerros, cerdos y verracos. Al grupo levantino pertenece la famosa *Dama de Elche*—hermoso busto de mujer ibera que puede admirarse en el Museo del Prado de Madrid. Lo más notable de esta escultura del siglo IV a. de C. es la influencia de lo griego y oriental en lo típicamente ibero. El contorno de la cara es de evidente influencia egipcia, mientras los adornos, el pelo y la peineta son de tradición nativa. María E. Gómez-Moreno añade que "Este busto es sin duda parte de una estatua de cuerpo entero y representaría a una sacerdotisa u oferente; el manto se alza por detrás en forma de peineta, y va ricamente adornada con collares y grandes pendientes que reproducen joyas hispano-fenicias.... La ejecución es primorosa, revelando la mano de un gran artista."

La base de la economía de los iberos fue la explotación de las riquezas minerales y de los productos agrícolas del país, que dieron origen a un activo comercio con los pueblos colonizadores de la costa.

LOS TARTESOS Y LOS VASCOS

Los *tartesos* fueron un pueblo rico y de civilización superior, situado en Andalucía, aunque no sabemos el lugar preciso. Su capital se llamaba Tharsis (o Tarshish). En algún tiempo se creyó que pertenecían al grupo de los iberos, pero hoy se consideran de otra raza. La referencia escrita más antigua es la Biblia (Reyes I, x:22), donde se dice que el rey Salomón "tenía la flota que salía a la mar, a Tharsis, con la flota de Hiram: una vez cada tres años venía la flota de Tharsis y traía oro, plata, marfil, simios y pavos." A partir del siglo V a. de C. este pueblo tan importante va perdiendo relieve histórico y desaparece sin que sepamos cuándo y cómo se extinguió.

El *pueblo vasco*[4] suscita singular interés principalmente por haber conservado hasta nuestro tiempo su especial personalidad bien caracterizada y una lengua propia. En la raza han penetrado, al correr de la historia, otros elementos étnicos, pero su lengua, distinta de todas las europeas, ha evolucionado poco.

Se ha escrito mucho sobre el origen de los vascos y sobre la índole de su lengua—el vascuence—sin que hasta ahora exista una opinión generalmente aceptada.

LOS CELTAS Y LOS CELTÍBEROS

Fueron los celtas otro elemento preponderante en la integración racial de Hispania. Con el nombre de *celtas* se designa a una raza indoeuropea[5] de hombres rubios, procedentes del norte y oeste de Europa, que llegaron por los Pirineos en varias oleadas para establecerse en la Península. La primera invasión se extendió hasta el río Ebro y ocurrió en el siglo IX a. de C. Las posteriores tuvieron lugar en el siglo VI a. de C.

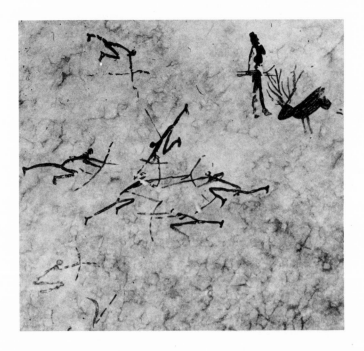

PINTURA PREHISTÓRICA del Levante español. Una escena de caza.

CUEVA DE ALTAMIRA, cerca de la ciudad de Santander. Estas pinturas prehistóricas de un bisonte y un caballo se conservan en excelente estado a pesar
de su antigüedad de más de 150 siglos.

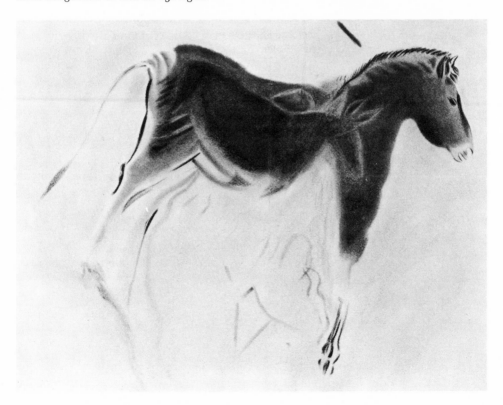

y marcharon hacia el oeste y sudoeste, llegando a Galicia, Portugal y Extremadura, regiones en que su influencia es manifiesta. En la zona de Levante fueron absorbidos por los iberos, de superior cultura a la suya.

En general se puede decir que los celtas, pueblo más guerrero que los iberos y de mayor cohesión política, fueron capaces de establecer en su territorio una firme organización social y militar.

No hay unidad de opiniones acerca de *los celtíberos*, que algunos caracterizan como "celtas del Ebro." La tesis más prevaleciente es que son el producto de la mezcla racial de iberos y celtas, especialmente en el centro de la Península. Otros, sin embargo, dudan que haya habido una raza celtíbera y explican que el nombre "celtíbero" lo aplicaron los romanos al ibero de la región central para distinguirlo del ibero propiamente dicho de la zona levantina. Lo que sí consta es que para muchos en nuestros días (como para los cartagineses y romanos en otros tiempos) la palabra "celtíbero" representa aquellas cualidades que se consideran más características del tipo hispano.[6]

Parece que en religión los celtíberos profesaban creencias monoteístas, quizás no bien definidas pero que no dejaron de impresionar a los romanos. La base de su organización social y política eran las tribus, regidas por jefes que luchaban a muerte por la independencia de sus ciudades, de lo que es buen ejemplo la ciudad de Numancia y su resistencia contra los romanos.

NOTAS

1. Cro-Magnon es un pueblo del sur de Francia donde, en una cueva se descubrieron los restos de un hombre prehistórico que ha recibido este nombre.
2. Hay quienes consideran a los iberos descendientes de Cam (Ham), hijo de Noé (Noah).
3. De cráneo muy oval: más largo que ancho.
4. La zona geográfica del pueblo vasco corresponde a las actuales provincias de Álava, Guipúzcoa, Vizcaya y parte de Navarra.
5. *Indoeuropeos* eran pueblos de origen común que se extendían desde la India hasta el occidente de Europa.
6. Estrabón (Strabo), geógrafo griego (63 B.C.?–?24 A.D.), autor de una *Geografía* en 17 vols. En el tercero de estos volúmenes, dedicado a la Península Ibérica, atribuye a los celtíberos las siguientes cualidades: hospitalidad, arrogancia, amor a la libertad, individualismo y fanática defensa de sus ciudades; de esto último, ya se ha dicho, da buena prueba la heroica defensa de Numancia contra los romanos.

CAPÍTULO II

LAS COLONIZACIONES Y LAS INVASIONES POSTERIORES

LA COLONIZACIÓN FENICIA

Los fenicios eran un pueblo de raza semita. Estuvieron sometidos mucho tiempo a los egipcios y al liberarse llegaron a ser una nación poderosa.[1] Inclinados a la aventura del comercio marítimo, llevaron sus naves por el Mediterráneo hacia el oeste, y en las costas del mediodía de la Península Ibérica intercambiaron mercancías orientales por metales preciosos y otros productos hispánicos. Más tarde fundaron en la misma zona marítima centros coloniales, algunos de los cuales, como Gádir (hoy Cádiz) y Malaca (ahora Málaga), llegaron a ser ciudades importantes. Se cree que la fundación de Gádir tuvo lugar hacia el año 1100 a. de C., y sería así la ciudad más antigua de Occidente.

No tenían los fenicios una civilización original, sino asimilada de otros pueblos orientales. Ya conocían el alfabeto, que transmitieron a los tartesos y a los iberos, iniciándolos así en la escritura. Les comunicaron también sus conocimientos en cuanto a la explotación de las importantes riquezas minerales que entonces había en la Península, de oro, plata y cobre principalmente. Pueblo de mercaderes, los fenicios impulsaron la acuñación y circulación de moneda en la parte meridional de la Península. Se han descubierto objetos que muestran la índole de su cerámica y de su arte en la joyería, en la escultura y en la vidriería.

LA COLONIZACIÓN GRIEGA

La expansión de pueblos griegos sobre el Mediterráneo fue un fenómeno que duró desde el siglo VII al siglo III a. de C. Fueron colonizando importantes puntos de Italia, extendiéndose también por las islas y por el sur de Francia.

En la Península Ibérica parece que el primer contacto de los navegantes griegos con los naturales del país tuvo lugar en Tartesos. Sin embargo, la zona principal de la colonización griega se extendió a lo largo de la costa oriental. La mayor parte de las colonias se establecieron entre los años 590 y 570 a. de C., y la más importante de ellas, llamada *Emporion* debió de fundarse hacia el año 550.

Emporion, palabra que significa *mercado*, fue primeramente una ciudad muy pequeña, construida sobre una islita que había cerca de la costa y más tarde ha quedado unida al continente. Después construyeron los griegos, frente a la antigua, una ciudad, establecida donde hoy está Ampurias, en la provincia de Gerona.

La aportación cultural de los griegos fue importantantísima, pues poseían ya entonces una elevada y progresiva civilización que comunicaron a los pueblos ibéricos relacionados con ellos. Hubo en Iberia una arquitectura inspirada en el tipo helénico, e igualmente una escultura influida por los modelos del arte griego; pero los bustos, estatuas y demás creaciones no fueron una imitación servil, sino que en ellos se percibe el sello de la originalidad hispánica. Se han descubierto muy bellas obras de arte escultórico de este tipo, entre las que se destaca por su mérito extraordinario la ya mencionada "Dama de Elche," así llamada por haber sido hallada casualmente, en 1897, en la ciudad de Elche, provincia de Alicante.

LA INVASIÓN CARTAGINESA

Cartago era una ciudad fenicia establecida en el norte de África, cerca de donde ahora está situada Túnez. Constituida en Estado próspero y poderoso, extendió sus dominios por el Mediterráneo, como rival de la colonización griega.

En el siglo V a. de C., no se sabe exactamente la fecha, los tartesos atacaron a los fenicios de Gádir, derrotándolos. Perdida por éstos la ciudad, o a punto de perderla, pidieron ayuda a Cartago, y ésta envió un ejército, con cuya ayuda los tartesos fueron vencidos. Pero los cartagineses no volvieron al África, sino que se convirtieron en dominadores de una zona del mediodía de la Península. Poco se sabe de las actividades de los cartagineses desde el siglo V hasta el siglo III a. de C. cuando fueron vencidos en la primera guerra *púnica* contra Roma (264–241 a. de C.).[2]

Para vengarse de esta derrota, Cartago determinó convertir la Península Ibérica en base de operaciones militares contra Roma y mandó un poderoso ejército. En el año 221 a. de C. el mando de este ejército pasó

LA DAMA DE ELCHE. Magnífico busto de arte ibérico influido por el de otras culturas del Mediterráneo.

a manos de un joven de 25 años, Aníbal, quien con la ayuda de mercenarios iberos decidió atravesar los Pirineos y los Alpes y dar la batalla en Italia contra el mortal enemigo. Pero antes quiso subyugar algunas tribus enemigas, encontrando gran resistencia en la heroica ciudad de Sagunto,[3] que al fin se rindió (219 a. de C.). En Italia Aníbal consiguió derrotar a Roma en varias batallas, sin obtener la victoria definitiva. Mientras tanto Roma envió por mar un ejército mandado por el general Publio Cornelio Escipión y en pocos años acabó con el dominio cartaginés en la Península Ibérica.

Los cartagineses dejaron pocas huellas de su cultura. Mantuvieron sin embargo relaciones amistosas con la mayoría de las tribus indígenas. Prueba de esta amistad, que sin duda debió influir en la vida y costumbres de los iberos, son la adopción de la moneda cartaginesa y el incremento del comercio con los conquistadores. También se debe tener presente que un buen contingente de iberos y celtíberos se alistaron en el ejército que fue a Italia con Aníbal.

LA INVASIÓN ROMANA

Expulsados los cartagineses de la Península, Roma, república imperialista y poderosa, se dispuso a conquistarla. Necesitó para lograrlo luchar contra sus habitantes, casi incesantemente, durante dos siglos. Los pobladores de la mayor parte del sur y del este se sometieron sin resistencia a la dominación romana. En el resto de la Península los romanos encontraron durísima resistencia, debida no tanto a la táctica de guerrillas como al profundo sentimiento de independencia de los distintos pueblos y a los brutales procedimientos de conquista que contra ellos se utilizaron. La historia registra muchos hechos gloriosos en defensa de su libertad. Entre ellos se destacan la oposición de Lusitania[4] y la resistencia de Numancia.[5]

La última sublevación hispánica contra el dominio romano tuvo lugar ya en tiempo del emperador Augusto. Se levantaron los cántabros, los astures y los vascones, y el propio emperador se trasladó a la Península para vigilar la campaña. Vencidos al fin los rebeldes (19 a. de C.), quedó sometido de manera definitiva todo el país al yugo romano.

LA ROMANIZACIÓN DE HISPANIA

La romanización de los habitantes de la Península Ibérica principió realmente cuando en el año 218 (a. de C.) penetraron en ella soldados del primer ejército romano de invasión. Pero la influencia romana se hizo más intensa desde que la Península quedó convertida en un dominio del Imperio, es decir, desde Augusto. Este proceso de romanización fue más rápido en el sur y en el este, quizás porque allí habitaban pueblos acostumbrados a absorber civilizaciones ajenas.

Pasos muy importantes en el camino de la romanización fueron la concesión de la ciudadanía latina primero y después de la ciudadanía romana (212 d. de C.) a todos los habitantes de Hispania, quedando con ello plenamente sujetos al derecho romano. Merced a la acción de los diversos factores y al transcurso del tiempo los habitantes de Hispania fueron aceptando la civilización romana, las ideas, las costumbres, la lengua, la religión, el traje, etc., y la romanización llegó a ser profunda, aunque algunas zonas del norte y noroeste se resistieron a ella. Pero no dejaron por ello de conservarse las antiguas raíces de las civilizaciones indígenas, pues todavía subsisten en la vida española algunos de sus elementos, como el amor a la independencia, la incapacidad para unirse políticamente y la oposición a jerarquizaciones rigurosas.

NOTAS

1. La nación fenicia estaba organizada como conjunto de Ciudades-Estados, entre los que eran muy importantes Sidón y Tiro, en la costa de Siria.

2. Se llaman *púnicas* (del latín *punicus*=cartaginés) las tres guerras que sostuvieron por más de un siglo los cartagineses y romanos. En la tercera (149–146 a. de C.) los romanos destruyeron a fuego la ciudad de Cartago.

3. La ciudad ibera de Sagunto estaba cerca Valencia. La mayoría de sus habitantes prefirieron la muerte a la rendición. Aún quedan ruinas de su magnífico teatro.

4. Se da el nombre de Lusitania hoy a Portugal. En tiempo de los romanos era una provincia que comprendía este país y la parte occidental de Iberia. La rebelión de los lusitanos mandados por Viriato presentó un problema a la orgullosa Roma. Se resolvió al fin mediante el inicuo procedimiento de sobornar a tres amigos del caudillo, quienes traidoramente lo asesinaron (139 a. de C.).

5. La ciudad de Numancia estaba situada cerca de la actual ciudad de Soria. Resistió a los romanos por diez años, hasta que llegó su más famoso general, Publio Escipión Emiliano, el destructor de Cartago, quien con un poderoso ejército puso sitio a la ciudad durante ocho meses y tuvo que rendirse (133 a. de C.). Cuando el vencedor entró en la plaza, sólo encontró muertos, hambrientos y ruinas.

CAPÍTULO III

LA HISPANIA ROMANIZADA

LA UNIFICACIÓN DE HISPANIA*

La conquista de la Península Ibérica por Roma produjo importantes efectos en el sentido de su unificación, que se manifestó en diferentes órdenes.

Unificación política. Los habitantes de la Península estaban antes agrupados en tribus, que a veces tenían entre sí relaciones de amistad y aun de alianza, y a veces guerreaban unas con otras. No había conciencia de unidad común y el nombre de Hispania sólo tenía un significado geográfico. Convertida la Península en dominio romano bajo una autoridad que se extendía a toda ella, desapareció la vinculación tribal sustituida por una relación y una conciencia de unidad de pueblos que estaban viviendo en la misma civilización.

Unificación jurídica. Se produjo principalmente desde que por decreto del emperador Caracalla (212 d. de C.) obtuvieron todos los habitantes de Hispania la ciudadanía romana, quedando así sujetos a las leyes comunes del Imperio.

Unificación lingüística. Quedó establecida cuando la mayor parte de los pueblos hispánicos aprendieron y emplearon como lengua de uso general el bajo latín hablado en la totalidad del Imperio.

Unificación de cultura y costumbres. Fue natural consecuencia del predominio de la autoridad y de la superior cultura del pueblo romano al extenderse por toda la Península y sobre todos sus habitantes.

---

* Recuérdese que los romanos dieron el nombre de *Hispania* a toda la Península Ibérica e *hispanos* a sus habitantes.

MOSAICO ROMANO.
Se encontró en las ruinas
de Itálica, antigua capital
de la Bética.

OBJETOS DE ARTE ROMANO. Los dos primeros son de vidrio y el tercero es de plata.

DIVISIÓN Y ORGANIZACIÓN ADMINISTRATIVA

Los romanos dividieron la Península primero en dos provincias, llamadas *Citerior* y *Ulterior*. Augusto estableció una nueva división en tres provincias: *Bética, Lusitania* y *Tarraconense*.[1] Más tarde se crearon otras provincias. Los gobernantes provinciales recibieron los nombres de procónsules, pretores y prefectos.

El régimen local fue distinto en las varias clases de ciudades, pero con tendencia al sistema del municipio romano, que se estableció en gran número de ellas. El gobierno municipal estaba a cargo de cuatro magistrados, dos de ellos llamados "duumviros" con funciones administrativas, judiciales y militares, y otros dos, de categoría inferior, los "ediles." Había además una asamblea o "curia," compuesta regularmente de 100 miembros o "decuriones," que ejercía el poder superior. Los cuatro funcionarios mencionados y los "decuriones" se elegían por votación, hasta que en el siglo III d. de C. el absolutismo de los emperadores puso fin a la autonomía municipal.

VIDA ECONÓMICA

La agricultura, la minería y la ganadería eran la base de la economía hispánica. Hay muchos textos de aquel tiempo relativos a la abundancia y alta calidad de los productos. Se exportaba a Roma gran

TEATRO ROMANO DE MÉRIDA. Todavía se utiliza hoy de vez en cuando para representar obras de gran espectáculo.

CÓRDOBA. Puente romano sobre el Guadalquivir.

cantidad de cereales. El aceite de oliva era una de las principales riquezas de la Península. También era importante la producción de vinos. Había gran variedad de árboles frutales. Sobre la agricultura peninsular, ya desarrollada anteriormente, ejercieron los romanos la influencia de una técnica mejor en cuanto al arado y fertilización de las tierras y a los sistemas de cultivo.

La riqueza ganadera fue importante entonces. Además del ganado vacuno había los grandes rebaños de carneros y ovejas productores de una lana universalmente famosa. Los caballos de raza hispánica gozaban de extraordinario aprecio.

La explotación minera y metalúrgica alcanzó gran desarrollo. Había excelentes minas de oro en Asturias, de plata en Cartagena, de cobre en Río Tinto[2] y de mercurio en Almadén.[3]

Hubo de antiguo un gran comercio marítimo, que fue la razón de ser de las colonias fenicias y griegas, y se hizo todavía más intenso entre los puertos hispánicos del Mediterráneo y los latinos de Italia.

LAS CLASES SOCIALES

Hasta Caracalla había una diferenciación de tipo jurídico entre las tres categorías de habitantes: ciudadanos romanos, ciudadantos latinos y peregrinos.[4] Luego todos fueron ciudadanos romanos. Pero independientemente de ello, se distinguían los patricios y los plebeyos, con algunas categorías intermedias, entre los hombres libres, y además los semi-libres y los esclavos.

EL DERECHO ROMANO

Los romanos fueron en cierto modo un pueblo de juristas. Su fecundidad legislativa y su sentido del derecho crearon un amplio sistema jurídico que regulaba todas las actividades del hombre y que ha servido de modelo a la legislación de los países de civilización latina. El pueblo hispano-romano se rigió por las leyes de Roma y por las que especialmente se dictaron para la Península.

VIDA PRIVADA

Las casas de estilo romano edificadas en la Península Ibérica, de uno o de dos pisos, no tenían en el primero más abertura que la puerta de entrada; por ella se pasaba al "atrium," pieza rectangular detrás de la cual estaban las demás habitaciones de la vivienda: el "tablium," que era el estudio o despacho del dueño, los comedores, los dormitorios, y al final un patio o jardín llamado "perystilum." Las casas de familias bien acomodadas tenían calefacción y se alumbraban con "lucernas," a veces de gran lujo, cuya llama se alimentaba con aceite de oliva. Los muebles no eran muchos. El lecho se empleaba no sólo para dormir, sino para reposar y aun para comer, según la costumbre romana. Tenían mesas, fijas o portátiles, y guardaban en arcas las ropas, el dinero y objetos de toda clase. Usaban tapices, especialmente en los dormitorios, y cortinas en las puertas. Por influencia de los griegos, dedicaron los romanos gran atención a la cultura física y fueron muy aficionados a los baños.

LA RELIGIÓN

Poco se sabe de las religiones indígenas anteriores a los romanos. Sin duda los habitantes de la Península adoraban múltiples dioses, representando algunos de ellos fuerzas de la naturaleza. Sobreponiéndose más o menos a las creencias anteriores, los romanos introdujeron en Hispania su religión politeísta.[5] Posteriormente empezó a extenderse la religión cristiana desde el siglo I d. de C.

Una tradición piadosa afirma que el Evangelio fue predicado en la Península Ibérica por el apóstol Santiago. Esta leyenda, como la de haberse encontrado su sepulcro en Galicia, han dejado profundas huellas en la vida y costumbres de los españoles. Es curioso notar que los antiguos escritores cristianos no hacen mención de que hubiera predicado en España. Quien con toda seguridad estuvo en la Península fue el apóstol San Pablo. Por lo menos él mismo anuncia sus deseos de visitarla en la *Epístola a los Romanos* (X:24 y 28), donde nos dice: "Cuando partiere para Hispania, iré a vosotros; porque espero que pasando os veré, y que seré llevado de vosotros allá." En otro versículo confirma su propósito: "Pasaré por vosotros a Hispania."

Como en otras provincias del Imperio romano, hubo persecuciones de cristianos; no obstante, el cristianismo se desarrolló rápidamente, y algunos de sus hombres fueron conocidos fuera de la Península. Uno de ellos fue Osio, obispo de Córdoba, a quien el emperador Constantino, después de convertirse al cristianismo (año 323), encomendó la misión de combatir las doctrinas sectarias[6] del obispo Arrio de Alejandría (Asia Menor), que ya habían echado hondas raíces en el Imperio y en los pueblos bárbaros[7] que vivían cercanos.

Al desmoronarse el Imperio romano, la Iglesia fue la única institución capaz de mantener una semblanza de orden y de conservar la cultura greco-romana.

EL ARTE HISPANO-ROMANO

Los romanos eran grandes arquitectos y sus edificios aún perduran en muchos lugares. De todos ellos, no hay ninguno que se compare al acueducto de Segovia, al teatro de Mérida y a los anfiteatros[8] de Mérida e Itálica. Como también tenían un sistema excelente de vías de comunicación, construyeron sólidos puentes que aún se utilizan hoy, como los de Salamanca, Córdoba, Mérida y Alcántara. La escultura griega influyó en la romana aun más que en la arquitectura, pero en Hispania no se han encontrado ejemplos de mucho valor. Hubo talleres de escultura y se han encontrado bustos y estatuas de emperadores y divinidades, nada comparables a las joyas arquitectónicas.

Deben citarse también las manifestaciones de las artes industriales, como la orfebrería y platería, la cerámica, la fabricación y decoración de objetos de metal y vidrio. De más interés son aún los hermosos mosaicos con motivos geométricos o con retratos y escenas de familia con que adornaban sus casas.

APORTACIÓN HISPÁNICA A LA CULTURA ROMANA

Si es cierto que la Península Ibérica se había incorporado por completo a la vida, economía y cultura del Imperio romano, también lo es que hombres de Hispania contribuyeron generosamente al fortalecimiento y al desarrollo de su cultura durante el siglo I de la era cristiana. Cuatro de sus más conocidos emperadores eran de origen hispánico: Trajano y Adriano nacieron en Itálica; Teodosio fue natural de Coca (Segovia); Marco Aurelio procedía de familia nacida en la Península. Los hombres más importantes de la literatura latina de la Edad de Plata también pertenecieron a familias de origen hispánico. Con la excepción

ACUEDUCTO DE SEGOVIA. Es el monumento romano mejor conservado de España, y esto a pesar de que en su construcción no intervino el yeso ni la argamasa. Consta de 163 arcos: 44 en la arcada inferior y 119 en la superior. Su longitud se acerca a la media milla.

de Marco Valerio Marcial, que siempre se sintió más apegado a su tierra de Calatayud y que allí fue a morir, los demás se consideraban en el fondo más romanos que hispanos. El más mundialmente conocido hoy es Lucio Anneo Séneca (3 a. de C.-65 d. de C.). Nacido en Córdoba, fue llevado a Roma por su padre a la edad de tres años y allí se educó. Después de adquirir gran renombre como tutor de Nerón, cayó en desgracia y fue condenado a muerte por el emperador, pero prefiriendo dársela él mismo se abrió las venas—un gesto muy acorde con sus convicciones éticas y filosóficas. La importancia de Séneca en la cultura universal ha sido enorme, especialmente en la española, donde su filosofía de la vida—el *senequismo*—coincide con la manera de pensar y sentir del ser hispánico en todos los tiempos.

En resumen, España debe a Roma sólidos puentes y acueductos; restos de ciudades, templos, teatros, termas,[9] circos,[10] arcos triunfales,[11] sepulcros y necrópolis; pero la deuda más importante aún es la legislación romana y la lengua latina—madre de la española.

NOTAS

1. *Citerior* era la parte de la Península más próxima a Roma, y *Ulterior* la más distante. *Bética* era la parte sur y *Lusitania* la del oeste.

2. Las minas de Río Tinto, en la provincia de Huelva, pertenecieron por muchos años a una compañía inglesa.

3. Las minas de Almadén, en la provincia de Ciudad Real, las más importantes minas de mercurio del mundo, son explotadas por el Estado español.

4. Ciudadanos *romanos* eran los de la ciudad de Roma; *latinos*, los del resto de Italia; *peregrinos* los extranjeros, aunque vivieran en Roma o en Italia.

5. La religión de numerosos dioses, subordinados a Júpiter y Juno, según explica la mitología greco-latina.

6. Para combatir esta herejía (el *arrianismo*), que negaba la divinidad de Cristo y la Trinidad, el obispo Osio convocó el Concilio de Nicea (325), donde fue condenada.

7. Para los griegos y romanos la palabra *bárbaro* significaba extranjero, es decir, el hombre de otras razas que no hablaban ni griego ni latín.

8. Los *anfiteatros* eran edificios de planta ovalada, donde se efectuaban luchas entre gladiadores y luchas de hombres con fieras.

9. Establecimientos de baños donde había agua caliente e instalaciones de cultura física.

10. Edificios donde tenían lugar los juegos gimnásticos y las carreras.

11. Arcos dedicados a un emperador, un guerrero famoso o un personaje importante.

CAPÍTULO IV

LA HISPANIA VISIGÓTICA

LA INVASIÓN DE LOS BÁRBAROS

A principios del siglo V (d. de C.) la decadencia del Imperio romano permitió que varios pueblos germánicos invadieran sus dominios. Los *alanos*, los *vándalos* y los *suevos* penetraron en la Península en el año 409, pero ninguno dejó profundas huellas de su paso por Hispania.

EL DOMINIO VISIGÓTICO

Poco después entraron los visigodos, otro pueblo germánico, algo más civilizado que los anteriores por haber vivido en contacto con los romanos. Se cree que unos 200.000 cruzaron los Pirineos en 414, como aliados de Roma, y en poco tiempo destruyeron a los alanos y lanzaron al África a los vándalos. Años después llegó otra oleada de visigodos (100.000), expulsados de Francia, y juntamente con los radicados en la Península hicieron conquistas por cuenta propia (ya independientes del Imperio romano), establecieron su corte en Toledo y expulsaron de Hispania a los bizantinos, que dominaban buena parte del sur del país.[1]

Los visigodos habían sido cristianizados antes de llegar a la Península, pero profesaban el *arrianismo*[2] y frecuentemente perseguían a los católicos. El último rey arriano fue Leovigildo, el conquistador de los suevos[3] y el fundador del primer Estado nacional en Hispania. Su hijo y sucesor, Recaredo, se presentó ante el Concilio III de Toledo para jurar la fe católica. Este hecho importantísimo inició una nueva etapa en la historia del pueblo visigodo: la total integración con el pueblo hispano-romano. Siguieron después otros monarcas, pero al ser destronado Wamba (681)

ÁGUILAS VISIGÓTICAS. Corresponden a la segunda mitad del siglo VI.

principió una acelerada descomposición del reino, debida principalmente a las rivalidades y ambiciones de los nobles.

El último rey visigodo fue Rodrigo. Se cree que sus enemigos se aliaron con los musulmanes del norte de África, quienes mandados por su jefe Tarik atravesaron el estrecho de Gibraltar, vencieron al rey visigodo en una batalla decisiva y continuaron su marcha hacia el norte de la Península. Sorprende a primera vista que estos nuevos invasores destruyeran un reino que había sido poderoso y ocuparan todo el territorio peninsular en un plazo relativamente corto.[4]

LA CIVILIZACIÓN HISPANO-GÓTICA

Esta civilización presenta el singular carácter de un pueblo vencedor que recibe a través del vencido (el hispano-romano) la civilización que a éste había comunicado anteriormente otro pueblo (el romano) conquistador del mismo territorio. En efecto, los visigodos ya algo romanizados antes de la invasión se romanizaron aún más en Hispania, hasta el punto de abandonar su propio idioma y adoptar el latín. Sin embargo, algunos elementos de su civilización permanecieron. La sangre nueva que trajeron con ellos contribuyó al desarrollo de una conciencia nacional que no había existido antes. También en su legislación (fusionada con la de los hispano-romanos) se encuentran algunos rasgos germánicos, como el de la venganza secreta, base para algunos del "código de honor" de la literatura española en siglos posteriores.

LA ECONOMÍA

La agricultura siguió siendo la base de la economía hispano-gótica. Practicada la división de tierras entre vencedores y vencidos, hubo explotación señorial y también pequeña propiedad privada. La técnica agrícola no se diferenciaba de la romana. Era frecuente la comunidad vecinal para el aprovechamiento de montes y prados. Tuvo gran desarrollo la ganadería. La minería y la industria siguieron las normas romanas. Continuó el activo comercio por los puertos del Mediterráneo. Hubo al final del período bastante prosperidad.

LAS CLASES SOCIALES

Había tres clases sociales. En la primera o superior estaban incluidos no solamente los nobles de origen sino también quienes desempeñaban altos cargos de gobierno y los eclesiásticos de elevada jerarquía. Figuraban en la segunda clase los hombres libres no privilegiados, y en la tercera los siervos. En cada una de las tres clases había visigodos e hispano-romanos.

EL SISTEMA DE GOBIERNO

Los visigodos tuvieron siempre el sistema de la monarquía electiva, de pura raíz germánica. Cierto que los reyes procuraban una sucesión familiar asociando previamente al gobierno a un hijo, pero el principio de la elección se mantuvo y la pugna del interés dinástico por imponerse fue causa de muchas perturbaciones. El gobierno provincial estaba a cargo de duques y condes que representaban al rey. El régimen municipal perdió al fin su carácter de gobierno local.

LA RELIGIÓN

Los reyes visigodos fueron arrianos hasta Leovigildo, y algunos de ellos persiguieron duramente a los cristianos de Hispania. Al convertirse Recaredo al cristianismo cambió radicalmente la situación. El Estado y la Iglesia se unieron estrechamente. Hubo persecuciones contra los arrianos.

La compenetración de las potestades civil y eclesiástica dio origen al ejercicio por parte de los reyes de ciertas facultades en materia religiosa, y recíprocamente a una gran influencia de la Iglesia en las decisiones de los monarcas. Los Concilios nacionales celebrados en Toledo, corte de la monarquía, fueron muy importantes. A ellos asistían los obispos del reino y algunos personajes civiles designados por el rey. Se trataba en sus reuniones de asuntos eclesiásticos y civiles, y acuerdos o cánones, una vez aprobados por el monarca, tenían fuerza de ley.

VIDA PRIVADA

Los visigodos, sin olvidar por completo sus modos de vida, se asimilaron en gran parte las costumbres hispano-romanas. Siguió en las ciudades y villas la misma organización que había anteriormente. La casa visigótica parte también del tipo romano, alumbrada con bujías de cera y lámparas de aceite. En cuanto al mobiliario, consta la existencia de sillas, camas y mesas. Aceptaron igualmente los visigodos la indumentaria romana, más vistosa que la suya. Se adornaban con profusión de joyas, muy valiosas las de los reyes y magnates. Se generalizó la costumbre germánica de llevar cabello largo y dejarse crecer la barba.

LOS JUDÍOS EN HISPANIA

Ya en la época visigoda fueron los judíos una fuerza importante en la vida de Hispania. No se sabe con certeza cuando llegaron a la Península pero se supone que muchos de ellos emigraron en los siglos I y II, después de la destrucción de Jerusalén por los romanos. La conversión de Recaredo al catolicismo los colocó en una posición antagónica a los principios de unidad religiosa y política, llegando a amenazárseles con la expulsión si no se convertían al cristianismo. Esta animosidad contra ellos contribuyó sin duda a la colaboración que prestaron a los musulmanes, facilitándoles informes y encargándose de mantener el orden en las ciudades mientras los nuevos invasores continuaban su marcha hacia el norte de la Península.

LA LITERATURA HISPANO-GÓTICA

La Iglesia era en aquellos siglos la depositaria de la cultura y los principales escritores fueron eclesiásticos. Las dos grandes figuras de la época fueron San Leandro y su hermano San Isidoro (560–633), hombre insigne por sus vastos conocimientos y por el estilo claro que le caracterizaba. En sus obras, particularmente en sus *Etimologías*, ha transmitido a la posteridad todo el saber humano de aquella época.

EL ARTE HISPANO-GÓTICO

La excepcional afición de los visigodos al adorno personal dio origen a un esmerado arte de joyería y orfebrería, empleado también para el ornato de los objetos del culto en la iglesias.

En arquitectura abandonaron los visigodos la tradición romana de grandes construcciones. Nos quedan algunos ejemplos de su arquitectura religiosa en el norte de la Península. Las características principales de sus iglesias son el empleo del arco de herradura (algo distinto del que más tarde utilizaron los árabes) y la forma de sus techumbres—de madera las de tipo de basílica romana y abovedadas las de tipo bizantino. Llama la atención la ingenuidad expresiva de las formas empleadas en su decoración —tanto la de tipo vegetal como la de figuras humanas. La iglesia mejor restaurada es quizás la de San Juan de Baños, en la provincia de Palencia.[5]

NOTAS

1. Los bizantinos habían ido de Constantinopla a la Península como tropas enviadas por el emperador de Oriente Justiniano (527–565) para ayudar a uno de los pretendientes al trono de los visigodos y luego se quedaron dominando una zona del sur. Su presencia en la Península acaso explique las influencias del Oriente que aparecen en el arte español.

2. El *arrianismo*, como ya se ha observado, era una secta fundada por el obispo Arrio, según el cual el Hijo de Dios no es igual al Padre, ni consubstancial con Él.

3. Los *suevos* permanecieron en la Península por más de siglo y medio, independientes de los visigodos hasta que Leovigildo los sometió en el año 585.

4. No están claros los hechos históricos que determinaron la caída del reino visigodo. Parece que Rodrigo murió en la batalla de Guadalete y se desintegró la organización política nacional.

5. Otras iglesias de gran valor por su decoración escultórica son: *San Juan de la Nave* (Zamora), *Santa Comba de Bande* (Orense) y *Quintanilla de las Viñas* (Burgos). Nótese que todas estas iglesias están en el norte, donde los musulmanes no tuvieron tanta ocasión para destruirlas y utilizar los materiales en sus propias construcciones.

CAPÍTULO V

EL PERÍODO HISPANO-ÁRABE

RÁPIDA CONQUISTA DE LA PENÍNSULA IBÉRICA

Con los nombres de árabes, musulmanes, mahometanos, bereberes o moros se designa al pueblo que invadió la Península Ibérica y después de vencer a Rodrigo, último rey de los visigodos, llegó a dominar la casi totalidad del país. Era realmente una mezcla de varios pueblos, en la que los verdaderos árabes fueron el elemento básico y predominante.

En el siglo VI la Arabia[1] estaba poblada por un conjunto de tribus afines cuya rivalidad los llevaba a vivir en guerra casi continua. Mahoma fue el hombre genial que concibió y realizó el proyecto de reunir todas aquellas tribus bajo la triple unidad: religiosa, política y militar, y sometidas a la suprema autoridad ejercida por el Califa—dignidad de que estuvo él investido hasta su muerte. Bajo el principio de la adoración de un solo Dios, de quien el Califa[2] es profeta e intérprete, y sujetos a la obediencia debida a éste en concepto de jefe absoluto, los árabes se convirtieron en un pueblo unificado, poseedor de una gran fuerza expansiva y conquistadora que les permitió dominar rápidamente varios otros pueblos del Medio-Oriente y extenderse más tarde por el norte de África. Como ya dijimos, un ejército musulmán mandado por Tarik desembarcó en la costa hispánica, por el sitio que ahora se llama Gibraltar,[3] y derrotó al rey de los visigodos en una batalla que tuvo lugar el 19 de julio del año 711. Vencido el monarca y desbandado su ejército, los musulmanes avanzaron rápidamente hacia el norte y como no encontraban resistencia pasaron a Francia donde fueron derrotados por los francos en Poitiers.

La conducta de los habitantes de la Península fue distinta en las diferentes personas. Los nobles, los obispos y las familias de elevada clase fueron retirándose hacia el norte y allí se prepararon, merced a la defensa natural que ofrecían las montañas, para formar núcleos de resistencia desde los cuales se inició muy pronto el movimiento de reconquista. El resto de los cristianos prefirió seguir viviendo en los lugares donde antes habitaban, aceptando de hecho el dominio musulmán. Los invasores no exigían de los vencidos que se pasaran a la religión islámica,[4] pero quienes voluntariamente lo hacían, se convertían por ese solo hecho en hombres libres si eran esclavos, y en todo caso pagaban, como los demás musulmanes, tributos muy inferiores a los que se imponían a los cristianos. Estas ventajas hicieron que no pocos de éstos abandonaran su fe para incorporarse al islamismo, y por ello se les dio el nombre de *muladíes* o *renegados*. A los que perseveraron en el cristianismo se les permitía practicar su religión, regirse por sus propias leyes y gobernarse por sus propias autoridades. La importancia de los *mozárabes* o *muzárabes*, que así se llamaban estos cristianos, fue grande, pues al ser reconquistados los territorios donde vivían llevaban consigo influencias árabes que fueron aprovechadas por la civilización hispánica medieval.

ESPAÑA
a principios del
Siglo X

EL EMIRATO Y EL CALIFATO DE CÓRDOBA

Por virtud de la conquista quedó la Península convertida en una provincia musulmana, gobernada por un *Emir* dependiente del califa que residía en Damasco.[5] La capital de este nuevo *Emirato* fue la ciudad de Córdoba. Al mediar el siglo VIII se produjo en Damasco un acontecimiento importante: la familia de los Omeyas fue destronada y sustituida por la de los Abassidas. Pero un joven príncipe Omeya (Abderrahman), que logró escapar con vida, pudo cruzar el norte de Africa, donde permaneció oculto algún tiempo, y se presentó en la Península para defender los derechos de su familia. Con sus partidarios y otros enemigos de la nueva dinastía formó un ejército que derrotó al emir y se proclamó a sí mismo emir, pero independiente del califa de Damasco. Al joven Abderrahman I siguieron otros emires. El último emir independiente fue Abderrahman III, hombre de excepcionales aptitudes. Después de vencer a los que se oponían a su gobierno, logró establecer la paz y el orden en *Al-Andalus*,[6] a la vez que engrandecía la capital (hasta convertirla en una ciudad de medio millón de habitantes) y promovía un período de esplendor inigualado en la Europa de aquellos tiempos. En el año 929 tomó el título de *Califa*, colocándose con ello a la misma altura de los sucesores de Mahoma en los países orientales.

El segundo califa, Alháquem II, fue muy aficionado a los libros, a las ciencias y a las artes. En su tiempo llegó la cultura intelectual de los árabes españoles a su más alto nivel. Le sucedió Hixem II, a quien por su carácter débil suplantó en el ejercicio del poder un famoso general conocido con el nombre de Almanzor, que hizo atrevidas incursiones sobre los reinos cristianos, causándoles grandes daños y gran temor. Su muerte señala el principio de la acelerada decadencia del *Califato de Córdoba*. En 1031 se fraccionó en 23 pequeños Estados independientes llamados *Reinos de Taifas*, donde se prefería la vida refinada y de placeres a la de guerra continua.

El poco interés de los reyes de Taifas en proseguir la lucha contra los cristianos ocasionó la venida a la Península de guerreros fanáticos dispuestos a continuar la "guerra santa" que había predicado Mahoma. Con ellos desapareció en "Al-Andalus" la tolerancia religiosa que había existido y se persiguió a cristianos y judíos. Cuando decae el poder de estos nuevos invasores—los *almorávides*—, procedentes de Marruecos, otras tribus bereberes de las montañas del Atlas ocupan su lugar. Estos son los *almohades*, que prosiguen la guerra aun con más fervor religioso que sus predecesores. Obtuvieron éstos algunas victorias importantes, pero su

INTERIOR DE LA MEZQUITA DE CÓRDOBA. Fue construida por varios Califas de Córdoba, entre los siglos VIII y X. Al ser reconquistada la cuidad por Fernando *el Santo*, la mezquita fue convertida en catedral católica.

imperio empezó a desintegrarse después de la batalla de *Las Navas de Tolosa* (1212), acción guerrera en que por primera vez participaron, ante el peligro común, casi todos los reyes critianos. A mediados del siglo XIV ya no quedaba más reino de Taifas que el de Granada, que aún se resistió hasta 1492.

LAS RELACIONES ENTRE LOS MUSULMANES Y LOS CRISTIANOS

La *Reconquista*, que necesitó casi ocho siglos para completarse,[7] fue una empresa de recuperación del territorio hispánico por los cristianos mediante la guerra. Pero aun cuando era la guerra el estado predominante en la Península Ibérica, hubo períodos de paz, de amistad y aun de tolerancia entre los reinos critianos y los musulmanes. La lucha se suspendía al conseguirse el objetivo de la campaña, o cuando éste parecía imposible de lograr. Hubo ocasiones en que los califas intervinieron en las luchas entre los reyes cristianos, y más tarde fueron éstos los que influyeron en la vida de los pequeños Estados musulmanes. Los nobles y magnates desterrados de los reinos critianos iban a refugiarse en los musulmanes, y viceversa. Hubo casos en que guerreros cristianos pelearon a favor de un rey árabe contra un rey cristiano. Las relaciones entre unos y otros pueblos fueron, pues, muy complejas y en muchos casos amistosas o por lo menos no hostiles.

Más frecuentes y más amistosas fueron las relaciones personales. Recuérdese que grandes grupos de gentes de procedencia hispano-romana como eran los renegados y los mozárabes—éstos de firmes creencias cristianas—vivían en diario contacto con los árabes dentro del territorio musulmán y muchos hasta aprendieron la lengua del invasor. Por otra parte, de una manera recíproca, había grandes núcleos de musulmanes que al ser reconquistados por los cristianos los pueblos o las ciudades donde habitaban, seguían viviendo en ellos bajo el dominio cristiano. Estos musulmanes, llamados *mudéjares*, mantenían trato constante con sus vecinos.

Puede pensarse, y así sucedió realmente, que la causa y el efecto de tales relaciones fueron, además de los intereses económicos, los frecuentes matrimonios entre personas de distinta raza y de diferente religión. La historia registra casos de tales matrimonios mixtos entre personas de alta categoría, como el del célebre general Almanzor con una princesa cristiana que se cree era hija del rey de Navarra, y el de Alfonso VI con Zaida (Isabel), hija del rey de Toledo. Seguramente los casamientos de esta clase fueron aún más numerosos entre personas de inferior posición social.

LAS RELACIONES ENTRE LOS MUSULMANES Y LOS JUDÍOS

Había entre ambos pueblos una afinidad racial, como semitas, y además cierta comunidad de ideología religiosa pues Mahoma tomó de la religión hebrea muchas doctrinas para la elaboración de las creencias islámicas. Los judíos, muy numerosos en el sur de Hispania, encontraron bajo el dominio musulmán—excepto en el período de los almorávides y los almohades, que los persiguieron—grandes facilidades para prosperar en todos los órdenes. Así, no sólo tuvieron éxito en los negocios y en las profesiones, sino que hebreos distinguidos ocuparon altos cargos en la corte de los califas.

NOTAS

1. Territorio del Asia Menor entre el Mediterráneo y el Golfo de Persia.
2. "Califa," del árabe *Jalifa*, significa "sucesor del Profeta," i.e., Mahoma.
3. Corrupción del árabe *Djébel Tarik*, que quiere decir "Montaña de Tarik."
4. Se llama *Islam* a la religión fundada por Mahoma. La palabra en sí significa "sumisión al Dios único."
5. Damasco (hoy capital de Siria) era entonces la capital del Califato de Oriente. Antes lo había sido Medina y después lo fue Bagdad.
6. *Al-Andalus* fue el nombre que dieron los árabes a la parte de la Península Ibérica dominada por ellos.
7. Es de interés comparar la rápida conquista de Hispania por los musulmanes, en cosa de ocho años, con la de los romanos, que necesitaron dos siglos para dominarla.

CAPÍTULO VI

La civilización arábigo-hispana

LA RELIGIÓN

No eran los musulmanes que dominaron en Hispania un pueblo homogéneo. A los verdaderos árabes se unieron otros pueblos que aceptaron la religión islámica. Puede decirse que la religión coránica,[1] llamada *Islam*, fue el único verdadero vínculo común a todo el conglomerado musulmán, en que el pueblo árabe—al que perteneció Mahoma, el fundador—fue el elemento aristocrático y dirigente.

La doctrina religiosa de los musulmanes se contiene fundamentalmente en el *Corán*, libro que comprende las revelaciones de Mahoma, redactadas después de la muerte del Profeta por su secretario Zeid. El principio fundamental del Islam se formula en estos términos: *No hay más Dios que Alá y Mahoma es el enviado de Alá*, es decir, su Profeta. Se trata, pues, de una religión monoteísta, y sus dogmas son, según los teólogos musulmanes, las creencias en Dios, en los ángeles, en los libros santos, en los profetas, en la resurrección, en el juicio y en la predestinación. En toda la doctrina islámica se percibe la inspiración de la Biblia y del Talmud.[2] Su religión impone a los fieles cinco obligaciones principales: el rezo, cinco veces al día, precedido de la ablución;[3] el ayuno desde la salida del sol hasta la noche durante el mes llamado Ramadán; la peregrinación a la Meca,[4] ciudad sagrada, una vez en la vida de cada creyente; la limosna, que se da como purificación de la riqueza; y la participación en la guerra santa, contra los infieles. Son también preceptivas la ablución al levantarse, la prohibición de beber vino, y la circuncisión. El culto se celebraba en las mezquitas.

ORGANIZACIÓN ADMINISTRATIVA Y DE GOBIERNO

El califa era el jefe supremo en lo político, administrativo, judicial y militar, y sus poderes equivalían a los de un monarca absoluto. Algunas veces eligieron los nobles al califa, pero la sucesión fue más bien hereditaria. Los califas de Córdoba tenían un primer ministro, el *háchib*, y otros varios ministros que estaban al frente de las diversas ramas del gobierno: los *visires*. El gobernador de cada provincia tenía el título de *walí*. El califa tenía la potestad de administrar justicia, pero ordinariamente era ésta la función propia de los *cadíes* o jueces.

VIDA ECONÓMICA

El Califato de *Occidente* llegó a ser el país tal vez más adelantado y próspero de la Europa de entonces. Córdoba, con 200.000 casas, era seguramante la ciudad más suntuosa de aquel tiempo.

Los árabes perfeccionaron los métodos agrícolas, establecieron un magnífico sistema de canalización de aguas para el riego e introdujeron nuevas especies agrícolas para el cultivo. Tuvieron gran desarrollo las industrias derivadas de la agricultura—incluso la fabricación de vinos, aunque esta bebida les estaba prohibida a los musulmanes—y también las de utilización de productos forestales. Tuvo notable importancia la fabricación y estampado de cueros. Alcanzaron gran fama las fábricas de armas y de papel. Se distinguieron por su perfección artística los objetos de cerámica, de vidrio y de marfil. Hubo un activo comercio de exportación, por las relaciones que los árabes tenían en Oriente, y también de importación, para satisfacer las aficiones al lujo, propias de los musulmanes.

CLASES SOCIALES

La diversidad de procedencias establecía ciertas distinciones. Los árabes se consideraban superiores a los berberiscos, persas, sirios, cristianos, etc. Había la división fundamental de hombres libres y esclavos. Los libres se clasificaban en *aristocracia* y *pueblo*. Los hombres no libres eran de dos clases: siervos labradores, dedicados a los trabajos del campo, y empleados en el servicio personal del dueño. En una categoría intermedia estaban los *renegados*.

VIDA PRIVADA

Los musulmanes introdujeron en la Península Ibérica un nuevo tipo de vida familiar, principalmente por lo que respecta a la poligamia y a la situación de las mujeres. El musulmán podía tener hasta cuatro esposas legítimas, si contaba con recursos para sostenerlas, y además esclavas

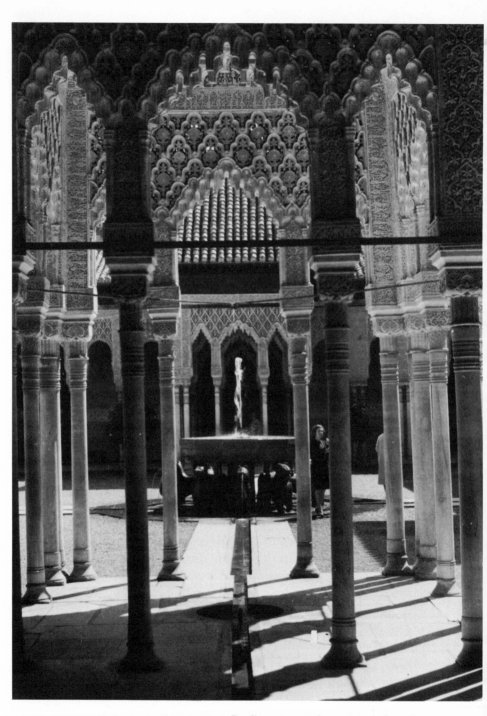

LA ALHAMBRA: PATIO DE LOS LEONES. Recibe este nombre porque doce figuras que semejan leones sostienen la fuente. Es ésta una de las pocas ocasiones en que el arte árabe representa animales.

concubinas sin limitación de número, pero la primera mujer legítima tenía el derecho de imponer a su marido, si éste la aceptaba, la obligación de no tomar más mujeres ni concubinas, estableciéndose así una monogamia. Todas las mujeres, juntamente con las hijas y los niños menores, vivían en comunidad dentro del *harén*. Las mujeres, desde que llegaban a la edad núbil, habían de cubrirse el rostro, sin dejarse ver por hombres que no fueran de su familia. El padre ejercía una potestad absoluta sobre la mujer y los hijos, y podía concertar el matrimonio de éstos sin contar con su voluntad.

Tuvieron los árabes afición a vivir fuera de las ciudades, en casas de campo. La vida urbana era para gentes de menor distinción. Las casas conservaron el tipo griego y romano, con patio interior y sin huecos al exterior. Había galerías y un gran salón, centro de la casa, sin que faltaran baños en las viviendas de las familias bien acomodadas. Las alcobas estaban en los extremos de las casas y los musulmanes dormían sobre tarimas cubiertas de colchonetas y almohadones. Sentábanse en el suelo, sobre tapices o esterillas, según la posición económica respectica. Se alumbraban con lámparas y las había de gran valor.

LA ENSEÑANZA

La lengua oficial era el árabe. Pero el árabe puro sólo lo empleaban los califas, los ministros, los escritores, los maestros y en general las personas de cultura superior. Había así una lengua literaria y otra vulgar.[5] De todos modos, la lectura y la escritura eran elementos primordiales de la enseñanza, que tenía carácter privado y estaba muy extendida, de tal modo que llegó a haber en el Califato muy pocos analfabetos. Lo primero que se enseñaba a los niños era el Corán, a la vez que trozos de poesía, gramática árabe y composición. En la enseñanza superior no había plan fijo y se elegían las materias según el interés de cada uno.

LA CULTURA HISPANO-ÁRABE

Difícil es dar una idea precisa del amor a la cultura que se desarrolló en el pueblo arábigo-hispano. Cierto que el impulso y el ejemplo procedieron de arriba, de los califas, de sus familias y de los personajes de la corte, y se reveló en un interés vivísimo por la adquisición de libros, no muy fácil entonces porque habían de ser copiados. Desde Abderrahman I principia la formación de la biblioteca real, que en tiempo de Alháquem II llegó a contener 400.000 volúmenes.

Se cultivaron entre los árabes de Hispania todos los ramos de los conocimientos humanos que entonces tenían algún desarrollo. En medicina lograron grandes progresos, pues se cuenta que en el año 962 había

CAJA DE MARFIL.
Obra del arte hispano-árabe
del siglo X.

oculistas que operaban cataratas. También hubo notables historiadores, matemáticos y filósofos. Entre estos últimos descuella un musulmán, Mohámed Ben Roxd (1126–1198), de Córdoba, conocido generalmente con el nombre de Averroes, y un judío llamado Moses Ben Maimon o Maimónides (1135–1204), también nacido en Córdoba. Ambos fueron médicos y ambos sufrieron persecución o destierro por sus ideas, consideradas heterodoxas. Averroes, por ejemplo, después de leer y comentar las obras de Aristóteles escribió obras propias en que, siguiendo las ideas del filósofo griego, trató de armonizar el racionalismo de éste con la teología del islamismo. De igual manera, Maimónides que escribió en hebreo y en árabe intentó en su obra principal—*Moreh Nebuchim* o *Guía de los descarriados*—fortalecer la fe judaica mediante el uso de la razón y la lógica. Las ideas de estos dos hombres influyeron en la filosofía medieval europea y aun hoy tienen validez sus postulados.

El género literario que tuvo singular y constante preferencia entre los musulmanes hispánicos fue la poesía. Algunos de los emires y califas fueron poetas, y en la época de los Taifas casi todos los reyes sintieron verdadera devoción por este arte, muy extendido entre el pueblo. A un árabe andaluz llamado Muscádan *el Ciego* se le atribuye la invención de la *muwashaba*, poema de cinco estrofas escritas en árabe o en hebreo y que por lo general trata de un tema amoroso. Lo importante de esta forma de poesía es que la última estrofa contiene una parte escrita a veces en mozárabe, esto es, en el español que hablaban los cristianos, judíos y musulmanes que eran bilingües. Esta porción del poema se llama *jarcha*, dedicada por lo común a expresar el lamento de una joven por su amante ausente. El descubrimiento de estas *jarchas* en tiempos recientes ha venido a demostrar que la primera poesía lírica española tiene antecedentes más lejanos de lo que se pensaba. La mayoría de las cincuenta jarchas que existen fueron escritas en los siglos X y XI.

LAS BELLAS ARTES

Ofrece la arquitectura arábigo-hispana caracteres de magnificencia, belleza y originalidad que la distinguen de los demás estilos. Predomina en las construcciones el arco de herradura, ya conocido por los visigodos. Se considera lo más notable de ellas el abovedamiento a base de arcos que se cruzan en combinaciones geométricas.

El edificio tipo de la arquitectura arábigo-hispana es la mezquita. En ella hay un patio rodeado de pórticos, una torre alta o *alminar* desde donde el *almuédano* llama a los fieles a la oración, y un espacio cubierto que tiene mayor amplitud hacia el lado del *mihrab*, que es como un nicho u hornacina orientado hacia la Meca, delante del cual, a la derecha, está el *mimbar* o púlpito en que hace la oración el *imán* o ministro oficiante. La más grandiosa de las mezquitas era la de Córdoba, con 1.200 columnas de mármol y jaspe y capiteles dorados.[6] El púlpito era de marfil y maderas preciosas. Se alumbraba el templo con centenares de lámparas, algunas de plata. Principió a construirse en tiempo de Abderrahman I y fue ampliándose con sucesivas adiciones ordenadas por los califas. Además de los edificios religiosos de la llamada "época del Califato" (siglos VIII—X), se construyeron magníficos palacios, de los que fue buen ejemplo el mandado edificar por Abderrahman III en Medina Zahra, no lejos de Córdoba, para satisfacer el capricho de su esclava favorita.[7]

De la "época de los almohades" (siglos XII y XIII) es la incomparable Giralda de Sevilla, torre que pertenecía a una mezquita que ya no existe, y la Torre del Oro, extraordinaria por su forma hexagonal en el interior y dodecagonal en el exterior. Una tercera etapa es la "granadina," así llamada por desarrollarse en el Reino de Granada. De este período (siglos XIV y XV principalmente) quedan dos joyas artísticas: el Generalife, palacio o casa de campo de los reyes Nazaríes, y la renombrada Alhambra, magnífica por la decoración de sus interiores, donde la piedra o el ladrillo parecen trabajados con primor de orfebrería.

A lo arquitectónico hay que añadir las artes industriales: cerámica, marfiles, telas, cueros, etc.; obras primorosas todas que ponen de manifiesto la riqueza imaginativa que para la decoración tuvieron los musulmanes españoles.

NOTAS

1. Así llamada por ser el *Corán* (palabra que significa *escritura*) el libro fundamental de sus doctrinas. En él se encuentra mencionada ocho veces la palabra *islam*, definida en uno de sus textos (X:17) como "la única religión a los ojos de Alá."
2. Libro fundamental de la religión judía.
3. Rito que representa la purificación por el agua.
4. La Meca, que ya era una ciudad importante, se convirtió en ciudad sagrada para los islamitas porque en ella nació Mahoma.
5. Además del árabe culto y el árabe vulgar se usaba un latín eclesiástico en las iglesias mozárabes, un dialecto romance (derivado del latín) que después pasó a ser castellano y la lengua hebrea. No es de extrañar que en tal conglomerado de lenguas hubiera mucha gente bilingüe.
6. Después de conquistar la ciudad de Córdoba, Fernando III convirtió la mezquita en catedral católica.
7. A juzgar por los restos y descripciones que han quedado, este esplendoroso palacio tenía paredes revestidas de oro y mármol y techos de tejas doradas o plateadas.

CAPÍTULO VII

LA RECONQUISTA CRISTIANA Y LA REPOBLACIÓN DE ESPAÑA

LA RECONQUISTA CRISTIANA

La Reconquista de España por los cristianos fue obra de varios núcleos de población que al invadir los musulmanes la Península se refugiaron en la faja del extremo norte, amparados por las montañas y accidentes del terreno que facilitaban una acción defensiva. Estos grupos se organizaron en pequeños reinos que poco a poco crecieron en número de habitantes y se extendieron hacia el sur. La obra total de la Reconquista y de poner fin al dominio musulmán en España se desarrolló a lo largo de unos 774 años, es decir, de casi ocho siglos. Cierto que no siempre se luchó con intensidad, pues ésta sólo se mantuvo desde mediados del siglo VIII a mediados del siglo XIII y no de un modo continuo.

El primer hecho saliente del que se tiene noticia corresponde al principio del Reino de Asturias. En el año 719, o quizá un poco después, el núcleo cristiano dirigido por Pelayo venció por primera vez a los musulmanes en la batalla que se llama de Covadonga. La victoria hizo que se incorporaran al grupo otras gentes dispersas y tal vez que en Galicia se iniciaran actitudes de rebeldía contra el dominio musulmán. Se creó de este modo el *Reino de Asturias*, cuyo tercer monarca, Alfonso I, pudo extender su soberanía sobre Galicia, León, Santander y parte de Burgos. Aun cuando la línea de ocupación musulmana permanente descendió hasta por debajo del río Duero en la parte occidental de la Península, la Reconquista progresó poco durante el Emirato independiente y el Califato, que representan el período de mayor fuerza de la dominación árabe. Algo se logró avanzar, sin embargo, y se consolidaron algunas posiciones. El reino

47

de Asturias, que tenía su corte en Oviedo, se convirtió en *Reino de León*[1]
desde que Ordoño II trasladó la capital a esta ciudad (924), sin duda
porque sus dominios al sur daban ya la seguridad de la posesión de aquel
territorio. Su reino se extendía por el oeste sobre Galicia, por el sur hasta
muy por debajo de Zamora y Palencia y por el este hasta Navarra y
Burgos, teniendo el mar como límite por el norte.

Los orígenes del pequeño *Reino de Navarra* aparecen muy confusos.
Quizá un núcleo de cristianos refugiados trató de organizarse, pero tuvo
que aceptar la hegemonía de los reyes francos,[2] entonces muy poderosos.
Al cabo, luchando por el norte contra los francos y por el sur contra los
musulmanes logró cierta independencia. En el año 823 ya había recupe-
rado de los francos la ciudad más importante, Pamplona. Aunque lentamente, la Reconquista estaba en marcha por la región de Navarra.

También es muy nebuloso el origen del *Reino de Aragón*. Hubo
condados que por estar encima del Pirineo tal vez no estuvieran dominados
por los árabes, pero sí más o menos sometidos a los francos durante algún
tiempo. Al cabo, lograron la independencia y fueron aumentando poco a
poco en extensión y población para entrar en el movimiento general de la
Reconquista al lado del reino de Navarra. Más tarde, sin embargo, pudo
reafirmar su personalidad política e histórica el reino de Aragón como
factor importantísimo de la Reconquista.

Se tienen datos más precisos sobre el núcleo catalán representado por
el *Condado de Barcelona*. Los musulmanes se habían apoderado de Cataluña en su movimiento de invasión de la Península. Carlo Magno[3] quiso
evitar el peligro de un ataque musulmán a sus dominios y envió fuerzas,
mandadas algunas por su hijo Ludovico Pío, que conquistaron el territorio
catalán hasta Tortosa. Con la región dominada se formó una provincia
denominada *Marca Hispánica*, gobernada por condes dependientes del rey
franco. Pasado algún tiempo, el conde de Barcelona adquirió una recono-
cida superioridad sobre los demás y se declaró completamente independiente, formándose así un verdadero Estado español desde el año 875.

A fines del siglo IX, y no obstante el vigor del Emirato de Córdoba,
los reinos cristianos—León, Navarra, Aragón, Cataluña—habían reconquistado ya toda la faja norte de la Península, una faja que se extendía
hasta el río Duero en la parte de León y se estrechaba luego al nivel de
Navarra y Aragón.

El territorio castellano estaba gobernado por condes dependientes del
rey de León, que tal vez por estar lejos de la capital del reino obraban con
cierta libertad. En el año 932 obtuvo el *Condado de Castilla* Fernán Gon-
zález, quien adquirió gran relieve en toda la zona oriental del reino de
León por su personalidad verdaderamente excepcional como político y
guerrero. La leyenda ha divulgado sus hazañas y la historia recoge los

hechos de su vida extraordinaria, a la que en parte se debió que Castilla se convirtiera bajo su mando en un Estado independiente de hecho. Lo fue de derecho también algún tiempo más tarde, cuando después de haberla conquistado Sancho *el Mayor*, de Navarra, éste la dejó como condado independiente a su hijo Fernando I, quien tomó el título de rey de Castilla en 1037.

Quedaron, pues, constituidos desde mediados del siglo X los cinco Estados cristianos que habían de seguir la Reconquista: León, Castilla, Navarra, Aragón y Cataluña. Pronto ocurrieron hechos importantes. Reunidas las coronas de León y Castilla en Fernando I, guerrero de temperamento, atacó a los musulmanes y colocó las fronteras de Castilla cerca del río Tajo, es decir, por la mitad de España. Su hijo Alfonso VI realizó una conquista de gran significación: la de la ciudad de Toledo (1085). En tiempo de este monarca, aunque procediendo con independencia, el más famoso caudillo medieval, Ruy Díaz de Vivar, conocido como el *Cid*

MURALLAS DE ÁVILA. Estas murallas del siglo XI constituyen una de las fortificaciones medievales mejor conservadas en Europa. Tienen 9 puertas, 88 torres y más de 7.500 pies de perímetro.

Campeador, se apoderó de la ciudad de Valencia, conquista que tuvo que abandonarse tres años después de su muerte.

Algunos años más tarde se produjo un hecho histórico que desde el punto de vista español se ha considerado siempre deplorable, por cuanto rompió la unidad geográfico-política de la Península Ibérica. Fue la separación de Portugal (1143), que había pertenecido desde el principio de la Reconquista al reino de León y siempre había formado parte del conjunto hispánico. Se originó por consecuencia de la ambición de una hija del rey Alfonso VI, casada con un noble extranjero, a quienes el monarca había otorgado en señorío las tierras del condado de Portugal.[4]

El reino de Aragón se había engrandecido por efecto de afortunadas conquistas, entre las que se destacan las de Alfonso I, quien se apoderó de la capital, Zaragoza, y de casi todo el territorio de las actuales provincias de Zaragoza y Huesca. Por parte de Cataluña también había habido importantes conquistas, entre ellas las del conde Ramón Berenguer IV, que llegó hasta tomar la ciudad de Tortosa (1148). Pero poco antes se había producido otro trascendental acontecimiento histórico con la unión de Aragón y Cataluña mediante el matrimonio del citado conde barcelonés con la princesa Petronila, hija del rey de Aragón. El hijo de ambos, Alfonso II, heredó las dos coronas y tuvo triunfos guerreros como la toma de Teruel (1171).

Un nuevo acontecimiento dio enorme impulso a la empresa cristiana. Fue la unión definitiva de Castilla y León (1230) en la persona de Fernando III *el Santo*.[5] Este gran rey conquistó el norte y el oeste de Andalucía, que comprendían entre otras grandes ciudades Jaén (1236), Córdoba (1246) y Sevilla (1248).

Contemporáneo de Fernando III fue el rey Jaime I de Aragón y Cataluña, llamado el *Conquistador*. Bajo su reinado se incorporaron a los dominios de la corona aragonesa las islas Baleares y se reconquistó otra vez la ciudad de Valencia. Para evitar la competencia entre ambos reinos, Fernando III y Jaime I suscribieron el tratado de Almizra (1244) en el que se fijó la línea divisoria de los avances, quedando la parte de Valencia para Aragón y la de Murcia para Castilla. Al llegar a este punto la Reconquista, sólo quedaban en poder de los árabes los territorios del reino de Granada. Pero la lucha quedó paralizada. Aragón había llegado al límite de sus posibles recuperaciones, con arreglo al tratado de Almizra, y en lo sucesivo se dedicó a conquistas fuera de España. Castilla entró en un vergonzoso período de debilidad interior por efecto de las intrigas y rebeldías de los nobles. Por ello la Reconquista, que debió haber terminado dentro del propio siglo XIII, no tuvo fin hasta los últimos años del siglo XV, bajo el reinado de los Reyes Católicos.

ÓRDENES MILITARES Y RELIGIOSAS

A la obra de la Reconquista contribuyeron grandemente, aunque en distinto grado, tres Órdenes militares de creación española y dos religiosas importadas de Francia. Las militares fueron la de *Santiago*, la de *Calatrava* y la de *Alcántara*, fundadas en el siglo XIII. Su principal misión era la de luchar contra los musulmanes. Todas ellas recibieron privilegios especiales de los reyes por la ayuda que les prestaban y se hicieron muy poderosas.[6]

Las Órdenes religiosas contribuyeron de otro modo a la Reconquista: con el fortalecimiento del espíritu religioso en la lucha contra el Islam. La de los monjes *cluniacenses*, fundada en Cluny en el año 910, se instaló en Castilla hacia 1083 y fue tanta su influencia que lograron sustituir el rito tradicional mozárabe por la liturgia de la Iglesia de Roma. La otra, la de los monjes *cistercienses*, creada en 1098, se estableció en la Península Ibérica en el siglo XII. Ambas Órdenes, particularmente la de los monjes de Cluny, patronizaron la peregrinación a Santiago de Compostela, hasta el punto de conseguir del Papa que la declarara de la misma categoría que las de Jerusalén y Roma, sobre todo en los años de jubileo, es decir, los años en que la fiesta del Santo cae en domingo.

LA REPOBLACIÓN

El problema de la Reconquista planteaba a cada recuperación de territorios y ciudades otro problema: el de la repoblación. De nada valía reconquistar si no se mantenía una acción de gobierno y una población sometida a ella. Y de poco valía adquirir tierras si no se ponían en cultivo y producción. A veces se tomaban ciudades y pueblos completamente abandonados y semidestruidos. Otras veces sólo quedaban en ellos los *mozárabes*, satisfechos de volver al régimen cristiano, los musulmanes que se sometían convirtiéndose en *mudéjares*, y los judíos. Pero no bastaban para repoblar. Había que aumentar la población, para que se cultivaran las tierras, se reanudaran las actividades con la mayor intensidad posible y se consolidara la conquista reciente.

A los efectos de promover la repoblación utilizaron los reyes cristianos dos procedimientos. Consistió uno de ellos en instalar en los territorios reconquistados familias mozárabes que voluntariamente volvían a tierras cristianas, o que los ejércitos recogían en sus incursiones sobre los dominios musulmanes. Consistió el otro en otorgar *cartas de población* o "cartas-puebla," que eran escrituras de concesión de tierras a los critianos que quisieran ir a poblar las ciudades y los pueblos recién conquistados. De este modo los cristianos que vivían en poblaciones del norte, con más seguridad pero quizá en mala situación económica, se decidían a mejorar de posición haciéndose propietarios de tierras situadas en territorios reconquistados.

NOTAS

1. La ciudad de León acaba de celebrar su XIX centenario. Fue fundada en al año 68. Su nombre se deriva de la *Legio Séptima* romana que allí instaló su campamento. Durante la Reconquista sirvió de capital al reino de Léon por más de tres siglos.
2. Los francos eran el pueblo que habitaba y dominaba el territorio de Francia.
3. Poderoso emperador de los francos que llegó a dominar extensos territorios en Europa.
4. El primer rey de Portugal fue Alfonso Enríquez (o Henríquez); el primero también en independizar aquel reino de los musulmanes después de la batalla de Ourique, en 1139.
5. Fernando III fue político y guerreador. A él se le debe aquel espléndido renacer cristiano y nacional del siglo XIII. No sólo une los reinos de Léon y Castilla, dando al reino la cohesión necesaria, sino que gana importantes ciudades a los moros; crea la Universidad de Salamanca—dotándola de los profesores más doctos de dentro y de fuera de la Península; unifica la legislación, mandando traducir el *Fuero Juzgo* de los visigodos; y declara lengua oficial el habla de Castilla. Orgulloso de su obra, bien pudo decir estas palabras en el testamento a su hijo, Alfonso *el Sabio*: "Fijo, rico en fincas de tierra e de muchos buenos vasallos te dejo más que rey alguno de la Cristiandad. Trabaja por ser bueno e facer el bien." Murió cuando se hallaba en Sevilla preparando una expedición a África.
6. A fines del siglo XV el Rey Católico ocupó el cargo de Gran Maestre de estas órdenes y perdieron sus privilegios. Su prestigio, sin embargo, siguió siendo grande en los siglos XVI y XVII.

CAPÍTULO VIII

LOS ELEMENTOS INTEGRANTES DE LOS REINOS CRISTIANOS

LA MONARQUÍA

Tuvieron los reinos cristianos un objetivo inmediato y predominante que fue la guerra contra los musulmanes. No eran, pues, aquellos tiempos adecuados para crear nuevas formas de organización, y por ello se ajustaron los nuevos núcleos, en general, a las normas del Estado visigótico. El rey ejercía un poder soberano, absoluto, como realmente era necesario para la atención primordial de la guerra. Le correspondía la potestad legislativa, sin compartirla con nadie más que en el sentido de asesoramiento. Le correspondía igualmente la potestad de administrar justicia, si bien la delegaba ordinariamente en condes y jueces. Gobernaba el reino asesorado por un Consejo de nobles, obispos y notables. La corte del monarca tenía también el carácter de lo que hoy llamamos gobierno central, y los altos cargos estaban desempeñados por funcionarios con la categoría de *condes* o *potestades*, dirigiendo cada uno de ellos determinado ramo de la entonces sencilla organización administrativa.

El gobierno de los diferentes dominios o provincias no se ajustaba a un sistema uniforme, porque había ciudades, pueblos y comarcas sobre los que correspondían derechos señoriales [1] a los nobles, a los obispos y a los abades de los monasterios, quienes por ello ejercían respecto de sus habitantes funciones de gobierno, aunque siempre bajo la autoridad soberana del rey. Para las poblaciones que dependían directamente del rey, llamadas de *realengo*, nombraba el monarca gobernadores o *condes* que ejercían plenas funciones de gobierno como representantes de la autoridad del soberano. En general, las atribuciones de los condes y demás funcionarios reales estaban modificadas por los preceptos de los fueros[2] que los reyes concedían a muchas ciudades y villas otorgándoles determinados derechos, privilegios y exenciones.

Se ha discutido mucho acerca de si en los reinos medievales españoles hubo o no verdadero feudalismo.[3] Es indudable, en todo caso, que en la España de la Edad Media no existió el feudalismo rígido y a veces monstruoso establecido en otros países de la Europa de entonces. Quizá influyó en ello el hecho de que los visigodos fueron a la Península ya más romanizados que los demás pueblos germanos. Pero, evidentemente, la mayor extensión y firmeza del poder de los reyes españoles de aquel tiempo se debió a que el estado de guerra exigía una mayor concentración de la soberanía en manos de los monarcas, y también a que al repoblarse los territorios reconquistados fue creándose una numerosa e importante clase popular con sentimientos de libertad en que se apoyaron los reyes frente a los excesos de la nobleza.

LA NOBLEZA

Los nobles eran de diferentes clases. Los de superior jerarquía se llamaron al principio *príncipes*, *próceres*, *magnates* y *potestades*. Más tarde se denominaron *ricos-homes*. Tenían tierras, villas o ciudades concedidas por el rey, estaban exentos de tributos, acompañaban al soberano a la guerra, gozaban de plena jurisdicción civil y criminal en sus dominios propios, podían dar fueros e imponer contribuciones y disfrutaban de otros privilegios. Un segundo grado de nobleza era el de los llamados *infanzones*, que también tenían tierras concedidas por el rey, estaban exentos de tributos y gozaban de ciertos privilegios. Como grado inferior de la nobleza estaban los *caballeros*, o sean los hombres libres que podían costearse caballo y armas para la guerra. Su importancia nobiliaria era muy pequeña.

No solamente fueron poderosos los nobles por su intervención en el nombramiento de la persona que había de ocupar el trono, mientras no se consolidó la sucesión hereditaria. Lo eran también porque desempeñaban en la corte los altos cargos, así como los de gobierno de las provincias y regiones. Pero además su participación en la guerra los hacía indispensables y los revestía de importancia. En efecto, los ejércitos del rey se componían de sus propios combatientes y, además, de las tropas que aportaban y mandaban como capitanes los nobles, que éstos reclutaban en sus respectivos señoríos. Guerreros sobre todo, los nobles constituyeron una fuerza sin la que no se hubiera podido llevar a cabo la Reconquista. Eran, por otra parte, hombres ricos, algunos fabulosamente ricos, dueños de extensísimas propiedades y señores de los colonos y siervos que las cultivaban.

LA IGLESIA

Tuvo la Iglesia católica, como es sabido, una gran influencia en el Estado visigodo. No fue menor la que ejerció en los reinos cristianos medievales. La guerra contra los musulmanes era más bien religiosa que política o territorial. Tenía en cierto modo el carácter de cruzada. Se peleaba por recuperar el territorio, pero sobre todo con los infieles, contra los enemigos de la religión cristiana. Era la guerra de la cruz contra la media luna, símbolo del Islam. Era, pues, natural, que la Iglesia y el clero católico fueran elementos importantísimos en el Estado y en la sociedad de los reinos cristianos. La religiosidad de los españoles, ya muy arraigada, se hizo más pasional, más vehemente con las violencias de la lucha. Y el clero, que representaba a la Iglesia, adquirió poder y riquezas tanto por las concesiones señoriales de los reyes como por las donaciones y los legados testamentarios de los fieles.

Existía un interés común de los reyes y de los eclesiásticos en derrotar a los musulmanes y por ello el clero cooperaba a la lucha con todos sus elementos. Pero además de la influencia derivada de la participación en la guerra, tenía el clero la de su significación espiritual y la de su posición en la corte. Obispos y frailes eran los confesores y consejeros de los reyes, y muchas veces desempeñaban cargos de gobierno. Debe tenerse en cuenta para valorar el ascendiente de los eclesiásticos sobre la sociedad cristiana de aquellos tiempos, que aparte de su ministerio religioso eran los elementos más cultos de entonces. En el naufragio de la cultura que las invasiones bárbaras ocasionaron habían sido los conventos los depositarios de los libros y de la tradición cultural que pudo sobrevivir, y en ellos había monjes dedicados al estudio y copia de códices para sus bibliotecas.

Durante el reinado de Alfonso II de Asturias se descubrió en Galicia un sepulcro con los restos que se cree son del apóstol Santiago. En el lugar del hallazgo se edificó primero una iglesia y más tarde una catedral, dando origen a una ciudad que llegó a ser importantísima porque de todo el mundo cristiano acudían numerosos peregrinos, que con su devoción llevaban también los valores culturales de sus respectivos países hasta el extremo occidental de España.

EL PUEBLO

Comprendemos en el concepto de *pueblo* a todos los habitantes de los reinos cristianos medievales que no gozaban de privilegios y exenciones. Incluimos, pues, a todos los españoles de entonces que no eran nobles ni eclesiásticos. En el gran conjunto del pueblo es preciso distinguir algunos grupos bien definidos. De una parte los hombres libres, y de otra los que

PEREGRINO JACOBEO. El peregrino que volvía de Santiago de Compostela llevaba sobre el hábito una *venera* o concha de molusco. Según la leyenda, los restos del Apóstol Santiago llegaron milagrosamente a Galicia en una concha de porcelana. La venera es, pues, símbolo del peregrino que ha hecho la peregrinación a Santiago de Compostela.

no lo eran enteramente, como los esclavos y los siervos. En el grupo de los hombres libres se comprenden los pequeños propietarios de tierras, los colonos, los industriales, los comerciantes y los trabajadores independientes. Los pequeños propietarios de tierras, aun siendo jurídicamente libres, solían pertenecer a una *behetría*, es decir, a una comunidad o grupo que se hallaba bajo el patronato de un noble voluntariamente escogido, pagándole un tributo, para recibir de él cierta protección contra posibles atropellos. Los colonos, aunque hombres libres, trabajaban no tierra propia sino perteneciente a un señor, y tenían el carácter de arrendatarios con la obligación de pagar una renta anual. En las ciudades predominaban los comerciantes, los industriales y los trabajadores independientes, que con el tiempo y en unión de las personas que ejercían profesiones de las llamadas liberales, constituyeron la burguesía. En los pequeños pueblos, por el contrario, predominaban los agricultores que cultivaban sus propias tierras y los colonos. Al principio, excepto en las ciudades importantes, había muy pocas personas que no trabajaban la tierra. En cuanto a los hombres no libres, hay que distinguir los *esclavos*, que eran en su mayor parte prisioneros de la guerra contra los musulmanes, y los *siervos de la gleba*, esto es, siervos de la tierra, que estaban como unidos a ella y la trabajaban para el señor. La situación de estos siervos era mucho menos aflictiva que la de los esclavos propiamente dichos.

A medida que los cristianos iban reconquistando los territorios del sur y prosperaba con ello la economía de los reinos, la clase de hombres libres de las ciudades y villas aumentaba rápidamente, favorecida además por la ventajosa situación que los reyes otorgaron a los municipios mediante los fueros, concedidos muchas veces como recompensa por su valiosa aportación en la guerra contra los musulmanes. Esta clase de hombres libres fue siempre el apoyo más firme que los reyes tuvieron contra la nobleza ambiciosa y levantisca.

NOTAS

1. Los *derechos señoriales* comprendían, además del dominio de las tierras, una cierta jurisdicción y autoridad sobre las personas que habitaban en el territorio del señorío. Aunque el rey era siempre el soberano, cada señor ejercía en su señorío potestades que en las ciudades y villas de *realengo* correspondían al monarca.
2. Los *fueros* eran privilegios y exenciones que se concedían a una persona, ciudad o provincia. (*Ver* Capítulo IX.)
3. La esencia del *feudalismo* consistía en una cesión o trasmisión de facultades de soberanía hecha por el rey en favor del señor, de una manera parcial. La discusión recae sobre si en los derechos de señorío había funciones propias del soberano o solamente delegación de atribuciones de gobierno con carácter permanente.

CAPÍTULO IX

INSTITUCIONES JURÍDICAS Y DE GOBIERNO

LOS FUEROS MUNICIPALES

Los fueros municipales eran los conjuntos de disposiciones especialmente aplicables a determinados municipios y por los que éstos se regían en virtud de concesiones singulares otorgadas por el rey o por el señor de quien dependían. El *fuero* significaba siempre un régimen favorable del cual se derivaban derechos y privilegios para la villa o ciudad a la que se concedía y para sus vecinos. Los fueros, como las *cartas-puebla*, tuvieron por objeto atraer la población hacia ciertas localidades para engrandecerlas y fortalecerlas, o recompensar a una ciudad o villa por los servicios prestados a la obra de la Reconquista.

La esencia del fuero—aparte de la concesión de tierras para los vecinos y de ciertas exenciones—era la regulación de la vida municipal con un sentido de libertad democrática. Se implantaba por virtud del fuero una especie de gobierno local autónomo, en que las decisiones fundamentales y la elección de los funcionarios, dependían de la voluntad de la mayoría de los vecinos. Contenía también preceptos aplicables a muchas de las principales materias de la vida local de aquel tiempo, inspiradas generalmente en el propósito de beneficiar al vecindario. Los reyes y los señores concedieron fueros a muchas localidades, que con ellos entraron en un período de prosperidad. Pero los efectos del régimen foral fueron todavía más notables en el orden jurídico y social, al desarrollar el sentido de la personalidad humana, de la libertad individual, de la decisión democrática y de la solidaridad de intereses.

LOS MUNICIPIOS

El municipio libre es la institución representativa del gobierno autónomo de las ciudades y villas que se regían por un fuero en la Edad Media española. En la distribución geográfica de las diferentes clases de ciudades y villas no había regularidad, y así al lado de los municipios libres y pueblos de *realengo* se encontraban muchas veces otros de señorío nobiliario o eclesiástico. El municipio libre se gobernaba a sí mismo y no estaba sujeto a la jurisdicción del conde o gobernador de la respectiva comarca.

La base del municipio libre era el *concillium*, o asamblea general de vecinos a la que se dio el nombre de *concejo*. La asamblea estaba dotada del poder supremo para acordar todo lo relativo al gobierno y administración de la ciudad o de la villa. Ella nombraba al *judex* o juez que había de ejecutar los acuerdos, así como a otros funcionarios encargados de determinados servicios, siempre dependientes del *concejo*. A veces, para el ejercicio de la autoridad municipal se nombraban varios jueces, cuyas facultades no se limitaban a la administración de justicia sino que se extendían a otras ramas del gobierno local. Estos funcionarios se llamaron más tarde *alcaldes*. Todo lo que no fuera propio del gobierno interior de la localidad estaba sujeto a la autoridad soberana del monarca.

A veces, para ciertas necesidades que excedían de la órbita de un municipio, como por ejemplo la defensa contra las vejaciones de los nobles, la participación en la guerra o la persecución de bandidos, se unían varios municipios formando las llamadas *hermandades*, algunas de las cuales llegaron a ser muy poderosas.

Las comunidades que no habían recibido fueros estuvieron al principio gobernadas por funcionarios que nombraban los reyes o los señores de quienes dependían. Pero, con el tiempo, la acción constante de los vecindarios de tales localidades logró que se les fueran otorgando ciertas facultades administrativas que al cabo constituyeron un régimen semejante, aunque menos libre, al de los municipios con fueros.

LAS CORTES

Hubo de antiguo en los reinos cristianos medievales asambleas de nobles y concilios de eclesiásticos, y aun reuniones mixtas de magnates y obispos convocadas por el rey, según el precedente visigótico de los Concilios de Toledo, para tratar de asuntos del reino. Pero lo que propiamente caracterizó a las Cortes fue la intervención de representantes de municipios libres participando con la nobleza y el clero en la resolución de importantes cuestiones de gobierno. Por ello constituyeron manifestación notoria de un sentido democrático en la organización política de la España medieval.

Las Cortes principiaron a funcionar en 1188 para el reino de León; en 1250 para el de Castilla; en 1218 para Cataluña y en 1274 para Aragón. En Valencia hubo reuniones de Cortes cuando Jaime I conquistó el reino. En Navarra no funcionaron hasta fines del siglo XIII. Cuando se unieron bajo la misma corona los reinos de León y Castilla por una parte y los de Aragón y Cataluña por otra, siguieron reuniéndose separadamente las Cortes de cada uno de ellos.

No tuvieron las Cortes medievales españolas una función legislativa como la que corresponde a las modernas cámaras en los países democráticos. Pero sí tenían el derecho de formular propuestas o peticiones de leyes, que el monarca atendía o no. De todos modos, parece que en Aragón y Cataluña adquirieron más tarde una mayor participación en la facultad de legislar. Les correspondía, sí, a todas las Cortes de la España medieval una función importantísima, que era la de otorgar los *subsidios*, es decir, las cantidades de que el rey podía disponer como producto de las contribuciones o impuestos para los gastos del reino. Se reunían también para recibir juramento del rey, al principio de cada reinado, de que guardaría las leyes y fueros del reino; para reconocer al príncipe heredero; para nombrar regente en los casos de menor edad del rey y en otras circunstancias de parecida importancia. Las Cortes aragonesas y las catalanas tuvieron, además, la facultad de resolver las quejas o reclamaciones de los ciudadanos contra los abusos o injusticias de que se creyeran víctimas por actos de los nobles o de los funcionarios reales.

Se componían las Cortes de tres grupos, que llamaban *brazos*: el nobiliario, el eclesiástico y el *estado llano*, formado por representantes de municipios. El rey convocaba la reunión de Cortes. Del *brazo* popular, es decir, de los municipios, convocaba a cierto número de ellos, que no eran siempre los mismos, aunque de algunos no se prescindía. Más tarde llegó a fijarse el *privilegio* de ser llamadas ciertas ciudades y villas. En la primera sesión, celebrada con gran solemnidad, a la que asistían los tres *brazos*, el rey dirigía un mensaje a las Cortes y les proponía las materias sobre las que habían de deliberar. Las siguientes reuniones ya no las presidía el rey, sino otra persona por delegación real, y deliberaban separadamente cada uno de los *brazos*, para tomar sus decisiones. A la sesión final, donde se daba cuenta de las resoluciones, solía concurrir el monarca o un miembro de su familia.

DOCUMENTO CON LA FIRMA Y SELLO DE ALFONSO EL SABIO. Lleva la fecha de 1255.

LA LEGISLACIÓN

En los primeros siglos medievales la legislación no estaba unificada. Regían los fueros municipales, y los fueros de clase, y los privilegios especiales. Predominaba así el sentido de legislación de clase. Como derecho supletorio, es decir, para lo no regulado en disposiciones especiales, regía en León y Castilla el antiguo *Libro de los Jueces*, llamado también *Fuero Juzgo*, y en los demás reinos había otras colecciones de leyes semejantes.

LA JUSTICIA

Siempre se ha considerado la justicia función propia del soberano y realmente no hay en las sociedades función superior a ella. En los reinos cristianos medievales cuando el rey no administraba personalmente justicia, la administraban los jueces en su nombre. En León se dispuso que todas las ciudades del reino tuvieran jueces nombrados por la corona. En realidad la jurisdicción civil estaba a cargo de los alcaldes o jueces, y la criminal correspondía a funcionarios de nombramiento real, *merinos* o *adelantados*, o a magistrados populares en los municipios libres. El sistema penal era muy diferente del que se emplea en los tiempos modernos. Se castigaban severamente hechos que hoy no se consideran graves y a veces ni siquiera delitos. En el procedimiento se utilizaban ciertos medios de prueba completamente absurdos que entonces eran corrientes en Europa. La justicia tropezaba con grandes dificultades, entre ellas las derivadas del abuso de las exenciones nobiliarias y eclesiásticas y también del llamado derecho de asilo en lugar sagrado, como iglesias y monasterios, que libraba al delincuente de la acción de las autoridades.

CAPÍTULO X

MANIFESTACIONES PREDOMINANTES DE LA CIVILIZACIÓN

LA ECONOMÍA

En los primeros tiempos de los reinos cristianos la vida económica estaba reducida a la agricultura y a la obtención de los medios para satisfacer las necesidades más elementales. La ganadería iba desarrollándose porque era más fácil ocultar los rebaños al pillaje de las tropas.

Cuando los dominios cristianos se extendieron y algunas ciudades importantes se incorporaron a los reinos, principió el desenvolvimiento industrial y mercantil. El comercio tuvo mayor actividad, especialmente en las zonas fronterizas durante los períodos de paz. En general, las ferias y los mercados que se celebraban en fechas fijas estimularon el intercambio de productos. Hubo ciudades de rápido desarrollo; como Santiago de Compostela, por la concurrencia de peregrinos; Toledo, por estar situada en el centro de la Península y con gran variedad de población; y Barcelona, favorecida por el gran movimiento comercial de su puerto.

La organización agraria existente dividía las tierras entre los grandes señores, el rey, las iglesias y, en una proporción menor aunque creciente, los pequeños propietarios libres. La ganadería fue próspera muy pronto, protegida por especiales privilegios. En la industria, el artesanado ajustó su organización al sistema de gremios, con el carácter de profesión cerrada y exclusiva de sus miembros. Estos se dividían en *aprendices*, *oficiales* y *maestros*. Los gremios llegaron a adquirir gran importancia como elementos sociales, especialmente porque tenían el privilegio de regular todo lo relativo a la respectiva rama de la producción. Los artesanos del mismo

SAN MIGUEL DE LIÑO, iglesia del siglo IX en Oviedo. La ventana que se ve en lo alto, a la izquierda, corresponde a la habitación de refugio.

gremio solían vivir en una o varias calles, y de ellos tomaron los nombres algunas que todavía los conservan.

Una de las mayores dificultades para el desarrollo económico fue en aquellos tiempos el excesivo número de impuestos, algunos muy gravosos, que pesaban sobre el agricultor, el artesano y el comerciante por ser ellos quienes exclusivamente sostenían los gastos del Estado, ya que los señores y los eclesiásticos estaban exentos de tributación. En cuanto a los precios, se hallaba muy extendida la tasa, fijada por las autoridades municipales en los pueblos y por los gremios en las ciudades y villas. Los salarios, también regulados, eran generalmente muy bajos.

Al principio no tuvieron los reinos cristianos moneda propia. Las operaciones mercantiles se efectuaban mediante el cambio directo de mercancías o valiéndose de moneda antigua, romana, bizantina o goda; luego circuló moneda procedente de Francia y más tarde moneda árabe. Ya en 1020 había moneda propia en León, pero la acuñación se desarrolló después de la toma de Toledo por Alfonso VI. Por las mismas épocas comenzó la fabricación de moneda en los demás reinos cristianos.

LA CULTURA GENERAL

Los primeros tiempos de la Reconquista no fueron apropiados para el desarrollo de la cultura. La inseguridad de la vida, de una parte, y la escasa prosperidad económica, de otra, hacían casi imposible el cultivo intelectual. Estaba, además, en su período crítico la transformación del latín vulgar en los romances incipientes, con la poco favorable imprecisión del lenguaje. Los nobles guerreaban, los siervos trabajaban la tierra y sólo el clero disponía de tiempo y de posibilidades para dedicarse al estudio. Las iglesias y los monasterios conservaban los libros y la tradición del saber de los tiempos visigóticos.

Pero con el avance de la recuperación territorial vino el aumento de la población y de los recursos de toda clase, y se promovió el desarrollo de la cultura en los reinos cristianos. Se despertó un verdadero afán de saber, manifestado en la copia de códices, en la estimación de los libros y en el interés por enriquecer las bibliotecas. El contacto con la civilización árabe y con la judía, que por su parte habían introducido tantos elementos de la sabiduría antigua y de la cultura oriental, produjo entre los cristianos una reacción estimulante. Principia la fundación de establecimientos de enseñanza superior. Alfonso VIII crea en Palencia (1212) unos Estudios Generales, de categoría universitaria, llevando a ellos profesores de Italia y Francia. Alfonso IX echó los cimientos, hacia 1218, de la Universidad de Salamanca, que habría de llegar a tener gran celebridad. Se establece luego la Universidad de Valladolid.

Elementos valiosísimos del desarrollo cultural fueron las traducciones. En este aspecto Toledo—una de las ciudades más arabizadas de la Península —se convirtió en centro intelectual de Europa, como antes lo había sido Córdoba. Sabios musulmanes y judíos se acogieron a la tolerancia de los reyes de Castilla y, para huir de las persecuciones de almohades y almorávides, se establecieron en esta ciudad poco después de su conquista por Alfonso VI. De su presencia en Toledo se aprovechó el arzobispo don Raimundo (1125–1152) para organizar la llamada *Escuela de Traductores*, donde intelectuales judíos, musulmanes y cristianos traducían al latín (raras veces al castellano) versiones árabes de obras griegas, de obras orientales previamente traducidas al árabe o de obras de toda índole escritas por autores árabes y hebreos.

Llegaron por fin las conquistas al sur y a Levante. Era el tiempo de Alfonso X, que ha pasado a la historia con el sobrenombre de el Rey *Sabio*. Este ilustre monarca fue un decidido protector de los hombres de ciencia, a los que favoreció sin mirar que fueran musulmanes o judíos. El creó los Estudios Universitarios de Sevilla, en latín y árabe, y la Universidad Mixta de Murcia, en la que enseñaban profesores cristianos, mahometanos y hebreos. Trató de establecer en Sevilla cátedras de ciencias naturales y aumentó las enseñanzas de la Universidad de Salamanca con estudios de medicina, cirugía y música. En la parte oriental tuvo también espléndido desarrollo el movimiento de expansión de la cultura. Jaime I fundó en Lérida un Estudio General, universitario, y otro en Valencia.

COSTUMBRES Y VIDA PRIVADA

El modo de vivir de los españoles en los reinos cristianos medievales estuvo influido por los mismos factores que las demás actividades. Tuvieron al principio una vida dura y difícil, con escasas comodidades. La clase noble tuvo que acomodarse a las necesidades de la guerra y la gente del campo al riesgo de los ataques de los musulmanes. Las viviendas, aun las de los magnates, carecían de lujo y de elementos de bienestar. El clero vivía con austeridad y los campesinos con pobreza. El traje era todavía el mismo que el de los visigodos.

Cuando Ordoño II traslada la capital de su reino a León, ya la relativa prosperidad se nota en la manera de vivir de los reyes y de los señores. Principia el lujo en la vida de la corte y en las mansiones de la nobleza. Un poco más tarde, las relaciones con los reyes francos se traducen en una cierta influencia que llega del otro lado de los Pirineos. Pero la mayor influencia fue la que durante el período del Califato ejerció todo lo árabe en las costumbres de los cristianos. La afición al lujo y al refinamiento que caracterizó a la corte de Córdoba se comunicó a los españoles de entonces, y especialmente a los de las clases superiores. Muchos aprenden el árabe, lengua en la que alguno de sus reyes firma y en la que se redactan las inscripciones de algunas monedas.

La vida privada dependía mucho de la clase social. Los nobles se dedicaban a la guerra, y cuando no a la caza. Las mujeres y los hijos permanecían en la casa señorial o en el castillo, sin otra diversión que la de la pequeña corte que los rodeaba, donde la llegada de algún juglar introducía la nota variada de sus romances y daba novedad a las conversaciones con noticias de lejanas tierras. Cuando se extendieron las costumbres de la llamada *caballería*[1] eran frecuentes las justas y los torneos.

SAN PEDRO Y SANTIAGO DIALOGANDO. Es un bello ejemplo de la escultura románica del último tercio del siglo XII. Se encuentra en la Sala de los Apóstoles de la Cámara Santa, en Oviedo.

En las ciudades, en las villas, en las aldeas, la vida transcurría con gran monotonía, interrumpida sólo por las festividades religiosas, acompañadas algunas veces por diversiones profanas, como las romerías o los bailes,[2] y por los cortos viajes para asistir a los mercados y ferias, que eran siempre ocasión de alegría y esparcimiento.

Había tres clases de matrimonio: el de *bendición*, celebrado con todas las formalidades e intervención eclesiástica; el casamiento *a yuras*, que era como un contrato de vida común y fidelidad, de carácter privado, pero que producía los mismos efectos jurídicos que el primero; y la *barraganía*, o unión de hecho como un concubinato "more uxorio," es decir, de continuada vida conyugal. El marido daba a la mujer una dote, cuyos bienes se llamaban *arras*, y la mujer aportaba también lo que se llamaba *ajuar*. Al terminar el matrimonio se liquidaba lo adquirido durante él, dividiéndolo ya por mitad, ya proporcionalmente, o dejando el disfrute al cónyuge viudo mientras no se volviera a casar. Los hijos heredaban a los padres, pero en Aragón y Cataluña predominó la tendencia a conservar la unidad del patrimonio familiar, especialmente para los bienes inmuebles, que solían transmitirse en su totalidad al hijo mayor. En Aragón se autorizó más tarde al padre para elegir entre los hijos al heredero, pero en Cataluña heredaba automáticamente el hijo mayor (*hereu*) o la hija mayor (*pubilla*).

Es difícil describir los trajes, en los que hubo gran variación según las regiones. Con la prosperidad creciente aumentó el lujo de los paños y telas, abundaron las pieles, los encajes y los bordados, se generalizó el uso de las joyas y se dio en general a la vida un tono de mayor refinamiento y suntuosidad.

NOTAS

1. La *caballería* fue una institución propia de los primeros tiempos de la Edad Media en Europa, consecuencia de las frecuentes guerras, del sentido nobiliario y de ciertos valores espirituales de entonces a que rendían culto quienes habían sido *armados caballeros*.

2. El aislamiento regional creó varios tipos de danzas y bailes populares, que eran la diversión favorita de los jóvenes y que aún en parte se conservan hoy.

CAPÍTULO XI

FACTORES COMPLEMENTARIOS DE LA CIVILIZACIÓN MEDIEVAL

LOS JUDÍOS

En la formación del carácter español y de la cultura hispánica medieval hay que considerar, además del elemento cristiano y del musulmán, que fueron los fundamentales, un tercer elemento: el judío.

¿Fue numerosa la población judía en la España medieval? No existen datos estadísticos precisos, pero sí tenemos evaluaciones bien fundadas. Ellas permiten afirmar que en el siglo XIII los judíos españoles llegaban ya al medio millón y que en la segunda mitad del siglo XV pasaban de 600.000. Si la cantidad es un elemento importante para apreciar su influencia, no lo es menos la calidad. Del mismo modo que los musulmanes de España alcanzaron un grado de civilización muy superior al de otros países musulmanes, los judíos españoles, llamados *sefardíes* o *sefarditas*, constituían entonces la aristocracia del pueblo hebreo, tanto por su situación económica como por su cultura. Todavía después de expulsados formaron grupos de los más distinguidos dentro del judaísmo. Se distinguieron especialmente en todo lo relativo a la gestión económica, en profesiones como las de administradores, recaudadores, banqueros, comerciantes, y en algunas artes como la joyería y la orfebrería.

Pero también se distinguieron mucho en actividades relacionadas con la cultura, sobresaliendo por encima de los otros núcleos hebreos de la época. Fue manifiesta su inclinación a los estudios filosóficos, como ya hemos indicado al hablar de la España-musulmana. También tenían los hebreos una tradición de conocimientos de medicina, como se ve en el Antiguo Testamento, y fue ciencia que cultivaron en España con éxito.

SANTA MARÍA DE RIPOLL. Magnífica portada románica.

Hubo médicos judíos en muchas ciudades, y con frecuencia eran llamados para prestar sus servicios a los reyes, a los nobles y a los prelados. En las ciencias exactas, físicas y naturales estuvieron muy adelantados los judíos españoles, y fue muy valiosa su participación, solicitada por Alfonso X, en la gran obra astronómica llamada *Tablas Alfonsíes* y en otros libros científicos debidos a la inciativa del Rey Sabio.

Vivieron los judíos en la España medieval en situaciones que variaron mucho dentro de tan largo período.[1] Los fueros, las Cortes y los reyes dictaron disposiciones respecto de ellos, inspiradas en sentimientos ya de simpatía y amistad, ya de hostilidad y prejuicio. Los sefarditas eran gente laboriosa, activa, ahorradora, cualidades que si les sirvieron individualmente para enriquecerse, también beneficiaron al país. Con la riqueza les vino el poder. La posición ventajosa que por ello y por su cohesión como pueblo alcanzaron fue una de las causas principales de que en los últimos siglos de la Reconquista suscitaran los judíos el antagonismo popular que tuvo expresión en motines y persecuciones. La otra causa fue el prejuicio religioso, cuya vehemencia por parte de los cristianos iba creciendo con la duración de la lucha secular contra el Islam. La convivencia llegó a ser peligrosa y difícil en algunas ciudades. Se preparó así el pretexto para la expulsión.

Aunque los judíos vivían separados[2] de los cristianos, existieron sin duda muchas relaciones entre unos y otros, así como matrimonios mixtos. Es por ello muy explicable la huella sefardita en la cultura hispánica teniendo en cuenta la cifra de su población y la valía intelectual de los judíos españoles.

ELEMENTOS DE CONTACTO Y COMUNICACIÓN

Debemos considerar como principales: las mujeres cristianas llevadas a territorio musulmán, los mozárabes, los mudéjares y los judíos conversos.

La invasión musulmana fue principalmente de guerreros, esto es, de varones, que se casaron con mujeres cristianas de las que siguieron viviendo en el territorio conquistado. Los árabes, además, en sus incursiones sobre los reinos cristianos tomaban mujeres como esclavas, que iban a formar parte de sus harenes. Hubo así en el Emirato y en el Califato muchas mujeres cristianas que aun cuando se pasaran a la religión islámica llevaban en su interior la educación de su procedencia y preferían hablar en romance, conocimientos que más o menos trasmitían a sus hijos, ya arabizados. Ello explica que en los territorios dominados por los musulmanes se

CATEDRAL DE SANTIAGO DE COMPOSTELA. Esta grandiosa catedral, donde se guardan los restos que se cree son del Apóstol Santiago, es de estilo románico, al que se añadieron después otros estilos. Esta fachada del "Obradoiro" pertenece al estilo barroco.

hablara la lengua romance y que hubiera como una filtración de la civilización cristiana en las sucesivas generaciones.

Los *mozárabes*, o cristianos que vivían con cierta independencia en los dominios musulmanes, fueron muy numerosos al principio. Más tarde, los avances de los reinos cristianos producían uno de estos dos efectos: o conquistar territorios, pasando entonces los mozárabes a vivir entre cristianos, o facilitar la vuelta de los mozárabes, que abandonaban los dominios musulmanes para ir a repoblar los cristianos. En ambos casos llevaban consigo los elementos de la cultura árabe que se habían incorporado y luego comunicaban a las gentes del lugar de su residencia.

Así como el número de los mozárabes disminuía con el progreso de la Reconquista, el de los *mudéjares*, por el contrario, aumentaba, porque nuevos núcleos de musulmanes se quedaban a virir en los territorios que adquirían los cristianos. Rodeados de éstos, y en constante relación con ellos, los mudéjares se convertían en órganos de expansión de su propia cultura árabe, y de recepción de la cristiana, de un modo semejante a como lo hacían, en sentido contrario, los mozárabes.

Algo semejante puede decirse de los judíos *conversos*—convertidos al cristianismo—, que por el hecho de serlo se acercaban a los cristianos. Cierto que éstos no los aceptaban siempre en un pie de igualdad como hermanos en religión, y aún se dudaba muchas veces de la sinceridad de las conversiones, pero de todos modos su posición religiosa, social y cultural establecía contactos de efectos muy importantes.

INFLUENCIAS EXTRANJERAS

Ya nos hemos referido de pasada a la influencia francesa en Cataluña y Navarra, ocasionada por la vecindad geográfica y por las relaciones políticas con los reyes francos. También hablamos de las corrientes de comunicación con el extranjero a que daban origen los viajes de los peregrinos que iban a visitar el sepulcro del apóstol Santiago. Estos peregrinos eran numerosos, procedían de todos los países cristianos y pertenecían a todas las clases sociales.

Por la vía religiosa ya hemos visto que llegaron a España influencias culturales de fuente francesa. Primeramente, en el siglo XI los monjes benedictinos de Cluny[3] fueron ocupando posiciones eclesiáticas en los monasterios y sedes episcopales. En el siguiente siglo, los monjes del Císter, rivales de los cluniacenses, ejercieron tan gran influencia en la vida eclesiástica que hasta lograron cambiar el estilo arquitectónico de las construcciones religiosas. El románico empezó a ser sustituido por el gótico.

En el siglo XIV veremos cómo los reyes de Aragón extendieron sus dominios por el Mediterráneo, y es lógico pensar que el hecho de estar

PÓRTICO DE LA GLORIA. Monumental grupo escultórico que se halla a la entrada de la catedral de Santiago de Compostela. Para muchos es el ejemplo más perfecto de la escultura románica en el mundo. En este maravilloso conjunto de figuras llama la atención del visitante la sonrisa del joven profeta Daniel, colocada entre Jeremías e Isaías, dos de las figuras más serias del Antiguo Testamento. Esa sonrisa significa para un crítico el paso definitivo del románico al gótico. (Compárese esta sonrisa de Daniel con la de Nuestra Señora la Blanca de la catedral de León.)

territorios españoles e italianos sometidos al mismo monarca, se entablaran relaciones estrechas entre unos y otros países con las consiguientes influencias recíprocas.

Aun cuando en aquellos tiempos los viajes eran difíciles, costosos y arriesgados, había personas que se transladaban de una parte a otra y que fueron a España con diferentes motivos. Trovadores y juglares del sur de Francia que recorrían los castillos de Cataluña y Navarra. Profesores llamados a enseñar en las Universidades españolas. Estudiantes que asistían a cursos en el extranjero y regresaban después a la Península. Aventureros que iban a tomar parte en las guerras contra los musulmanes. Caravanas de comerciantes que llevaban a vender sus mercancías. Todo ello significaba un intercambio de valores culturales.

El original y complejo fenómeno de la civilización española de la Edad Media sólo puede explicarse por la concurrencia de factores múltiples, fundidos en el crisol de una intensa vida común.

LAS PRIMERAS MANIFESTACIONES DEL ARTE CRISTIANO MEDIEVAL

Hasta mediados del siglo IX no hubo manifestaciones artísticas de importancia en el pequeño reino de Asturias. Fue Ramiro I (791–842) quien mandó construir monumentos de un estilo que recibe su nombre: *ramirense*. Carece este nuevo estilo de lo que se considera tradicional: arcos de herradura, techos de madera y estructura basilical como en casi todo lo visigótico. En su lugar, se advierten pobres relieves de figuras humanas y de animales que anticipan el estilo románico del siglo XI. Los edificios que mejor se conservan son las dos pequeñas iglesias, cerca de Oviedo, *Santa María del Naranco* y *San Miguel de Liño*. Ambas nos sorprenden por la desproporción de su tamaño (más altas que anchas) y por los discos ornamentales y dibujos geométricos que adornan las paredes, considerados de influencia oriental difícil de explicar.[4]

En el siglo XI se introdujo de Francia el estilo *románico*, caracterizado por sus gruesos muros y pequeños ventanales que dan a las iglesias y monasterios un aspecto de fortaleza. Otras características del románico son el arco de medio punto, las cubiertas de bóveda, la planta de cruz latina orientada hacia el este y las puertas con arcos concéntricos que van disminuyendo en tamaño.

Es imposible mencionar toda la riqueza artística del románico español de los siglos XI y XII, pero de singular importancia son los siguientes ejemplos: La *Cámara Santa* del primer tercio del siglo XII, en Oviedo, notable por las parejas de apóstoles dialogantes, adosadas a cada una de las seis columnas; es también famosa por las joyas de valor que allí se conservan, entre otras la "Cruz de los Ángeles," con ochenta piedras preciosas y letras de oro, y la "Cruz de la Victoria" (siglo X), considerada por algunos como "la más rica joya que hay en España." *San Isidoro de León* (del siglo XII) es obra maestra del románico español y notable, principalmente, por la extrañas figuras en los varios capiteles y por el "Panteón de los Reyes," donde la piedra y la pintura mural dan gran expresividad a la idea de la muerte; es sin duda el más bello conjunto de frescos románicos. La catedral de Santiago de Compostela ha llamado la atención de los escultores del mundo por su famoso "Pórtico de la Gloria," no sólo por su enorme tamaño sino por la admirable armonía de tantas figuras reunidas para representar lo que en la mente del maestro Mateo había de expresar "la glorificación de Cristo y de su Iglesia." [5]

PANTEÓN DE LOS REYES, en la Colegiata de San Isidoro de León. De gran interés para el estudio del arte románico son los murales que adornan los techos y paredes.

NOTAS

1. En general hubo gran tolerancia con los judíos durante los siglos XIII y XIV.
2. Los barrios donde vivían se llamaban *juderías*.
3. La influencia de los monjes de Cluny se ejerció en la disciplina y el rito de la Iglesia, pero trascendió a otros órdenes de la vida.
4. También sorprende en esta iglesia la habitación colocada sobre el techo de la capilla mayor. La llaman "habitación de refugio," pues para salir o entrar en ella los que la utilizaban necesitarían una cuerda o escalera de mano. Acaso buscaran refugio de piratas los que allí se ocultaban.
5. Otros ejemplos del románico que merecen mención son la imponente portada y claustro del monasterio de Santa María de Ripoll (Gerona), la catedral de Zamora y la vieja de Salamanca, la basílica de San Vicente de Ávila, etc.

CAPÍTULO XII

EVOLUCIÓN DE LOS REINOS CRISTIANOS HASTA EL FINAL DE LA EDAD MEDIA

REINO DE LEÓN Y CASTILLA

Aspiraron los reyes a vigorizar su poder frente a la nobleza, pero no todos ellos lo consiguieron. Alfonso X, en las *Partidas*, definió el concepto de la monarquía como institución de derecho divino y potestad absoluta, aunque no despótica. En la realidad, sin embargo, los nobles se impusieron muchas veces a los monarcas.

En la *Curia*, o Consejo Real, que asesora al soberano, entran otros elementos además de los nobles y los obispos, que fueron los *letrados*, hombres graduados en Leyes por las Universidades de entonces. La administración de justicia sigue siendo potestad de los reyes, y aunque sólo excepcionalmente la ejercen, se preocupan de organizar el sistema judicial. La legislación penal se suaviza poco a poco, y ya en las pruebas se concede más importancia a la documental y testifical.

La nobleza continuó siendo el elemento perturbador del reino, unas veces dividida en bandos que se hacían una guerra a muerte, y unida otras veces contra el rey para arrancarle prerrogativas y mercedes. Las turbulencias de los nobles ocasionaron en largos períodos una verdadera anarquía que perjudicó mucho al país. Un ejemplo notorio fue el reinado de Juan II, hombre que por su débil carácter puso el gobierno en manos de un amigo sumamente inteligente—el Condestable Álvaro de Luna— quien dirigió los destinos de Castilla por unos treinta y tres años. Pero contra su influencia sobre el rey se rebelaron algunos parientes suyos y la nobleza castellana. El gran error del Condestable fue el de concertar el matrimonio del rey con una princesa portuguesa, la cual se alió con los nobles e influyó en el monarca para que diera muerte a don Álvaro. Éste murió en el cadalso en 1453, y un año después moría de tristeza Juan II.[1]

Como es natural, estas luchas civiles impidieron la continuación de la Reconquista. Otro tanto ocurrió en el reinado de su sucesor, uno de los hombres más detestables de la historia de España. Hasta se le acusaba de homosexual. Enrique IV, que así se llamaba este hombre mezquino, se había casado con una princesa de origen portugués de quien tuvo una hija cuya paternidad se atribuía al favorito Beltrán de la Cueva. A esta niña se le dio el sobrenombre de "la Beltraneja" y por más de diez años hubo guerras civiles entre los que defendían su legitimidad y los detractores: la nobleza castellana. El rey desconfiaba de todos y en momentos de duda poclamaba heredero del trono a su hermano; otras veces, en cambio, defendía la paternidad de la Beltraneja. A la muerte de su hermano Alfonso, sus partidarios ofrecen la corona a Isabel, su hermana, que no quiere aceptarla hasta la muerte del rey, en 1474.[2]

Tuvieron los municipios libres su época de gran florecimiento como expresión de la democracia de las comunidades locales consagrada por los fueros. Pero al acercarse el final de la Edad Media principió su decadencia, debida en parte a la acción de los reyes, que ya no necesitaban la ayuda de las ciudades y villas en la guerra contra los musulmanes. Celosos los monarcas de vigorizar y extender su autoridad, comenzaron a nombrar *alcaldes-corregidores*, que sustituían al magistrado municipal que antes era de libre elección de los vecinos.

Por su parte, los municipios perdieron la raíz democrática, pues cesó de funcionar la asamblea y se encargaron del gobierno local los *ayuntamientos*, compuestos de representantes de los diferentes grupos sociales, como los gremios industriales, los nobles, etc., con lo cual el poder fue a manos de determinadas personas influyentes, quedando eliminada práticamente la intervención de los vecinos de la localidad.

Aunque los reyes, en general, no tenían mucha inclinación a convocar las reuniones de Cortes, tampoco podían prescindir de ellas, pues las necesitaban para obtener los *subsidios* y también para ciertos acuerdos que interesaban personalmente a los monarcas. Siguieron, por ello, celebrándose Cortes, con más o menos frecuencia, durante todo el período medieval, y sus peticiones una vez aprobadas por el monarca tenían fuerza de ley. En las Cortes de Briviesca del año 1387 se dispuso que las leyes y ordenamientos vigentes sólo podrían modificarse por acuerdos de Cortes. Éstas intervenían también en la declaración de guerra y concierto de paz. El examen de las disposiciones aprobadas en las Cortes de los siglos XIII, XIV y XV revela la enorme importancia que tuvieron como órgano de gobierno.

La Iglesia y sus ministros siguieron gozando de una posición muy

ALCÁZAR DE SEGOVIA. Castillo medieval que ha sufrido varias restauraciones, siendo la última la realizada en el siglo XIX después de un incendio ocurrido en 1862.

influyente en la sociedad española de toda la Edad Media, debida a su significación espiritual y a las grandes riquezas que poseían. Los arzobispos de Santiago y de Toledo, muchos obispos y canónigos y en general los miembros del clero disfrutaban de cuantiosas rentas, por las que no pagaban impuestos. Los altos personajes eclesiásticos intervenían frecuentemente en los asuntos del gobierno.

Fenómeno muy importante fue el gran desarrollo de la clase media en las ciudades y villas. El progreso económico permitió que creciente número de personas pudieran vivir de trabajos libres, realizados por cuenta propia o ajena. Se creó de este modo el núcleo más valioso de la vida local, formado por nobles de la clase inferior, profesionales, comerciantes, industriales, artesanos, etc., que tenían una cierta comunidad de intereses y representaban una fuerza social. En el campo, los siervos de la gleba mejoraron su situación, logrando que se regularan sus obligaciones con un criterio más humano. Además, se manifestó por parte de los señores una tendencia a darles libertad, convirtiéndolos así en arrendatarios de las tierras que cultivaban. Continuó habiendo esclavos, moros prisioneros de la guerra o descendientes de ellos, pero en número menor y cada vez mejor tratados.

A medida que los dominios cristianos se extendían hacia el sur mejoraba la economía. La calidad de las tierras y del clima aumentaba la

CASTILLO DE COCA (Segovia). Es uno de los más bellos de España y único en su género por estar construido de ladrillo. Terminó su construcción el arzobispo Fonseca en 1400.

producción. A la vez los productos industriales tenían mayor demanda y el comercio se desarrollaba para satisfacer las necesidades de un nivel de vida más alto.

El impulso que Alfonso *el Sabio* dio a la cultura fue de gran eficacia. Las *Partidas* dedican todo un capítulo a regular las cuestiones de enseñanza. En los *Estudios Generales*, o universitarios, se enseñaban el *trivium* (gramática, retórica, lógica) y el *cuadrivium* (aritmética, geometría, astronomía, música). Pero además se establecieron enseñanzas de ciencias naturales, de leyes y de teología. Se daban cursos en latín y en árabe. Hubo centros de enseñanza para judíos y mudéjares. Se fundaron otros *Estudios*, además de los que ya venían funcionando. Las universidades eran autónomas en su régimen interno y se sostenían de rentas propias procedentes de donaciones de los reyes, de los nobles y de particulares. Pero el interés del Estado por la enseñanza superior no se extendió a la primaria, que estaba a cargo del clero.

REINOS DE ARAGÓN, CATALUÑA Y NAVARRA

Las variaciones ocurridas en estos reinos no se diferenciaron mucho de las que hemos indicado respecto de León y Castilla. Al cabo, había una comunidad de situación y de causas, que naturalmente originaron muchas coincidencias en el desarrollo de la vida de todos los pueblos de la Península.

En Aragón la lucha entre el rey y los nobles fue más violenta que en Castilla. La nobleza unida frente al monarca obtuvo privilegios y los conservó hasta que Pedro IV tuvo la fortuna de someter a los nobles.

Por lo que respecta a la Iglesia y al clero no hubo cambio en su posición ventajosa y predominante.

En relación con Cataluña debe destacarse el movimiento de rebeldía de los siervos del campo contra los señores. La situación de los campesinos catalanes llamados *payeses de remensa*[3] era más angustiosa que la de los castellanos por razón de los servicios a que estaban obligados y de los tributos que habían de pagar. El triunfo que al fin obtuvieron los campesinos quebrantó el poder de la nobleza.

En Navarra, no obstante la influencia francesa, la organización se acomodó al sistema medieval español, si bien el número de municipios libres fue más pequeño que en los demás reinos.

El progreso de la cultura en los reinos de la zona levantina fue grande durante el período a que nos referimos. Los mudéjares tuvieron una universidad en Zaragoza. Como en el resto de la España cristiana, hubo en Aragón y Cataluña cátedras de teología, gramática, hebreo y árabe. El ambiente del sur de Francia se reflejó en tradiciones catalanas relacionadas

ESPAÑA
en el Siglo XV
(antes de 1492)

con la vida literaria, como la de los *Juegos Florales*, certámenes de poesía que se celebraban con fiestas de gran solemnidad y que se conservan todavía.

A pesar de las semejanzas que pueden señalarse entre los reinos de la Península, es innegable que a principios del siglo XV Aragón ofrecía una fisonomía bastante distinta a la de Castilla. Esto se debía a que Aragón en el siglo XIII había terminado su reconquista de territorios en la Península y tuvo que mirar al mar, al Mediterráneo, para extender sus dominios. Catalanes y aragoneses hicieron expediciones en el siglo XIV que les llevaron a Constantinopla y a Grecia, donde establecieron por algunos años un condado catalano-aragonés. Más tarde, Alfonso V fue coronado rey de Nápoles donde vivió hasta su muerte, admirado de todos como protector de las letras y las artes. Cuando su hijo Juan II ocupó el trono, los dominios del reino no sólo comprendían los territorios de Aragón y Cataluña sino los de Valencia, Navarra, las Baleares, Sicilia, Cerdeña y otras islas del Mediterráneo.[4]

CONSECUENCIAS GENERALES DE LA INVASIÓN ÁRABE

Un análisis detenido del desarrollo de la civilización española medieval revela importantes consecuencias derivadas de la invasión de los musulmanes. No llevaron éstos a España muchos valores culturales, pero el pueblo hispano-musulmán que allí formaron importó elementos clásicos y orientales, dándoles espléndido desarrollo cuyos resultados penetraron en la totalidad del pueblo español y quedaron incorporados a la civilización nacional.

Otra consecuencia para los reinos cristianos fue el estado constante de peligro, de alarma y de guerra en que vivieron. Tal situación, al consumir recursos y energías que fueron precisos para la lucha, impidió el progreso en ciertos órdenes de la economía y de la cultura que requieren para su desenvolvimiento un clima de paz y de sosiego. Tantos siglos de guerra engendraron en los españoles de entonces una actitud vital de acometividad y de lucha, que si más tarde hicieron posibles las hazañas de la conquista y de la colonización en América, los desviaron por mucho tiempo del trabajo en la agricultura, en la industria y en el comercio, que son las verdaderas fuentes de la prosperidad económica. A la vez, el motivo religioso de la Reconquista y la pasión que en ella pusieron los españoles originaron en ellos al final de la lucha un sentido de intolerancia que había de producir deplorables efectos.

En conjunto, la introducción del elemento árabe y la reacción de los elementos hispano-romano y visigótico imprimieron un rumbo singular al desenvolvimiento de la civilización medieval española.

NOTAS

1. El rey Juan II y su esposa tienen un magnífico sepulcro en la Cartuja de Miraflores (Burgos), mandado construir por los Reyes Católicos.
2. Esta es la famosa Isabel la Católica, casada con don Fernando, heredero de la corona de Aragón.
3. Los *payeses* (agricultores) *de remensa* podían liberarse de sus obligaciones para con el señor mediante el pago de una candidad de dinero.
4. No debe olvidarse que las expediciones marítimas del reino de Aragón fueron promovidas en su mayoría por los catalanes. La ciudad de Barcelona ha ofrecido desde tiempos antiguos a cuantos la visitaban un aspecto de prosperidad mercantil.

CAPÍTULO XIII

LA LENGUA, LA LITERATURA Y LAS ARTES EN LA EDAD MEDIA

Primer período. [Siglos XI–XIII]

LAS LENGUAS ROMANCES

La romanización de la Península hizo desaparecer casi totalmente las lenguas indígenas. Se conservó sólo el vascuence y quedaron también algunos restos de los antiguos idiomas. La caída del Imperio romano promovió el desarrollo de variantes en el latín vulgar de los pueblos antes dominados, que se corrompió para transformarse en nuevos idiomas. Los visigodos completaron en Hispania su romanización y su lengua desapareció borrada por la superposición del latín hispánico, que pronto evolucionaría hacia la formación de nuevas lenguas: las *lenguas romances*.

El fraccionamiento del pueblo ibérico en los diferentes reinos cristianos imprimió a la transformación lingüística caracteres de diversidad. Surgieron varias formaciones. El romance de los mozárabes, con tradición visigótica; el de los leoneses; el navarro-aragonés; el castellano—todos éstos con notorias semejanzas—; en el oeste, el galaico-portugués; y en el este, el catalán, parecido al provenzal.[1]

De los *romances* de la zona central fue sin duda el castellano el que estaba dotado de mayor vitalidad. Por ello, y porque Castilla iba extendiendo sus conquistas, el predominio del castellano se impuso con relativa facilidad, pero sin que por ello desaparecieran totalmente los demás romances en evolución. Siguieron, pues, desarrollándose con personalidad propia el galaico-portugués y el catalán. Con el tiempo, el primero se dividió, dando origen a la lengua nacional de Portugal por una parte y por otra al idioma regional español que es el gallego. El catalán se comunicó a

LA VIRGEN BLANCA. Esta hermosa imagen—en el centro de la fachada principal de la catedral de León—es obra de un escultor desconocido del siglo XIII. Llama la atención por su dulce sonrisa y la del Niño Jesús que lleva en brazos.

CATEDRAL DE LEÓN.
Vista de la torre central,
adornada con un bello rosetón
policromado.

Mallorca, donde evolucionó con cierta originalidad, y a Valencia, donde recibió marcada influencia del castellano.

El romance de Castilla estaba destinado a ser la lengua predominante en la Península y convertirse algún día en idioma nacional. Aun cuando en el siglo X principia a revelarse la individualidad del castellano, sus caracteres distintivos no se manifiestan con regularidad hasta mediados del siglo XI, cuando Castilla se sobrepone a León y a Navarra. Claro que en el romance castellano hubo influencias exteriores y la más importante fue la del idioma árabe, del cual tomó más de cuatro mil palabras, muchas de las cuales han dejado de usarse. La evolución del castellano siguió en los siglos siguientes para adquirir de un modo progresivo su definitiva singularidad lingüística.

En Portugal, en Galicia, en Cataluña, en las Baleares, en Valencia y en el territorio vasco continuaron hablándose sus respectivas lenguas, pero con penetración del castellano, que al fin sería la lengua española común.

LA LITERATURA MEDIEVAL

En cuanto a poesía lírica ya hemos hablado de las *jarchas*, que escritas por árabes y judíos en la España musulmana constituyen el primer ejemplo en lengua romance. Después, en el siglo XII, empezó a desarrollarse en Galicia una poesía inspirada en la lírica provenzal y llevada a la Península por peregrinos y trovadores. La mayor parte de las composiciones que han llegado a nosotros pertenecen al siglo XIII y están escritas en romance gallego-portugués. El ejemplo más notable de esta poesía, compuesta por lo general para ser cantada, son las *Cantigas de Santa María*, en su mayor parte escritas por Alfonso el *Sabio* para contar los milagros de la Virgen o para loar sus virtudes.[2]

Principia la historia de la literatura en lengua castellana con una creación singular: el *Poema* o *Cantar de Mío Cid*, en el que se refieren con sorprendente aproximación histórica las hazañas del famoso héroe Ruy Díaz de Vivar, mejor conocido por el nombre de *Cid Campeador*. De autor desconocido, se cree escrito hacia 1140, y refleja con expresivo vigor el espíritu de Castilla en aquellos duros tiempos de la Reconquista.

De aproximadamente la misma fecha es el *Auto de los Reyes Magos*, el único ejemplo que se conserva del teatro litúrgico de aquellos tiempos. Aunque queda sólo un fragmento, su importancia es incuestionable cuando se considera que en otros países existen muchas obras de esta clase mientras en España no vuelven a aparecer hasta mediados del siglo XV.

En el siglo XIII van brotando otros géneros literarios, entre ellos el *mester de clerecía* ("obra de clérigos"), que además de varios poemas de otros autores nos ofrece la valiosa contribución de Gonzalo de Berceo—el primer poeta de nombre conocido que escribe en castellano. Berceo parece que se propuso probar en verso de lengua popular temas religiosos y litúrgicos. En su obra maestra, *Los milagros de Nuestra Señora*, pretende decirnos que la devoción a la Virgen había crecido desde que los cistercienses establecieron su culto un siglo antes.

La prosa de este período se revela con gran impulso en las obras debidas a la iniciativa de Alfonso *el Sabio*. No fue este rey hombre de guerra ni político, como su padre, pero su contribución a la cultura fue de tal valor que algunos consideran su reinado como un prematuro Renacimiento. Rodeado de traductores y de sabios hebreos, árabes y cristianos, se escribieron bajo su patronazgo obras científicas, históricas y jurídicas. La más importante de todas es las *Siete Partidas* ("Siete Partes"), compuesta entre los años 1256 y 1265, donde se legisla sobre asuntos tan variados como el matrimonio, la monarquía, el teatro, la religión, etc. Otra obra en prosa de importancia es *Calila y Dimna* (1251), una colección de cuentos orientales traducidos del árabe al castellano y que servirán de modelo a cuentistas posteriores.

LAS ARTES

El estilo románico evolucionó, siguiendo tendencias llegadas del Occidente europeo y también por la necesidad de dar mayor amplitud, más elevación y más luz a las catedrales e iglesias. Así, después de un

SANTA MARÍA LA BLANCA. Este edificio, situado en la ciudad de Toledo, sirvió primero de sinagoga. Se dice que en el siglo XIII era utilizado por tres religiones: la cristiana los domingos; la judía los sábados; la musulmana los viernes. Esta magnífica tolerancia desapareció en siglos posteriores.

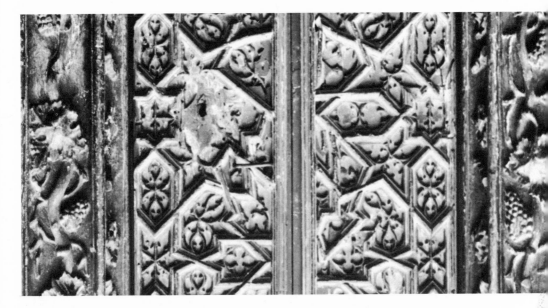

PUERTA TALLADA EN MADERA, típica del arte mudéjar.

período de transición a fines del siglo XII predominó en las construcciones el estilo *gótico*[3] u *ojival*, caracterizado por los arcos en punta o de ojiva, bóvedas elevadísimas—sostenidas por altas y esbeltas columnas—y por grandes ventanales con vidrieras de brillante colorido. Todo esto producía en el ánimo del creyente una sensación de espiritualidad que muchos no podían sentir en la lobreguez de los templos románicos.

Poco a poco el arte gótico se nacionalizó en España y durante cerca de cuatro siglos se utilizó en la construcción de toda clase de edificios. En tan extenso período es lógico suponer que las catedrales españolas no tengan la uniformidad de las extranjeras. Cada siglo iba añadiendo algo nuevo, de modo que variedad y *no* uniformidad es la característica fundamental del gótico español. Tres de las más importantes catedrales son las de Léon, Burgos y Toledo, empezadas en el siglo XIII. La de León es quizás la de más puro gótico y la más bella de España por las grandes vidrieras que ocupan todo el espacio entre columnas. Extraordinario es también el enorme rosetón de la fachada principal y la portada central con la hermosa imagen de "Santa María la Blanca," llamada amorosamente por el pueblo "la Virgen Blanca," con el Niño Jesús en brazos, que también sonríe.[4]

Otro estilo arquitectónico que es gloria y orgullo de España es el *mudéjar*, así llamado porque se debe a alarifes mudéjares, es decir, musulmanes que vivían en territorios reconquistados por los cristianos. Se caracteriza en ser esencialmente ornamental y por emplear materiales como el ladrillo y el azulejo, en los muros, y madera en el artesonado de los techos. Se infiltró primero en el románico, pero es en el gótico donde se advierte más su influencia. Son ejemplos notables de este período la sinagoga de "Santa María la Blanca," en Toledo, y numerosas torres en Aragón.

En cuanto a escultura medieval conviene advertir que al principio se sustituyó el ideal clásico de forma por el cristiano de símbolo y alegoría, más apto para representar escenas bíblicas. Fue el maestro Mateo—el genial autor del *Pórtico de la Gloria*—quien inspirándose en lo natural supo infundir vida y animación a sus figuras. Aunque también emplea símbolos, su gran preocupación parece haber sido la de crear personas vivientes. Un crítico moderno ha interpretado la sonrisa del profeta Daniel como iniciadora de una nueva etapa que se abre en la historia del arte: el gótico. Con razón se puede afirmar que el "Pórtico de la Gloria" (terminado en 1188) es el preludio de la escultura gótica,[5] que sigue empleando en sus catedrales la misma profusión decorativa de las portadas románicas.

Segundo período. [Siglos XIV y XV]

LA LITERATURA

A la poesía del siglo XIV corresponde una de las obras más geniales de la literatura española, el *Libro de Buen Amor*, calificado acertadamente de "comedia humana" de este siglo, un panorama completo de la vida de aquellos tiempos. De su autor, el clérigo Juan Ruiz (1283?–1350?), mejor conocido por el nombre de "Arcipreste de Hita," se tienen pocas noticias; pero a juzgar por su obra es el mejor poeta de la literatura medieval. Con él nace la verdadera poesía castellana de aliento popular y realista.

En medio de la anarquía y desmoralización que existía durante los reinados de Juan II y Enrique IV brota una escuela de poetas que se dedica al cultivo de una poesía culta y cortesana, escrita por primera vez en castellano. En el *Cancionero de Baena* (1445) están recogidas las poesías de ochenta y nueve poetas, sin otro mérito que el de ofrecernos un pequeño cuadro de la vida de entonces. De mayor interés es Jorge Manrique (1440?–1479), poeta de honda sensibilidad que alcanzó las alturas del genio en sus *Coplas por la muerte de su padre* (1476), que están consideradas como una de las mejores composiciones líricas en lengua castellana.

La prosa de este período está representada principalmente por el

El llamado "Salón de Carlos V" en el ALCÁZAR DE SEVILLA, edificio perteneciente al estilo mudéjar y construido en el siglo XIV por artistas musulmanes.

Infante don Juan Manual (1282-1348), sobrino de Alfonso X y autor de obras de índole didáctico-moral, entre las que sobresale el *Libro de los Ejemplos del Conde Lucanor* o *Libro de Patronio*, colección de 51 cuentos adaptados de fuentes orientales.

LAS ARTES

La arquitectura sigue apegada a lo gótico, extendiéndose aun a edificios no religiosos como el Castillo de la Mota, la Casa de las Conchas (Salamanca) y las Lonjas de Valencia y Palma de Mallorca. Por su parte, el *mudéjar* se infiltra cada vez más en el gótico. Maravillosos ejemplos de este arte son la sinagoga del *Tránsito* (1366),[6] *Alcázar de Sevilla*, mandado reconstruir por Pedro I el *Cruel*, en 1364, y el imponente *Castillo de Coca* (1400), en Segovia.

Al igual que en arquitectura, vinieron de fuera escultores que formaron escuela alrededor de las tres grandes catedrales ya mencionadas: León, Burgos y Toledo. Poco a poco estos artistas franceses, flamencos y alemanes se fueron españolizando de tal modo que pronto tuvieron discípulos de mérito que colaboraban con ellos en la talla de figuras de madera para adornar los retablos y sillerías de coro. Este gusto tan español. por los retablos profusamente adornados de grupos escultóricos en madera policromada culmina en la catedral de Sevilla donde encontramos el más grande retablo del mundo.

Es bien sabido que la pintura española de cuadros no logró su completo desarrollo hasta el siglo XVII. En la Edad Media estaba subordinada a la arquitectura y no resiste comparación con la de otros países. Hasta el siglo XV apenas tuvo desarrollo esta clase de pintura. Pero entonces vinieron a la Península pintores italianos, o españoles que sintieron la influencia italiana por haber estado en la corte de Alfonso V, en Nápoles. La visita a la Península del pintor flamenco Jan van Eyck (1380?-1440) produjo honda influencia en España y Portugal. Entre los pintores más notables de este período destacan Fernando Gallego en Castilla, Bartolomé Bermejo en Aragón, y Luis Dalmau en Cataluña. A éste se debe un cuadro de innegable valor, *Los Concellers*, pintado para el retablo de la capilla del Concejo Municipal de Barcelona.[7]

La talla en madera también se aplicó a la fabricación de muebles: mesas, sillones, camas y en particular primorosos *vargueños*, o escritorios con cajones, cuya labor combina a veces la madera y el marfil.

La orfebrería alcanzó gran perfección en la decoración artística de custodias, crucifijos, cálices, relicarios, arquillas, etc., dedicados al culto o al servicio personal de las personas de alta categoría.

CATEDRAL DE BURGOS. Se empezó a construir en el siglo XIII y es uno de los más bellos templos góticos de Europa.

NOTAS

1. El provenzal es la lengua de una comarca francesca del sur, la Provenza, inmediata y semejante a Cataluña.

2. Es de interés hacer notar que esta obra fue escrita en gallego por una persona que tanto contribuyó al desarrollo de la prosa castellana.

3. El término "gótico" fue inventado por los artistas del Renacimiento para expresar su desprecio por un arte tan "bárbaro" e irregular.

4. Como ejemplo de la función que ocupaba la decoración escultórica en los edificios religiosos de aquella época, conviene señalar que en la portada principal de esta catedral, encima del lugar que ocupa la dulce Virgen Blanca, se desarrolla una escena verdaderamente dantesca. En el centro del tímpano aparece el ángel que pesa las almas; a un lado van los elegidos, que pasan al paraíso y son recibidos por San Pedro; al otro, en fuerte contraste, van los pecadores, sometidos a tormentos terribles por repulsivos demonios.

5. Es interesante y curioso comparar la enigmática sonrise del joven profeta Daniel, colocado entre los muy severos Jeremías e Isaías, con la más dulce y abierta de la Virgen Blanca. La sonrisa del primero en el Pórtico de la Gloria es sin duda el paso definitivo del románico al gótico.

6. La sinagoga del Tránsito fue mandada construir por el judío Samuel Levi, secretario y tesorero del rey Pedro I de Castilla.

7. En su Museo de Arte Antiguo Barcelona ofrece la colección de pinturas románicas más importante del mundo.

CAPÍTULO XIV

EL REINADO DE LOS REYES CATÓLICOS

LA UNIÓN DE LOS REINOS

El reinado de los Reyes Católicos tuvo gran importancia en el desarrollo de la nación española. Isabel era reina de León y Castilla; Fernando, de Aragón y Cataluña. Quedaron, pues, unidos en unión personal los dos grandes reinos cristianos. Estaban fuera de su dominio: Portugal, que era nación independiente; Navarra, que Fernando conquistó más tarde; y el reino moro de Granada, que pronto iba a ser de ellos también.

LA CONQUISTA DE GRANADA

Al principiar el reinado de los Reyes Católicos quedaba todavía una parte del territorio español bajo el dominio musulmán: el reino de Granada. Para realizar plenamente el propósito de la Reconquista, y con ella la unidad religiosa de la nación bajo el cristianismo, los Reyes Católicos emprendieron la lucha contra el reino de Granada, aprovechando la oportunidad de una guerra civil que lo debilitaba. Cuando al rey Boabdil no le quedaba más que la capital, Granada, y las tropas cristianas la cercaron, la resistencia fue grande. Pero al fin, después de varios meses de sitio tuvo que rendirse, y los Reyes Católicos entraron vencedores en la ciudad el 2 de enero de 1492. Ese día terminó el dominio del Islam en la Península Ibérica. España había sido reconquistada para el cristianismo.

Las condiciones de la rendición fueron de gran liberalidad, como en muchas otras ocasiones en el período medieval, pero algún tiempo después no se respetó la tolerancia religiosa estipulada en los acuerdos de capitulación. Cuando el cardenal Cisneros quiso convertirlos a todos por la fuerza, los musulmanes granadinos se sublevaron en las Alpujarras (montañas cerca de Granada) y al ser vencidos (1502) los reyes dispusieron que salieran de España cuantos no quisieran aceptar la religión cristiana. Esta orden se extendió a los mudéjares de Castilla y León, pero no a los del reino de Aragón por oponerse a ello los señores que no querían perder la gente que trabajaba sus tierras.

UNIVERSIDAD DE SALAMANCA. En la fotografía se reproduce el llamado "Patio de las Escuelas" con la estatua de Fray Luis de León, uno de los profesores más renombrados de esta Universidad. Lo más interesante es la fachada, de típico estilo plateresco, donde sobresale el escudo de los Reyes Católicos y un medallón en que aparecen estos reyes en relieve.

COLEGIO DE SAN GREGORIO (Valladolid). Esta fachada, de últimos del siglo XV o principios del XVI, pertenece al estilo isabelino. Actualmente se halla instalado en el interior de este edificio el Museo Nacional de Escultura, que contiene magníficas obras de talla policromada.

Se supone que la mayoría se convirtieron contra su voluntad, y por espacio de un siglo estos *moriscos*—así serán llamados en adelante— continuarán siendo un peligro a la seguridad nacional. Siempre existirá el temor de que formen alianzas con los enemigos de España, que con frecuencia atacaban las costas del Mediterráneo.

EL DESCUBRIMIENTO DE AMÉRICA

En el mismo año de la conquista de Granada se verificó un hecho histórico que ha sido, desde la Era Cristiana, el acontecimiento más trascendental para la civilización del mundo. Nos referimos al descubrimiento de América por los navegantes españoles que juntamente con Cristóbal Colón llegaron en atrevido viaje a este lado del Atlántico.

Colón—italiano, de Génova, que desde los veinticinco años no volvió nunca a su país de origen y estaba completamente hispanizado—propuso a los Reyes Católicos la maravillosa empresa de ir a las desconocidas tierras de Oriente por el camino de Occidente, ya que tenía fe inquebrantable en la esfericidad de la tierra. Pero para que el prodigio se realizara fueron necesarias muchas cosas: la decisión clarividente de la reina Isabel, entusiasta del viaje; la colaboración magnífica de prestigiosos marinos, como los hermanos Pinzón y Juan de la Cosa; el espíritu de aventura de un centenar de españoles que llevaban dentro el sentido expansivo de los reinos cristianos medievales. Todo ello condujo a feliz término el audaz proyecto de cruzar el Atlántico. Desde el 12 de octubre de 1492 el Continente americano quedó unido para siempre por la comunicación humana al viejo mundo. Señalado el camino para las exploraciones, posteriores viajes de Colón y de otros audaces exploradores españoles y portugueses ensancharon los conocimientos geográficos con nuevos descubrimientos que habían de servir de base a una gran obra de colonización.

Se ha dicho que los Reyes Católicos fueron ingratos con Colón. No hay motivo para tal censura. Si se apartó al Almirante descubridor del gobierno de los territorios descubiertos fue porque desde luego demostró que carecía en absoluto de dotes para gobernar. Quizá la única injusticia que el destino, y no España, cometió con Cristóbal Colón ha sido el hecho de no haberse dado su nombre a este Continente. Nadie con mejores títulos para ello. Pero las circunstancias, un poco inexplicables, otorgaron el gran honor al cartógrafo Amérigo Vespucci—italiano, naturalizado español—quien después de unos viajes que hizo acompañando como subalterno a los capitanes españoles Pinzón, Solís, Ojeda, de la Cosa y el portugués Coelho, escribió a sus amigos de Italia diciendo que los territorios descubiertos eran un "nuevo mundo." Esto en España lo sabían

BAUTISMO DE MOROS, relieve policromado en la Capilla Real de Granada, tallado por Felipe Bigarny, de origin borgoñés. (Diez años después de la rendición de Granada, los Reyes Católicos decretaron la conversión forzosa de los moros, o su expulsión.)

todos ya, excepto Colón, que engañado por sus erróneos cálculos de distancia y obcecado por sus fantasías, murió creyendo que había llegado a los límites del Asia.

LA INQUISICIÓN

La desconfianza con que se miraba a los judíos conversos, o *marranos*,[1] el supuesto de que seguían practicando su religión anterior y el temor de que las doctrinas judaicas se infiltraran en los cristianos, fueron las causas de que los Reyes Católicos, autorizados por bulas pontificias, establecieran la Inquisición como organismo y tribunal dedicado a perseguir a los herejes de toda clase. No es posible juzgar a la Inquisición—que entonces persiguió principalmente a los judíos—con el criterio moderno de respeto a la libertad de conciencia. Se acercaban los tiempos en que por toda Europa corrieron los vientos de una furiosa intolerancia. Pero aún con el criterio de aquellos siglos se estima que la Inquisición cometió grandes injusticias.

HOSPITAL DE LOS REYES CATÓLICOS, de estilo plateresco, en Santiago de Compostela. Hoy ha sido convertido por el Estado en hotel (hostal) de lujo.

LA EXPULSIÓN DE LOS JUDÍOS

La preocupación de los Reyes por conseguir la unidad religiosa en sus reinos no quedó satisfecha con el establecimiento de la Inquisición. Creían que el contacto con los judíos y aun con los conversos era peligroso para la fe de sus súbditos cristianos. Por otra parte, venían produciéndose movimientos populares contra los judíos, que por su riqueza e influencia suscitaban el antagonismo de muchos cristianos. Así, por motivos en parte religiosos y en parte políticos, los Reyes Católicos decretaron la expulsión de los judíos en edicto de 31 de marzo de 1492.[2] Todos los que no quisieron bautizarse tuvieron que salir de España. No se sabe exactamente el número de sefarditas que emigraron entonces. Cálculos fundados lo fijan entre 165.000 y 200.000, la mayor parte de los cuales pasaron al norte de Africa, Grecia y Turquía, donde muchos sefarditas conservan todavía el español arcaico que hablaban sus antepasados.

LAS REFORMAS POLÍTICAS

Los Reyes Católicos tuvieron que hacer frente a graves perturbaciones promovidas por la nobleza, especialmente en Galicia y Andalucía. Con disposiciones muy severas consiguieron someter a los nobles al poder real, al propio tiempo que procuraban alejarlos de sus señoríos, llevándolos a la corte. El sentido soberano y patrimonial[3] de la monarquía se afirmó también al extenderse la autoridad de los reyes sobre el funcionamiento de los municipios, aun a costa de sus libertades, y en general Fernando e Isabel procuraron centralizar y vigorizar las atribuciones del gobierno en manos del rey con un sentido absolutista. Así, aun cuando no prescindieron por completo de las Cortes, las reunieron pocas veces, sólo en los casos en que les fue preciso convocarlas.

EL GOBIERNO DE LAS COLONIAS DE AMÉRICA

Los territorios descubiertos en este hemisferio occidental plantearon el problema de organizar su gobierno y administración, para lo cual se carecía de antecedentes. Quedó proclamado el principio de que los habitantes de las colonias tendrían, como los de España, la consideración de súbditos de los reyes, y de que no se podría someterlos a esclavitud. Cierto que esto, en la práctica, no se cumplió siempre, pero así se dispuso en las leyes. La organización del gobierno se proyectó de una manera semejante a la de los reinos de España, sobre la base de los municipios, que llegaron a tener verdadera importancia.

Como órgano superior de gobierno funcionaba el Real Consejo de

Indias, a semejanza de los demás Consejos Reales. Para los servicios administrativos de carácter general se creó la llamada *Casa de Contratación*, establecida en Sevilla, que primeramente intervino sólo en el régimen comercial, pero luego se extendió a la materia de navegación y finalmente a cuestiones científicas.

LA ECONOMÍA

Los reyes se preocuparon del desarrollo de la economía siguiendo las tendencias proteccionistas que venían prevaleciendo en la acción gubernativa. Con muy buena voluntad, pero con dudoso acierto, las reales disposiciones regulaban minuciosamente el funcionamiento de las actividades industriales y de los oficios. El mismo afán de establecer reglamentos tenían los municipios y de modo especial los gremios de artesanos. Hay motivos para creer que si tales intervenciones oficiales evitaron abusos, impidieron quizá un mayor progreso que se hubiera conseguido con mayor libertad de acción.

LA POLÍTICA EXTERIOR

Si la aventura y colonización de América fue obra muy querida de la reina Isabel, al rey Fernando le interesaba más asegurar los dominios de España en Europa. Por esta razón, después de robustecer la monarquía quiso protegerla contra berberiscos, turcos y franceses. Contra los primeros organizó una expedición el cardenal Cisneros a fin de conquistar plazas estratégicas en el norte de África. Contra los franceses, que aspiraban a la supremacía de Europa y ya se habían incautado del reino de Nápoles, envió don Fernando un ejército al mando de Gonzalo Fernández de Córdoba (el "Gran Capitán"), quien en tres famosas batallas derrotó al rey francés y Nápoles pasó a ser de nuevo centro de influencia recíproca entre España e Italia.

Después de la muerte del príncipe Juan[4] (único heredero varón del reino), el gran deseo del Rey Católico fue lograr la unidad política de la Península. A este fin casó a una hija con el rey de Portugal a condición de que el hijo de ambos heredaría la corona de los dos países. El niño murió pronto y la nueva nación se quedó sin sucesión directa.[5]

LA CULTURA

Los reyes, y especialmente doña Isabel, dedicaron gran atención al progreso de la cultura. Las Cortes de Toledo de 1480 eximieron de impuestos a todos los libros que se introdujeran en España. Fue el período de la generalización de la imprenta, fundándose en muchas ciudades españolas establecimientos de imprimir. Aumentó el número de instituciones de

SEPULCRO DE LOS REYES JUAN II E ISABEL en la Cartuja de Miraflores (Burgos). Es obra de Gil de Siloé, nacido en Amberes (Bélgica), hecha de alabastro.

ESCUDO DE LOS REYES CATÓLICOS. En este escudo ya aparecen casi todos los símbolos del escudo nacional de España: leones, castillos y las barras de Cataluña. También aparecen, en la parte inferior, un yugo y un haz de flechas. El *yugo* representa la unión entre los dos reinos, mientras las *flechas* parecen significar la diversidad dentro de la unión. El lema que acompaña al escudo: TANTO MONTA [MONTA TANTO, ISABEL COMO FERNANDO], demuestra que la unión no era completa y que los reyes gobernaban como co-regentes del nuevo Estado que se creaba.

enseñanza dotadas por nobles y eclesiásticos, muchas de las cuales se convirtieron después en Universidades. Débese al ilustre cardenal Cisneros la creación de la Universidad de Alcalá, que tuvo el carácter de un gran centro de estudios humanísticos. Se extendieron entonces mucho los estudios clásicos, que la reina cultivaba personalmente, y pronto empezó a sentirse la influencia del Renacimiento italiano. Adviértase, sin embargo, que esta influencia no resultó tan avasalladora como en otros países, pues ya nos consta que el temperamento español se resiste a aceptar todo lo que llega de fuera, especialmente en lo que concierne a sus tradicionales sentimientos religiosos. Siendo esto así, hay quienes niegan que hubiera un verdadero Renacimiento en España. En realidad sería mejor decir que el Renacimiento tenía allí—tanto en literatura como en arte—un carácter diferente. El español de aquel tiempo asimiló las nuevas ideas humanísticas, pero sin renunciar a sus propios ideales. Casos hubo en que artistas extranjeros asimilaron a su vez el ambiente español y abandonaron sus propios principios estéticos.

LA LITERATURA

La época de los Reyes Católicos, tan importante por muchos conceptos, lo es también por motivos literarios. Fue entonces cuando empezaron a coleccionarse y publicarse los *romances*—composiciones anónimas de carácter popular que son sin duda uno de los elementos más valiosos del sentido literario del pueblo español. Los primeros romances que se compusieron se referían a temas históricos, legendarios o amorosos que despertaban el interés de las gentes y se trasmitían oralmente de un siglo al otro. Más tarde fueron imitados por poetas cultos, aun en nuestros días.

A este período pertenecen algunos autores notables. Juan del Encina (1468?–1529), llamado "el patriarca del teatro español," fue el primero en secularizar el teatro medieval. Llamaba *églogas* a sus obras dramáticas y a sus personajes les hacía hablar una lengua rústica y convencional, a veces de mal gusto pero que hacía reir a la gente de los palacios donde se representaban. Antonio de Nebrija (1441–1522) es el autor de *Arte de la lengua castellana*, la primera gramática escrita en lengua vernácula. La inmensa labor erudita de Nebrija le convierte en uno de los primeros humanistas de España. A la misma época corresponde la redacción del *Amadís de Gaula*, la mejor novela de caballerías. Pero el gran acontecimiento literario de este período fue la aparición de *La Celestina, o tragicomedia de Calixto y Melibea*, escrita por el judío converso Fernando de Rojas. Obra de valor excepcional, demasiado extensa para ser representada,[6] puede considerarse como la primera gran novela realista de la literatura española, dramática expresión del choque entre el espíritu medieval y el renacentista. Otra obra muy leída entonces por las mujeres fue la novela sentimental *Cárcel de Amor*, escrita por Diego de San Pedro, también descendiente de judíos.

LAS BELLAS ARTES

Las construcciones góticas de los últimos años del siglo XV y principios del XVI están tan recargadas de minuciosa ornamentación que el gótico de este período ha recibido el nombre de *florido* o *flamígero*. Otra variedad del gótico que llama mucho la atención de los extranjeros es el estilo *isabelino*, resultado de la fusión del gótico y el mudéjar; la planta y la estructura de los edificios siguen siendo góticas, pero las superficies lisas de las fachadas, los arcos de los claustros y los techos de madera se cubren de elementos decorativos tan profusos que nos recuerdan lo árabe granadino. Un excelente ejemplo es el Colegio de San Gregorio de Valladolid.[7]

Las relaciones políticas y militares con Italia abrieron las puertas del Renacimiento. La nobleza se sentía atraída por la novedad y protegió este nuevo arte. Pero, como siempre ocurre, las influencias de fuera encuentran oposición—en este caso del gótico y del mudéjar. El resultado de la fusión de los tres estilos fue el *plateresco*,[8] cuyo mejor ejemplo es la fachada de la Universidad de Salamanca. Si se compara ésta con la fachada de San Gregorio se observará que la principal diferencia entre ellas son las líneas geométricas renacentistas que dividen los espacios en la primera.

En la escultura ocurre algo singular. Ya no se aplica tanto a la decoración arquitectónica del exterior, sino que se emplea en la construcción de retablos y sillerías de coro.[9] Éstas se han trasladado ahora del

A la izquierda: RETABLO DE LA CATEDRAL DE TOLEDO, uno de los más imponentes de España, terminado en el año 1505. En lo alto siempre aparece la imagen del Crucificado.

SAN MARCOS DE LEÓN. Obra maestra del arte plateresco del siglo XVI. En una de las celdas junto a la iglesia estuvo preso Quevedo por varios años. El Estado español ha convertido este convento en hotel de gran lujo.

pie de las catedrales al centro de la nave central, característica muy española. Las figuras aquí no están tan policromadas como en los retablos, pero algunas de las representadas son de tal realismo que a veces se llegaba en ellas a lo irreverente.

Entre los escultores extranjeros que al aclimatarse en España y trabajar sólo para las iglesias abandonaron temas paganos, sobresale el flamenco Gil de Siloé, de Amberes. A él se deben los dos soberbios mausoleos de la Cartuja de Miraflores y el retablo de la iglesia. Otro hermoso mausoleo en la iglesia de Santo Tomás (Ávila) se debe al florentino Domenico Fancelli.

En pintura son dignos de mención Juan Francés, que pintó tablitas para la Reina Isabel, y Pedro Berruguete (*m.* 1506), que es sin duda el pintor castellano de más energía y más colorido.

NOTAS

1. Se daba el nombre despectivo de *marranos* a los judíos convertidos al cristianismo, aun cuando muchos de ellos alcanzaran altos puestos en la vida española.

2. Los judíos ya habían sido expulsados antes de Francia e Inglaterra.

3. Según el concepto *patrimonial*, el reino está considerado como una propiedad o patrimonio de los reyes, idea que excluye todo sentido democrático.

4. Para el príncipe don Juan mandaron construir los Reyes Católicos un hermoso mausoleo en la iglesia de Santo Tomás de Ávila.

5. Al morir la Reina Isabel (26 de nov. de 1504) hubo el peligro de perderse la unión lograda entre españoles. Los castellanos, temerosos de perder la hegemonía alcanzada, se opusieron a la regencia de don Fernando y proclamaron reina, a falta de un descendiente más directo, a Juana (llamada después *la Loca*), casada ya con Felipe *el Hermoso*, hijo del emperador de Alemania. Afortunadamente, Felipe murió a poco de llegar a España y don Fernando volvió a ocuparse de la regencia del reino hasta su muerte.

6. De *La Celestina* se han hecho muchas adaptaciones para el teatro, siendo la más popular la de Alejandro Casona, que se mantuvo en las tablas por más de tres años.

7. Otros ejemplos de sumo interés son "San Juan de los Reyes," mandado construir por la Reina Católica que no pudo verlo terminado, y la "Capilla Real" de Granada.

8. Así llamado porque la escultura imita sobre la piedra la minuciosa labor de los plateros.

9. Hay en las catedrales, frente al altar mayor un lugar reservado a los canónigos, donde éstos tienen los asientos en semicírculo para asistir a los actos del culto, tallados artísticamente en madera, lo mismo que el resto del coro.

CAPÍTULO XV

EL IMPERIO ESPAÑOL

LA CUMBRE DEL PODER

Representa el siglo XVI el período de mayor grandeza para la monarquía española. Dos reyes, Carlos I* y Felipe II, en cuyos dominios "no se ponía el sol," [1] fueron en su tiempo los monarcas más poderosos de Europa. España, como nación, se coloca en el plano más alto del mundo civilizado, e influye decididamente en el movimiento político y cultural de aquella época.

CARLOS V

Era el príncipe don Carlos de Austria nieto de los Reyes Católicos por su madre la princesa doña Juana, llamada *la Loca*, y nieto también del Emperador de Alemania por su padre don Felipe *el Hermoso*. Al morir éste, y por el estado mental de su madre, ocupó el trono de España— como rey de Castilla, Aragón, Navarra, etc. cuando aún no tenía 20 años. Había sido educado en Flandes y desconocía totalmente la lengua castellana. Fue a España rodeado de extranjeros sin escrúpulos morales, a quienes entregó importantes puestos de gobierno. Los primeros actos del joven rey y los abusos de toda clase cometidos por sus consejeros causaron muy mala impresión entre los españoles.

Al poco tiempo heredó, por muerte de su abuelo, la corona del Imperio alemán, reuniendo así, como Carlos I de España y V de Alemania,

---

* Por la numeración debiera ser *Carlos I* de España, pero mundialmente es conocido por *Carlos V* de España y Alemania.

EL "VICTORIA," UNO DE LOS BARCOS DE MAGALLANES. Según dice la inscripción de este dibujo, fue el primer navío que dio la vuelta al mundo.

el poder de dos grandes monarquías. Los españoles no veían con gusto la nueva dignidad de don Carlos, ante el temor de que desatendiera los asuntos de España. El disgusto se manifestó abiertamente al pedir el rey a las Cortes castellanas dinero para pagar los gastos de su coronación en Alemania. Los municipios solicitaron que don Carlos aprendiera la lengua española, que no sacara dinero de España y que nombrara sólo españoles para los altos cargos del gobierno. La intransigencia del rey dio lugar a una sublevación popular de las Comunidades castellanas, en la que participaron municipios, obispos, nobles y gente del pueblo. Las tropas de los *Comuneros*[2] fueron derrotadas por el ejército de don Carlos y éste castigó con gran dureza a los que habían sido jefes del movimiento.

LAS EMPRESAS MILITARES

La posición de Carlos V como soberano de los extensos territorios de dos grandes potencias europeas le llevó a continuas guerras. El mismo rey tomó el mando en casi todas sus campañas militares. Puede decirse que, en general, las armas españolas lograron resonantes victorias en diferentes partes de Europa durante su reinado. El éxito acompañó también al Emperador en sus luchas para contener los ataques de los musulmanes. Al frente de una escuadra española venció a los temibles piratas berberiscos,[3] conquistando luego Túnez y otros puntos del norte de África.

LA CUESTIÓN RELIGIOSA

Fue en su tiempo cuando Martín Lutero inició el movimiento protestante. Dividida Alemania, la disidencia religiosa se complicó con la lucha política, dando origen a la guerra entre protestantes y católicos. El emperador Carlos estuvo al lado de éstos, y después de varias alternativas fue preciso llegar al convenio de Augsburgo (1555), donde se reconoció la igualdad política de protestantes y católicos en Alemania. Quedó así terminada la guerra con el reconocimiento legal del protestantismo. La lucha religiosa sostenida en Alemania hizo más rígida la intolerancia en España. La Inquisición persiguió severamente todo lo que pudiera parecer una infiltración de la Reforma.

LAS CONQUISTAS Y EXPLORACIONES

Descubierto el Continente americano, audaces capitanes se lanzaron a la conquista de territorios todavía desconocidos. Lo hacían por cuenta propia, con recursos que ellos se procuraban, pero luego ponían los nuevos dominios bajo la sobernía del rey de España. Así se conquistó Méjico, venciendo Hernán Cortés al poderoso Imperio azteca.[4] De un modo semejante, Pizarro y Almagro se apoderaron del extenso Imperio inca.[5] La América central, Colombia y Chile fueron conquistados por otros capitanes. Los españoles se extendieron también por las zonas del Río de la Plata y se internaron en el Paraguay.

En el reinado de Carlos V se efectuaron asimismo atrevidas exploraciones. Entre ellas debe citarse especialmente el primer viaje alrededor del mundo, en el que pereció su capitán, Magallanes, pero pudo regresar el nuevo jefe, Sebastián de Elcano. Magníficas empresas fueron también las incursiones de exploradores españoles por el territorio que es hoy de los Estados Unidos.

LA ABDICACIÓN

Cansado de una vida tan intensa, enfermo ya, Carlos V abdica (1556) la corona de España en su hijo Felipe y también cede la corona imperial de Alemania a su hermano Fernando. Se retiró luego al monasterio de Yuste,[6] para vivir con la sencillez de un monje hasta su muerte en 1558.

FELIPE II

Aun cuando sus dominios eran los de la corona de España solamente, se extendían por Europa, África, América y Oceanía, con tal magnitud que le hacían ser el monarca más poderoso de su tiempo. Como su padre, sostuvo muchas guerras, pero todavía en este reinado los ejércitos de España alcanzaban victorias y en conmemoración de una de ellas, la de San Quintín,[7] hizo construir Felipe II el famoso monasterio de El Escorial.

LA CUESTIÓN RELIGIOSA

Era Felipe II católico fervoroso y nada tolerante en materia religiosa. Durante su reinado, y muchas veces por recomendación suya, funcionó activamente la Inquisición para perseguir reales o supuestos herejes. Motivos religiosos a la vez que políticos dieron origen a la sublevación de los Países Bajos, suscitándose una guerra que el rey de España llevó de una manera implacable.

LA LUCHA CONTRA LOS MUSULMANES

El Imperio musulmán de Turquía seguía siendo un peligro para la cristiandad y además hacía imposible la navegación por el Mediterráneo. Ante la necesidad de la defensa, se formó la *Liga Santa* [8] y una armada poderosa, al mando de don Juan de Austria, hermano del rey, venció a la marina del Sultán turco en la memorable batalla de Lepánto.

LA ARMADA INVENCIBLE

La rivalidad existente entre Felipe II y la reina Isabel de Inglaterra hizo que el rey de España preparara una formidable armada dispuesta a la conquista de la Gran Bretaña. La ineptitud de su almirante, duque

de Medina Sidonia, facilitó su derrota por las fuerzas de la marina inglesa. Una tempestad que sobrevino poco después destruyó gran parte de la armada española. El fracaso de la *Invencible* señala el principio de la decadencia del poder de la monarquía española.

LA UNIÓN DE PORTUGAL

Por muerte del rey don Sebastián, en Marruecos, donde sus tropas fueron derrotadas, Felipe II reclamó sus derechos al trono de Portugal. Los portugueses preferían otro candidato, pero el rey español invadió el país con un fuerte ejército (1580) y al año siguiente fue proclamado rey en Tomar. Quedó así establecida la unidad ibérica y el dominio español se extendió a las posesiones portuguesas en Asia y América (Brasil). Por desgracia, esta unión tan deseada por los Reyes Católicos había de durar pocos años. En 1640 los portugueses se sublevaron para recobrar su independencia.

LA MONARQUÍA

Carlos V y Felipe II representan el principio de la monarquía absoluta, ya establecido por los Reyes Católicos. La ley es la voluntad del rey. Carlos gobernó en los primeros tiempos contra la voluntad del

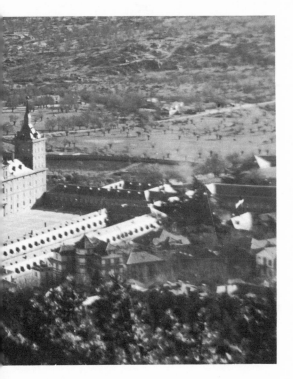

MONASTERIO DE EL ESCORIAL.
Este enorme edificio, que tardó
21 años en construirse (1563–1584)
sirvió de iglesia, palacio y panteón
donde están enterrados todos
los reyes españoles desde Carlos V
a Alfonso XIII.
Su biblioteca contiene más de 40.000
impresos y 3.850 manuscritos
de gran valor.

pueblo. Más tarde supo identificarse en cierto modo con él. La nobleza nunca se le impuso. Fue realmente un hombre de personalidad excepcional. Su hijo Felipe se distinguió por su laboriosidad y por su extremado celo religioso. Es un rey muy discutido, al que unos admiran fervorosamente y otros acusan de fanático y cruel. Tal vez era solamente un gobernante de personalidad contradictoria, producto de una época de general intolerancia.

No obstante el absolutismo, siguió funcionando el antiguo Consejo Real, en el que participaban los letrados, y también un órgano consultivo más reducido e íntimo que se llamaba la Cámara de Castilla.

LAS CORTES Y LOS MUNICIPIOS

Aunque los reyes siguieron convocando las Cortes para obtener subsidios, utilizaron toda clase de medios a fin de someterlas a su voluntad, y así las funciones representativas decayeron bajo la presión del absolutismo. La misma acción corruptora se ejerció sobre los municipios, en cuyo funcionamiento intervenían, con autoridad predominante, los delegados del poder real.

LAS CLASES SOCIALES

Las nuevas circunstancias hicieron que gran parte de la nobleza se trasladara a la corte, dejando de vivir permanentemente en sus castillos. Pero por sus privilegios y riquezas obtenían, lo mismo que los eclesiásticos, los cargos más altos en la gobernación de los reinos. En las ciudades fue desarrollándose una burguesía rica, pero los trabajadores mejoraron muy poco de situación. En el campo, los antiguos siervos iban transformándose en arrendatarios de las tierras.

LA ECONOMÍA

La política de fomento de la economía seguida por los reyes produjo un verdadero florecimiento industrial. Las colonias de América dieron nuevos desarrollos al comercio. Prosperó también la ganadería, no así la agricultura. Pero el bienestar conseguido iba a durar muy poco, al sobrevenir la decadencia.

JUICIO COMPARATIVO DE CARLOS V Y FELIPE II

Bajo estos dos reyes España adquirió su mayor poder y prestigio. *Carlos V* fue respetado en Europa. En España fue malquisto al principio por no conocer las costumbres ni la lengua del país. Después se españolizó por completo, hasta el punto de decir que la lengua española era la más apropiada para hablar con Dios. Con él los españoles empezaron a sentirse nación por primera vez, unidos todos en la empresa de defender el

BUSTO DE FELIPE II, el rey más poderoso que ha tenido España. Algunos llaman a este rey "Demonio del Mediodía"; otros le han dado el sobrenombre de "Rey Prudente."

catolicismo y el Imperio; y hombre activo como era, sus soldados le seguían en las expediciones militares fuera de España: contra los turcos en la defensa de Viena; contra franceses en la famosa batalla de Pavía (1523), que entusiasmó a los españoles y causó asombro en Europa por haber caído prisionero el rey de Francia; contra el mismo Papa, a quien encarceló después de saquear Roma (1527) por hacer una política anti-imperial; y contra los príncipes protestantes alemanes, a quienes venció en la batalla de Mühlberg (1547).

También era Carlos V hombre de ideas más abiertas que su sucesor. Con los erasmistas fue tolerante (en su misma corte había varios) y hasta cierto punto con los protestantes, pues luchó contra ellos no sólo para defender la religión católica sino el Imperio. Es indudable que bajo su reinado España se convirtió en cabeza de la Cristiandad, de la que él era el "pastor."

Felipe II era menos tolerante con las ideas de otros. A veces da la impresión de estar más interesado en defender un catolicismo universal que en proteger los intereses nacionales de su país.[9] Su actitud inflexible le condujo a fracasos militares, y si bien es verdad que logró preservar el catolicismo en el mundo latino, también lo es que no pudo evitar la ascendencia política de Francia e Inglaterra. El primer encuentro de su catolicismo militante fue en los Países Bajos donde no le admiraban como a su padre, que había nacido entre ellos y hablaba su lengua. En Holanda había entrado el calvinismo y los nobles pedían libertad religiosa, algo que el rey español no estaba dispuesto a conceder. Cuando algunos templos españoles fueron quemados, Felipe II inició una despiadada represión militar dirigida por el famoso Duque de Alba.[10]

Juzgado serenamente, Felipe II fue un hombre menos activo que su padre (nunca tomó parte en las batallas), pero fue a la vez un trabajador incansable que dirigía de una manera personalísima los destinos de su país desde una modesta celda en El Escorial. Si para la reina Isabel de Inglaterra era "el demonio del Mediodía," para los españoles de entonces Felipe II representaba una España que para ellos era: "cadena de los infieles, columna de la fe, trompa del Evangelio y primogénita de la Cristiandad."

NOTAS

1. Con esta frase se indicaba la extensión de los dominios españoles en todos los continentes.
2. La sublevación de las *Comunidades* tomó más tarde un carácter revolucionario que la hizo perder muchos adeptos. Hubo por parte de sus dirigentes

escasa habilidad militar y al ser vencidos los *Communeros* fueron condenados a muerte Padilla, Bravo, Maldonado y el obispo Acuña.

3. Estos piratas, instalados en la costa del norte de África, hacían muy peligrosa la navegación por el Mediterráneo.

4. El Imperio azteca tenía su capital en la ciudad de Méjico y gozaba de superioridad sobre pueblos que habitaban otras zonas del país, pagando tributos al Emperador.

5. El Imperio Inca, cuyo centro estaba en Cuzco (Perú), tenía una extensión enorme y se hallaba rígidamente organizado.

6. El monasterio de Yuste está en la provincia de Cáceres. Allí vivió Carlos de Austria con la sencillez de un monje, aunque todavía interviniendo en algunos asuntos políticos.

7. La batalla de San Quintín se dio en esta ciudad francesca, guerreando contra Enrique II de Francia, en 1557.

8. Formaron esta Liga el Papa, la república de Venecia y Felipe II. En la batalla de Lepanto tomó parte, como es sabido, Miguel de Cervantes.

9. No es muy sabido que, por razones políticas, Carlos V casó a su hijo con la muy fea reina María de Tudor. Había sido por poderes y Felipe II iba a visitarla de vez en cuando, sin causar mala impresión en los ingleses. La última vez fue en 1554, teniendo que regresar a Flandes para presenciar la abdicación de su padre.

10. Aunque hubo momentos de tregua y entendimiento, la guerra entre España y Holanda no terminó hasta que por el tratado de Westphalia aquélla tuvo que reconocer la independencia de ésta.

CAPÍTULO XVI

LA COLONIZACIÓN DE LOS DOMINIOS DE AMÉRICA

LA "LEYENDA NEGRA"

La obra realizada por España en la colonización de los territorios de América ha sido muy discutida. Los escritos del Padre Las Casas[1] con sus apasionadas exageraciones dieron base a una "leyenda negra" de explotación y crueldad por parte de los españoles, que la crítica histórica ha reducido a su verdadero significado.

Para juzgar con verdadera objetividad los hechos, es preciso distinguir, en primer término, el período de la conquista y el de la colonización. La conquista era una guerra, y en ella procedieron lo mismo los españoles que los indígenas con la espantosa brutalidad de todas las guerras, no mayor, ciertamente, que la brutalidad más científica de las guerras modernas.

En cuanto a la colonización hay que distinguir también dos cosas. De una parte lo que fue propiamente *obra de España*, es decir, la acción de los reyes, de los virreyes, de la mayor parte de los funcionarios, de los frailes, de buen número de *encomenderos* y de otras personas de recto proceder. Y de otra parte, la conducta de aquellos españoles que en su trato con los indios se condujeron con abuso, explotación y crueldad. Todavía sería necesario discutir si su conducta fue peor que la de otros colonizadores de su tiempo y de tiempos posteriores.

"Por sus frutos los conoceréis," dice el Evangelio, y los frutos de la acción colonizadora de España en América son los dieciocho países de habla española, Estados libres que honran a la cultura de este Continente. Han progresado mucho en casi siglo y medio de independencia, pero ello ha sido principalmente por efecto de la vitalidad que recibieron de la

HERNÁN CORTÉS sale de Santiago de Cuba con diez naves y 550 españoles para iniciar la conquista de México. (Grabado tomado de la *Historia General de las Indias Occidentales*, de Antonio de Herrera.)

civilización española. Así vemos que todo lo más esencial de la manera de ser y de vivir de las naciones hispano-americanas sigue siendo hispánico, como la lengua, que es el exponente más típico de la cultura. "Nadie es más que otro si no hace más que otro," dijo un gran escritor. Y en la obra de fundar pueblos y civilizarlos ninguna nación estuvo a la altura de España.[2]

LA BASE ECONÓMICA DE LA COLONIZACIÓN

Los reyes y gobernantes españoles se propusieron organizar el régimen de los dominios de América como provincias españolas, e implantar en ellas la misma civilización de la España del siglo XVI. Para ello era preciso establecer la base económica, mediante la explotación de los recursos inmediatamente disponibles, que eran la agricultura y la minería. Era indispensable, además, poblar las nuevas provincias, fundando ciudades y pueblos habitados por españoles. Se hacía necesario, por otra parte, crear industrias para proporcionar a los habitantes los medios de vida que la civilización exigía.

Para atender a todo ello, pareció que no había otro medio que los *repartimientos* de tierras a quienes tomaron parte en la conquista. Así se hizo, aunque sin privar a los *poblados de indios*[3] de las tierras que precisaban para su subsistencia. Pero para cultivar las tierras no podía contarse con el trabajo voluntario de los indios, ni aun pagándoles un jornal. Tampoco se podía utilizar mano de obra esclava, porque desde mediados

CALIFORNIA

FLORIDA

CUBA

NUEVA
ESPAÑA

NUEVA
GRANADA

PERÚ

BRASIL

ESPAÑA
PORTUGAL
I. AZORES •
MADERA •
I. CANARIAS

Cabo
Verde

Golfo de
Guine

PAÍSES BAJOS

FRANCO
CONDADO
MILANESADO

ROSELLÓN
PORTUGAL

NÁPOLES

ESPAÑA   CERDAÑA

CERDEÑA

TÁNGER   ORÁN   SICILIA
CEUTA   MELILLA

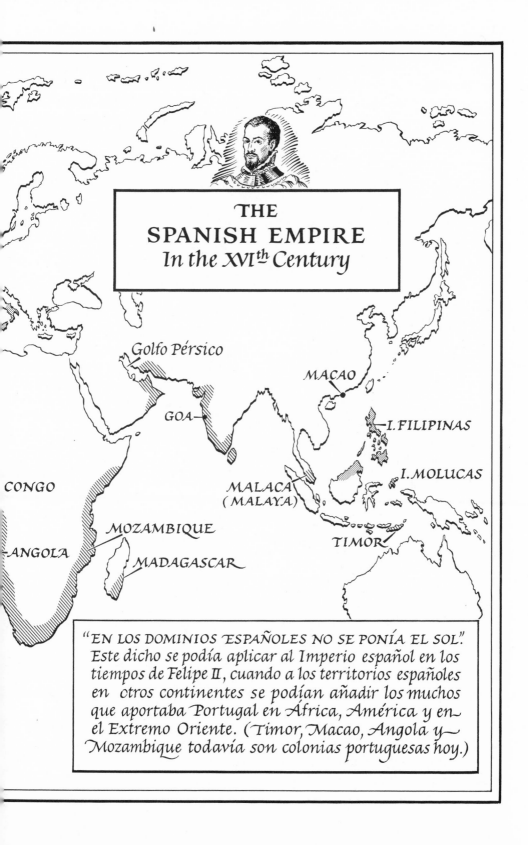

THE
SPANISH EMPIRE
In the XVIᵗʰ Century

Golfo Pérsico

MACAO

GOA—

I.FILIPINAS

CONGO

I.MOLUCAS

MALACA
(MALAYA)

MOZAMBIQUE

ANGOLA

TIMOR

MADAGASCAR

"EN LOS DOMINIOS ESPAÑOLES NO SE PONÍA EL SOL".
Este dicho se podía aplicar al Imperio español en los
tiempos de Felipe II, cuando a los territorios españoles
en otros continentes se podían añadir los muchos
que aportaba Portugal en África, América y en
el Extremo Oriente. (Timor, Macao, Angola y
Mozambique todavía son colonias portuguesas hoy.)

de siglo quedó absolutamente prohibido reducir a los indios a la esclavitud. No se encontraba otro recurso, si había de ponerse en marcha la economía agraria colonial, que el trabajo obligatorio de los indios, *encomendando*[4] un cierto número de ellos a cada uno de los propietarios de las haciendas. El mismo sistema de trabajo obligatorio, aunque no continuado, sino en turno temporal, fue implantado para las minas, y se le dio el nombre de *mita.* Los reyes consintieron con disgusto el establecimiento de la *encomienda* y de la *mita* y procuraron las mayores garantías para los indios, hasta que por fin quedaron suprimidas las *encomiendas.*

EL SISTEMA DE GOBIERNO

El régimen colonial se inspiró en el sistema de gobierno de los reinos de España. Ejercía la suprema autoridad el virrey, representante directo del monarca. Al principio se establecieron sólo dos virreinatos, el de *Nueva España* (Méjico) y el del Perú.[5] Las Audiencias tenían a su cargo funciones judiciales y administrativas. Había gobernadores, que estaban encargados de ejercer la autoridad en determinados territorios. Se implantó el régimen local de los municipios, en términos semejantes a los de España, y tuvieron mucha importancia.

El gran interés que los reyes mostraron por el buen gobierno de las colonias y por el bienestar de los indios, se reflejó en el conjunto de preceptos y normas que para ello dictaron y que se conocen con el nombre de *Leyes de Indias*, en las cuales hay disposiciones tan adelantadas que no han vuelto a encontrarse hasta las legislaciones sociales de los tiempos modernos. Existía además el cargo de "defensor de los indios," encargado de protegerlos contra toda clase de injusticias, para el cual nombraban las Audiencias a letrados que reunían las debidas condiciones.

LA CIVILIZACIÓN HISPÁNICA

Si en lo económico hubo buena voluntad y en lo gubernativo propósitos de justicia, no malogrados del todo, en lo espiritual y cultural la obra de España fue superior y no puede decirse que en ella hubiera móviles egoístas.

La propagación del cristianismo constituyó un objetivo primordial de la colonización, en el que los reyes pensaron constantemente y al que se dedicaron con celo ejemplar sacerdotes dotados de verdadero espíritu evangélico. Terminaron para siempre los sacrificios humanos y los ritos sangrientos que los aztecas y otros pueblos indígenas practicaban. Con la misma firmeza se atendió a la enseñanza de la lengua castellana o española, signo e instrumento de la nueva civilización, que hoy es el vínculo más íntimo y poderoso en todo el mundo hispánico.

Hubo muy pronto Universidades en la América española. Se fundaron ya cuatro en el siglo XVI: la de Santo Domingo, en 1538; la de Méjico, en 1551; la de Lima, en 1551; y la de Bogotá, en 1573. Pero además hubo *Estudios*, con enseñanzas de tipo universitario, establecidos por las órdenes religiosas, que tanta participación tuvieron en las obras de educación y cultura de aquellos territorios. La enseñanza primaria estaba a cargo de frailes y párrocos.

Aun cuando la mayor parte de los libros que circulaban en las colonias eran procedentes de España, ya se introdujo la imprenta en Méjico desde 1536, y en Lima desde 1582. Hubo muy pronto magníficas bibliotecas, en las Universidades y en los conventos.

LOS ELEMENTOS DE PRODUCCIÓN

España no envió solamente a América elementos de cultura intelectual, sino que también procuró enriquecer sus colonias con nuevos elementos de producción. Carecían aquellos territorios de animales grandes de carga. Se desconocía la rueda. Por ello, todos los transportes anteriores, algunos verdaderamente asombrosos, se hicieron a "lomo de indio." Fue por tanto de gran utilidad la introducción de las especies de ganado caballar, mular, asnal y bovino, así como de los medios de transporte rodado. Se llevaron también ganado lanar, cabrío y de cerda, e igualmente otras especies de animales de mucho provecho.

ARCHIVO DE INDIAS (SEVILLA), de gran valor para el estudio de la conquista y colonización de América.

CARLOS V RECIBE A PIZARRO, el conquistador del Perú.

Fueron asimismo a las provincias hispano-americanas labradores que se proponían introducir el cultivo de nuevas especies vegetales. En este punto la aportación fue grandísima y variada. Se llevaron los cereales: trigo, cebada, arroz y centeno. Se importó la caña de azúcar, que tanta importancia había de tener en este Continente. Se aclimataron la vid y el olivo en algunas zonas, así como la producción de naranjas y demás frutos cítricos. Se hicieron plantaciones de numerosos árboles frutales antes desconocidos y se sembraron nuevas legumbres.

La llegada de los españoles impulsó la creación o el desarrollo de muchas industrias. La aclimatación del gusano de seda dio origen a una importante producción de esta fibra y de sus tejidos. En general, la industria textil de paños y telas adquirió con rapidez gran importancia.

LA MEZCLA DE RAZAS

Una de las características de la colonización española ha sido la mezcla de razas. Como al principio no se permitió a las mujeres que se trasladaran de España a las colonias, fueron muy numerosas las uniones de españoles con indias. De ello vino el mestizaje, que siguió durante todo el período colonial y ha dado lugar a que la mayor parte de la población de algunos países sea mestiza.

LA CIVILIZACIÓN HISPANO-AMERICANA

Puede decirse que, en conjunto, España quiso hacer de sus territorios de América una prolongación de sus dominios peninsulares. Llevó a ellos todos los elementos de su civilización europea y occidental. Se ha dicho que la colonización destruyó notables civilizaciones indígenas. Lo cierto fue que aquellas civilizaciones, valiosas como creaciones originales de pueblos aislados, no estaban a la altura de la manera de vivir los europeos del siglo XVI. No quedaron destruidas, sin embargo. En su contacto con la civilización hispánica subsistió lo que debía subsistir, mezclándose con los nuevos valores culturales de los españoles para formar una civilización que no fue hispánica ni indígena, sino propiamente hispano-americana. Una civilización con caracteres distintivos que se conservan después de tres siglos de régimen colonial y de más de un siglo de independencia.

NOTAS

1. El Padre Las Casas, con el buen propósito de evitar la explotación de los indios, acusó a los españoles de hechos monstruosos, cuya exageración y a veces falsedad, están demostrados históricamente.

2. La famosa "leyenda negra," que aún perdura en la mente de algunas personas, se extendía al conjunto de la historia de España. Se trataba simplemente de la reacción de Europa contra la política de Carlos V y Felipe II, lo cual viene a probar lo que ha ocurrido siempre, a saber, que cuando un país adquiere poder y prestigio es detestado y a la vez imitado. Los que pusieron en circulación la "leyenda negra" fueron los peores enemigos de España: Inglaterra, Francia y Holanda. Las acusaciones de estos países no están carentes de fundamento, pero los hechos condenables a que aludían: fanatismo, intolerancia, supersticiones, crueldad, etc., son males que ha padecido la humanidad en todas las épocas y que al parecer no han desaparecido del todo hoy.

3 Aunque gran parte de las tierras se *repartieron* entre los conquistadores, subsistieron los *poblados de indios*, en los que éstos vivían con recursos propios y con sus costumbres locales.

4. Por la *encomienda* se encargaba a cada propietario de una heredad—recibida en el *repartimiento*—del cuidado de cierto número de indios que habían de trabajar la tierra, pero quedando obligado el *encomendero* a sustentarlos, cuidar de su alojamiento, y enseñarles la doctrina religiosa de Cristo y la lengua castellana. En la instrucción y educación de los indios trabajaron con ejemplar celo evangélico frailes de varias órdenes.

5. En el siglo XVIII se crearon otros dos virreinatos en Sudamérica, el de *Nueva Granada*, al norte, y el de *Río de la Plata*, al sur.

CAPÍTULO XVII

LA DECADENCIA ESPAÑOLA

LA DECADENCIA DE ESPAÑA Y SUS CAUSAS

Carlos V y Felipe II llenan todo el siglo XVI y representan el período de la grandeza de España. Felipe III, Felipe IV y Carlos II cubren con sus reinados todo el siglo XVII y representan el período de la acelerada decadencia de la nación. Ninguno de estos tres monarcas supo cumplir los deberes de un soberano y los tres abandonaron el gobierno en manos de favoritos y ministros inmorales o ineptos. Felipe III fue un rey tan incapaz como negligente. Felipe IV, quizá más inteligente que su padre, fue un monarca descuidado y frívolo. Carlos II fue una infeliz criatura, producto de la degeneración fisiológica familiar, que pasó por el trono rodeado de las sombras de la ignorancia y el terror de la superstición. Durante los tres funestos reinados España sostuvo guerras exteriores en que hubo más derrotas que victorias y por ello la corona iba perdiendo parte de sus extensos dominios de Europa. Pero, además, en el interior del país ocurrieron hechos deplorables. Así, en tiempo de Felipe IV hubo una grave sublevación en Cataluña, y debilitado el poder nacional no se pudo contener la rebeldía de los portugueses, que dio origen a la separación de Portugal, rompiendo la unidad ibérica que felizmente había logrado Felipe II. En los últimos años de Carlos II, al verse que no conseguiría descendencia, las potencias europeas se anticiparon a convenir el reparto de los dominios que quedaran a la muerte del desventurado monarca.

¿Cuáles fueron los factores o causas de la decadencia de España? He aquí el problema sobre que se han expuesto tantas teorías e interpretaciones. Aunque algunas de éstas atribuyen la caída a una causa fundamental, nosotros pensamos que fueron múltiples las causas que empujaron hacia abajo a la nación española.

No cabe duda de que en las desventuras de España corresponde gran responsabilidad a la monarquía, en el siglo XVII y en los sucesivos. Han sido los reyes poco inteligentes y no se inspiraron como debían en el bien del país. Apoyados en las fuerzas anti-populares y anti-democráticas, sólo se propusieron sostenerse en el trono por todos los medios, con olvido de los intereses y de los anhelos del pueblo español. Era la dinastía, no la nación, en lo que pensaban siempre.

Pero en la decadencia de España hubo causas más profundas y factores más complejos que la acción de los malos gobiernos. Una de ellas fue el aniquilamiento económico. El país sufría del esfuerzo enorme de haber gastado sus energías en empresas superiores a sus fuerzas, en querer mantener un Imperio y una supremacía imposible. El oro y la plata que llegaban de América—aunque en cantidad mucho menor de lo que se supone—originaron una inflación de metales preciosos, que complicada con la escasez de producción de bienes, dio origen a un gigantesco encarecimiento de casi todos los artículos de consumo. La abundancia monetaria duró poco—al invertirse el dinero en el sostenimiento de muchas guerras—y por ello quedaron los españoles de entonces con los precios altos y escasos de moneda.

Asimismo, la producción agrícola era insuficiente por efecto de una crisis ya antigua. La propiedad de la tierra estaba concentrada principalmente en manos de los reyes, de los nobles, del clero y de ciertas fundaciones benéficas, culturales y religiosas. Se trabajaba deficientemente el campo por falta de estímulos y carencia de brazos; los hombres jóvenes preferían la aventura de alistarse para ir a la guerra, o de cruzar el Océano para probar fortuna en América al encontrar cerrados los horizontes de prosperidad en su país.

Por otro lado, la parte más selecta de la población (la nobleza y el clero) no sólo era económicamente improductiva por no cultivar sus tierras, sino por el derecho que tenían a percibir un alto porcentaje de la renta nacional. Algunos calculan en un 15 por 100 el número de personas dedicadas a la Iglesia y en poco menos el de aquellos que se consideraban nobles. Todos ellos disfrutaban de muchos privilegios, como el de no pagar tributos, el de no ser encarcelados por deudas, el de no sufrir el tormento ni otras penas afrentosas, etc. Por añadidura, el que se consideraba hombre de honor no debía practicar oficios manuales ni ejercer

FELIPE IV, retrato pintado por Velázquez.

el comercio. Muchos de los llamados hidalgos que no trabajaban preferían llevar silenciosamente una vida de orgullosa pobreza, y no les quedaba otro remedio que caer en la abyección de la picaresca.[1] Este orgullo motivó el ingenioso epigrama anónimo que sigue:

> Vuestro *don*, señor hidalgo
> es como el del *algo-don*
> que para llevar el *don*
> necesita tener *algo*.

Las guerras, la emigración a América y la peste hicieron disminuir la población masculina a tal grado que, según el historiador Domínguez Ortiz, España llegó al año de 1700 "poblada de mujeres, ancianos y mutilados." De los diez millones de habitantes que se supone tenía el país en 1600 murieron cerca de un millón a causa de la peste, 300.000 en las guerras y 500.000 se expatriaron a América. Y por si esta sangría de la población no fuera suficiente, unos 300.000 moriscos[2] fueron expulsados de España, dejando abandonados pueblos enteros y buenas tierras de labor que no se pudieron cultivar por no haber gente para trabajarlas.

¿Qué quedaba en el país? Una vergonzosa pobreza que se extendió por todas partes y hasta llegó a las puertas del Palacio Real. Los gastos hechos por los reyes en desproporción a la riqueza de la nación, los pesados gravámenes sobre la agricultura, la industria y el comercio, máxime la injusticia de un régimen económico tan deplorable contribuyeron a destruir las raíces espirituales y morales de la vitalidad nacional. El pueblo español del siglo XVII empezó a sentirse desorientado y a perder la fe en la misión providencial de su país. Esta duda y desesperanza la expresó, entre otros, el gran Quevedo en estos versos:

> Miré los muros de la patria mía,
> si un tiempo fuertes, ya desmoronados,
> de la carrera de la edad cansados,
> por quien caduca ya su valentía.

La supremacía naval y el dominio de los mares habían pasado a Inglaterra,[3] mientras la Francia de Luis XIV se incautó de muchos de los territorios españoles. España se quedó tan aislada y débil que varias naciones europeas pensaron dividírsela a fines de siglo XVII.

LA LENGUA CASTELLANA

Durante la Edad Media el pueblo castellano había ido creando en una transformación evolutiva el romance destinado a ser la lengua nacional y el idioma común a todos los países de civilización hispánica. En el siglo XV había cristalizado ya en su estructura propia y en sus formas esenciales la lengua castellana, que ahora llamamos española. Cervantes y los grandes escritores de su tiempo representan la culminación de la gran obra debida al genio lingüístico del pueblo que mejor canalizó en su expresión la sustancia y el sentido del vivir hispánico. Por ello, el castellano fue el idioma primero de España y de Hispanoamérica después, hablado también en Europa por muchas personas durante la hegemonía española. La literatura del Siglo de Oro comunicó las más altas calidades artísticas a lo que había sido romance popular y era ya instrumento de comunicación y cultura de una de las grandes naciones de Europa. Quizás tuviera razón Carlos V cuando dijo que la lengua castellana "era tan noble que merece ser sabida y entendida por toda la gente cristiana."

CORRIENTES CULTURALES

La influencia del Renacimiento italiano que se abrió camino en tiempo de los Reyes Católicos continuó infiltrándose en el llamado "Siglo de Oro," especialmente en el reinado de Carlos V. En reinados sucesivos, sin embargo, se agudizó la reacción contra todo lo que había llegado de fuera y significara libertad intelectual y científica.

Ya durante la primera mitad del siglo XVI se notó cierta reacción contra el movimiento *erasmista* y los libros de Erasmo de Rotterdam (1466?–1536) fueron prohibidos.[4] Sus ideas, que habían encontrado acogida favorable en la misma corte de Carlos V y entre personas de la alta jerarquía eclesiástica, no eran heterodoxas, pero sí favorecían una reforma de la Iglesia católica que no afectara el dogma. Igualmente se reaccionó, pero con más violencia, contra la Reforma protestante iniciada por Martín Lutero (1483–1546) en Alemania. Como consecuencia vino la *Contrarreforma*, cuya misión fue la de evitar todo contagio con las ideas de disidentes y herejes protestantes.[5] El resultado de este movimiento, sostenido por la Iglesia[6] y por los reyes de España, causó en los españoles una sensación de aislamiento espiritual que había de ser sumamente perjudicial al progreso de la nación. Bajo el terror que inspiraba el Santo Oficio,[7] España vivió de espaldas a Europa, no sólo en cuanto a la Reforma protestante sino, además, en cuanto a conocimientos científicos y filosóficos. Se impuso una severa censura de toda clase de publicaciones y, para asegurar la eficacia de tal política, la Inquisición no dudó en utilizar su bien conocido aparato represivo.

NOTAS

1. Se hace referencia a la novela picaresca *El Lazarillo de Tormes*.

2. Los moriscos fueron expulsados por última vez (entre 1609 y 1613) por creerse que eran cómplices de los enemigos de España.

3. La reina Isabel de Inglaterra ennoblecía a los *piratas* Drake, Watkins y otros que habían atacado en alta mar a los galeones españoles y habían asaltado y destruido varias ciudades del Caribe.

4. *Erasmista* era el que seguía la ideología inspirada por Erasmo. Este gran escritor atacó las supersticiones y los abusos de entonces, así como la mala conducta de no pocos clérigos y la excesiva pompa con que se celebraban las ceremonias religiosas de la Iglesia.

5. La política de contra-Reforma tuvo sus manifestaciones en guerras en Alemania y Flandes, pero también en la participación de España en el *Concilio de Trento* (1545–1564). En estos casi veinte años los teólogos españoles se distinguieron en la definición de importantes principios de la Iglesia católica.

6. Ignacio de Loyola, fundador de la "Compañía de Jesús" (1538), fue uno de los grandes defensores de la Iglesia contra el protestantismo. El Concilio de Trento confirmó la fundación de la orden de los jesuitas, en calidad de milicia religiosa con voto especial de obediencia al Sumo Pontífice.

7. La Inquisición, o *Santo Oficio*, cuidó muy especialmente de que no se divulgara doctrina alguna que fuera sospechosa de poco católica.

CAPÍTULO XVIII

LA LITERATURA EN EL SIGLO DE ORO

EL SIGLO DE ORO

La decadencia política y militar de España no se comunicó inmediatamente al genio literario y artístico de los españoles, y por ello los siglos XVI y XVII, tan distintos en su significación histórica, forman en cierto modo una unidad en el campo de las letras. No hay entre ellos contraste de grandeza y decadencia, ni un corte cronológico de dos centurias. Lo que se llama "Siglo de Oro" se extendió a más de cien años.[1] En realidad sería preferible decir "Edad de Oro," pues con este término más inclusivo se podría indicar todo el periodo del Renacimiento español, si es que en realidad hubo verdadero Renacimiento en España.[2]

Son tantos los escritores de mérito de aquella época, que sólo es posible mencionar los más importantes. Pero antes de ocuparnos de ellos conviene recordar que entre la Edad Media y el Renacimiento hubo una zona intermedia, indefinida, a la que pertenece la *novela caballeresca*, con evidentes raíces en la Edad Media. Fue entonces cuando se formularon las normas de conducta que por muchos años gobernaron la vida del caballero: valor, amor puro a una dama, honor sin mancilla y desinterés en sus esfuerzos. Se exageraba la vida de *Amadís de Gaula* y de otros héroes que le sucedieron, pero eran tan populares estas novelas que Cervantes, después, convirtió a su Don Quijote en el verdadero caballero andante.

Otras clases de novelas fueron la *pastoril*, la morisca y la picaresca. En la primera aparece un pastor idealizado, alrededor del cual se describe un mundo ficticio también en que pastores y pastoras viven en hermosos campos, apartados del mundo de las ciudades y sin preocuparse de sus

ganados. Se dedican a hablar, en verso o en prosa, de sus amores, que por
lo general eran desgraciados. ¿Por qué cultivaron este género artificioso
de novela grandes autores españoles y extranjeros? Aunque gran parte
de la crítica moderna condena estos libros, debe haber en ellos algo que
no es mentira. Así como el caballero vivía una vida de esfuerzo, el pastor
quería vivir una vida de paz, de calma y de contacto con la naturaleza.
Esta clase de novela tuvo en España su mejor representación en *Los
siete libros de Diana* (1559?), de Jorge de Montemayor.

Otro tipo de ficción fue el moro, que dio origen a la **novela morisca**,
tan leída como las anteriores. Una joyita de este género que sirvió de
inspiración a muchos otros autores fue *El Abencerraje y la hermosa Jarifa*
(1561). Las *Guerras civiles de Granada* (1595) ofrecen la misma combinación
de lo histórico y lo fantástico, los mismos caracteres animados de nobles
sentimientos. Es una obra escrita en prosa tan sencilla que aun hoy se
puede leer con gusto. En ella evoca su autor, Ginés Pérez de Hita, la
vida y costumbres de los moros de Granada.

Faltaba aún una clase de novela que explorara el mundo material y
nos describiera la vida diaria. Esto lo logró un autor desconocido con su
Lazarillo de Tormes, quizás el mejor ejemplo de la **novela picaresca.** Es
una obra que influyó mucho en la literatura de otros países y que todavía
deleita a los lectores de hoy por la espontaneidad y gracia de su estilo. Su
héroe (o anti-héroe como prefieren otros), el pícaro, fue creado para que
él mismo nos fuera contando las desventuras de su triste vida. La ingenuidad y gracia del pícaro Lázaro se pierde en novelas posteriores como
Guzmán de Alfarache (1509 y 1605), de Mateo Alemán y la *Historia de la
vida del Buscón* (1626), de Francisco de Quevedo.[3]

En **poesía lírica** es inevitable mencionar a los dos más grandes
poetas del Siglo de Oro español. Uno de ellos es Garcilaso de la Vega
(1503–1536), el más grande revolucionario de la poesía española, no sólo
por su fina sensibilidad sino por haber popularizado el verso italiano de
once sílabas. Era también un verdadero hombre del Renacimiento que
sabía griego y latín, entendía de música, era excelente esgrimidor y
guerrero valeroso. Era un hombre completo, muy distinto al especialista
de hoy, al "bárbaro vertical" como le llamaría Ortega y Gasset. Sus
Églogas, admiradas por todos los amantes de la poesía, son en realidad
elegías, no de carácter moral como la de Jorge Manrique sino de valor
sentimental, de un "dulce lamentarse."[4]

Otro gran poeta, muy estudiado y discutido, fue Luis de Argote y
Góngora (1561–1627). Al principio de su vida escribía poemas de maravillosa simplicidad verbal; pero más tarde su estilo se complicó tanto
con el uso de atrevidas imágenes, metáforas y alteración de la sintaxis que

MONUMENTO A CERVANTES EN MADRID. Se halla en la Plaza de España y en él aparecen las estatuas de sus personajes principales: Don Quijote y Sancho Panza.

FRANCISCO DE QUEVEDO,
uno de los hombres más cultos
que ha tenido España
en el siglo XVII.

la mayoría de los lectores lo encuentran difícil y oscuro. A este estilo llamado *gongorismo* o *barroquismo* pertenecen sus famosas *Soledades* y su *Fábula de Polifemo y Galatea*, obras que han tenido que ser interpretadas para ser entendidas por muchos. Ahora bien, este arte barroco que se acepta sin discusión en arquitectura y escultura se niega por muchos en literatura. Hay críticos y filósofos que no ven en el dinamismo del barroco una nueva concepción de la vida, una nueva actitud de duda, de inseguridad e incertidumbre en los espíritus de la época.[5]

Otros poetas célebres del barroco son Bartolomé L. Argensola (1562–1631), autor de un bello soneto que podría titularse "Ni es cielo ni es azul," que por sí solo bastaría para darle fama, y Francisco de Quevedo (1580–1645). De todos los españoles del Siglo de Oro fue sin duda Quevedo el hombre de más amplias lecturas y de más variadas aptitudes literarias. Si aceptamos que el barroquismo es un arte que aspira a sacudir e inquietar los espíritus, la angustia que siente Quevedo por su país tiene su mejor exponente en algunos de sus poemas.

Ya se ha dicho varias veces que España en el siglo XVI vivió su momento histórico más grande, un momento de alta tensión religiosa que había de producir muchos libros de devoción—*ascéticos* y **místicos.** Toda esta literatura, especialmente la mística, es difícil de comprender. El místico es un ser excepcional que nos describe estados psicológicos,[6] y en sus obras intenta hacer perceptible a nuestros ojos una realidad inefable sentida por él: la unión del alma con Dios después de pasar por las etapas

de "purgación" (apartamiento del pecado) e "iluminación" o estado de
contemplación de lo divino. El asceta sólo llega al estado de purificación
del alma.

Los dos más grandes místicos españoles fueron Santa Teresa de
Jesús (1515–1582), la escritora más famosa que ha producido España,
y San Juan de la Cruz (1542–1591). Entre los ascetas descuellan Fray
Luis de León (1527–1591 y Fray Luis de Granada (1504–1588). Santa
Teresa era una mujer de cultura limitada y no escribía por ambiciones
literarias sino por mandato de sus superiores. En sus obras se puede
observar el curso de su vida: una Santa Teresa "práctica," fundadora de
conventos, en *El libro de las fundaciones*; una Santa Teresa "ascética" en
Camino de Perfección, y otra "mística" en el *Libro de su vida*, donde nos
detalla cómo llegó su alma a la unión con Dios. San Juan de la Cruz
representa el fervor místico en toda su pureza y algunos lo consideran el
poeta lírico más grande que ha tenido España. Toda su poesía es una
gran metáfora: la oscuridad en que vivimos frente a la claridad y luz
que recibe el alma al llegar al éxtasis. De las siete poesías que escribió,
las mejores son *Noche oscura* y *Cántico espiritual*. Fr. Luis de León fue un
exponente espléndido del Renacimiento español, un intelectual de la
época que trató de reconciliar la cultura clásica con el espíritu católico
español. Escribió en prosa *La perfecta casada* y *Los nombres de Cristo*, y en
verso *La vida retirada*, *Noche serena* y *A Francisco Salinas*.

Entre los **escritores didácticos** adquirieron gran relieve Juan
de Valdés (1490?–1541) y su hermano Alfonso de Valdés (?–1532),
Antonio de Guevara (1480–1545), Francisco de Quevedo (1580–1645),
Diego Saavedra Fajardo (1584–1648) y Baltasar Gracián (1584–1648).
Los hermanos Valdés simpatizaban con las doctrinas de Erasmo, y tal
vez por sospechas de la Inquisición se trasladó Juan a Italia donde
escribió su *Diálogo de la Lengua* (1535), obra de suma importancia para
conocer el desarrollo de la lengua castellana. Guevara, fraile franciscano
y predicador en la corte de Carlos V, se dió a conocer por dos obras:
Reloj de Príncipes, libro muy leído en Europa, y *Menosprecio de Corte y
alabanza de aldea* (1539) donde contrasta la vida de corte con la del
campo, pero sin idealizaciones pastoriles ni preocupaciones religiosas.
Quevedo es sin duda uno de los más grandes españoles de todos los tiempos. Como hombre fue encarcelado en San Marcos de León por haberse
atrevido a censurar la desastrosa política de los favoritos del rey. Como
escritor moralista, empleó la sátira para atacar los males de su patria.
Siendo como era un espíritu plenamente barroco, usaba frecuentemente
un estilo tan conciso y estilizado para expresar conceptos que ha recibido
el nombre de *conceptismo* o *culteranismo*. Saavedra Fajardo pasó la mayor

LOPE DE VEGA.
No se sabe quién pintó
este retrato del gran dramaturgo,
pero se tiene por auténtico
y de gran parecido
con el original.

parte de su vida viajando por toda Europa en misiones diplomáticas que le encomendaba el rey español. En sus *Empresas políticas* (1640) nos ofrece opiniones muy acertadas sobre el pasado y futuro de su país. Con muy clara visión atribuía la decadencia a la colonización de América, a las muchas guerras y a la aversión del español al trabajo: "Falta la cultura de los campos, el ejercicio de las artes mecánicas, el trato y el comercio a que no se aplica esta nación."[7] Por último Baltasar Gracián, uno de los más grandes pensadores que ha tenido España. La obra que más prestigio le ha dado es *El Criticón* (1651-1657), difícil de entender, como algunas de Quevedo, por la concisión de sus ideas: por el *conceptismo*.

Miguel de Cervantes Saavedra (1547-1616), el llamado "Príncipe de los ingenios," merece una nota aparte. A su pluma debe la humanidad la obra que le ha inmortalizado: *El Ingenioso Hidalgo Don Quijote de la Mancha* (Parte I, 1605; Parte II, 1615). Aunque algunos la proclaman como la mejor novela caballeresca y a Don Quijote como el mejor caballero andante, contiene la obra otros valores que la convierten en la primera novela moderna. Si es cierto que Cervantes nos deleita con sus fantásticos relatos, también lo es que estas aventuras caballerescas representan una realidad palpitante. El lector atento termina la lectura del libro convencido de que lo ficticio puede ser real y que los caracteres imaginados pueden sear reales también. Tiene por tanto el *Quijote* un profundo sentido: el de convertir la pareja inmortal del caballero y el escudero en simbolo del modo de ser del hombre.

Es injusto atribuir sólo a España un gran libro—el *Quijote*—, pues en los siglos XVI y XVII tuvo los mejores líricos de Europa, grandes

RETRATO DE CALDERÓN DE LA BARCA, en los últimos años de su vida. (Grabado hecho por Gaspar Agustín de Lara.)

Abajo, a la izquierda: MIGUEL DE CERVANTES. Este retrato se atribuye al pintor Juan de Jáuregui. Se encuentra en el salón de sesiones de la Real Academia Española.

Abajo, a la derecha: RETRATO DE LUIS DE GÓNGORA, pintado por Velázquez.

novelistas y escritores místicos de gran mérito. Debemos también incluir un **teatro** excepcional y asombroso por representar la vida del hombre en todos sus aspectos. Lo que más asombro nos produce es el gran número de autores y de obras dramáticas que se escribieron. A la pluma de Lope de Vega (1562–1635), el verdadero creador y fundador de este teatro, se deben no menos de quinientas comedias. Con razón le llamaba Cervantes "monstruo de la naturaleza." Todo lo convertía en teatro. Todo lo veía bajo un ángulo dramático: lo religioso y lo profano, el héroe y el pecador, la doncella discreta y la mujer libertina, el caballero y el pícaro. Lo más sorprendente aún es que Lope dio forma definitiva al teatro del Siglo de Oro. Para entenderlo hoy (casi todas las comedias están escritas en verso)[8] no basta formarse idea del argumento; hay que entender sobre todo el tema, más importante que la acción y los caracteres, aunque, como es lógico, el tema se deduce de lo que éstos dicen en los parlamentos. Dos de sus comedias de más valor son: *Fuenteovejuna* y *El caballero de Olmedo.*

Entre los cultivadores del teatro "al modo de Lope" se distingue singularmente Tirso de Molina, seudónimo del fraile Gabriel Téllez (1584–1648), afortunado creador del tipo de *Don Juan* en su obra *El burlador de Sevilla.* Al mismo período de Lope pertenecen Guillén de Castro (1569–1631), Vélez de Guevara (1574–1644) y Mira de Amescua (1577–1644).

A la generación de Pedro Calderón de la Barca (1600–1681) pertenecen Francisco de Rojas Zorrilla (1607–1684) y Agustín Moreto (1618–1669). Entre estas dos generaciones hay más semejanzas que diferencias. Lope, ya se ha dicho, dio forma definitiva al teatro del Siglo de Oro, un teatro de inspiración nacional y de hondas raíces populares. Calderón, por su parte, fue más cuidadoso en la elaboración de sus comedias y *autos sacramentales.*[9] Su arte es más complicado y la vida tiene para él más profundo sentido religioso. Fuera de su muy discutida y alabada obra, *La vida es sueño,* las otras más conocidas son sus dramas de honor, tema que ha desacreditado en el extranjero al teatro y al hombre español. En el siglo XVI el honor del verdadero caballero era parte de la herencia medieval que daba al hombre aliento de vivir, y renunciar a él equivalía a renunciar a su vida y a su felicidad.[10] Para Calderón el honor parece haber sido una obsesión y los actos de crueldad eran corrientes en sus comedias. Es dudoso, sin embargo, que la vida fuera así. Lo que importa en el análisis de estos dramas es averiguar si tales acciones crueles se pueden reconciliar con los valores cristianos de la misericordia y el perdón. Calderón fue después de todo el autor que más llevó al teatro las complicaciones del barroquismo.

NOTAS

1. Si con el término "Siglo de Oro" se pretende indicar el período de mayor esplendor de la cultura española, habría que enmarcarlo entre las fechas 1560 y 1650, lo cual excluiría el muy importante reinado de Carlos V.

2. Para muchos extranjeros no hubo Renacimiento en España por haberse injertado en él elementos que impedían toda actitud crítica y científica. No hay que olvidar sin embargo que tradición y continuidad en lo español no excluye cambio y evolución. Esto es, la oposición al Renacimiento no fue general.

3. En estas novelas posteriores a *Lazarillo* hay sátira más aguda y la narración se interrumpe con frecuencia para intercalar pensamientos de índole moral o religiosa. Como obra ya del período barroco, en el *Buscón* todo está exagerado y contorsionado, hasta la lengua.

4. Garcilaso murió muy joven, en Nice (Francia), a consecuencia de las heridas sufridas en un encuentro con las tropas francesas. No había publicado nada todavía, pero afortunadamente sus poesías las conservaba su amigo Juan Boscán, y cuando éste también murió las publicó su esposa.

5. Ha sido el alemán Karl Vossler quien nos asegura que el genio español es esencialmente barroco y que al siglo XVII pertenece lo más esplendoroso de las artes y letras españolas.

6. Los estados psicológicos que nos describen los místicos españoles han sido objeto de estudio por algunos psicólogos modernos.

7. Si consideramos que el título completo de esta obra es *Idea de un príncipe político-cristiano en cien empresas*, se comprenderá porqué se dice que Saavedra la escribió para combatir las doctrinas de Maquiavelo, famoso escritor italiano que defendió el empleo de recursos ilícitos e inmorales en el ejercicio del poder monárquico.

8. Lope de Rueda en sus *pasos* y Cervantes en sus *entremeses* fueron los únicos que experimentaron con la prosa. *Comedia* es el término generalmente empleado para designar obras dramáticas del Siglo de Oro. A veces también son llamadas *tragicomedias* y en casos excepcionales, *tragedias*.

9. *Autos sacramentales* eran piezas alegóricas en un largo acto que se ocupan del misterio de la Sagrada Comunión o Eucarestía. Alguien los ha llamado "sermones en verso," término muy apropiado por cuanto dramatizaban temas teológicos que resultaban más comprensibles al público que los predicados desde el púlpito.

10. Véase la dramatización de este concepto en *La Estrella de Sevilla*.

CAPÍTULO XIX

ILAS ARTES EN
LOS SIGLOS XVI Y XVII

Las siguientes palabras del historiador alemán August L. Mayer vienen a confirmar lo que hemos dicho antes y lo que diremos aquí sobre el influjo de artistas extranjeros en España: "Aun en aquellos casos en que no se hispanizaron por completo, cedieron más o menos al encanto genuino del ideario artístico español y a la afición española por la magnificencia, amoldándose a las maneras varoniles y ligeramente melancólicas de este pueblo, a sus inclinaciones decorativas y caprichos naturalistas."

LA ARQUITECTURA

En el capítulo XIV hablamos del estilo *plateresco*—filigrana de piedra —y dijimos que representaba un intento de renovación pero que el gótico y el mudéjar resistieron la presión de lo nuevo. Simultáneamente se hicieron esfuerzos por implantar el estilo greco-romano del Renacimiento italiano, pero tampoco echó raíces por su rigidez de líneas. Esta es la razón de que no gustara el enorme Monasterio de El Escorial, edificio mandado construir por Felipe II para conmemorar la victoria de San Quintín y que tardó casi veinte años en construirse (1563 a 1584).[1] A este estilo se le ha dado el nombre de *herreriano* por ser Juan de Herrera (1536–1597) el arquitecto del monasterio y de otros edificios.

Contra la austeridad de esta clase de construcciones apareció pronto otro estilo que representaba todo lo contrario: profusión de ornamentación. Este es el estilo *barroco* que alguien ha caracterizado de "masa en

CUSTODIA DE PLATA,
del siglo XVI.

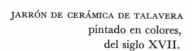

JARRÓN DE CERÁMICA DE TALAVERA
pintado en colores,
del siglo XVII.

movimiento." Cuando la exuberancia en el ornato y el retorcimiento de líneas llegó a su extremo surgió el *churrigueresco*, nombre derivado del arquitecto José de Churriguera (1650–1725). Menéndez y Pelayo llama a este barroco en exaltación "arquitectura insubordinada." El ejemplo más notable del barroco-churrigueresco es la iglesia de la cartuja de Granada, muy recargada de adornos de yeso de mal gusto.

Es de interés observar que en Hispanoamérica existen edificios barrocos más imponentes que los de España. Esta nación tenía ya poco que conmemorar y la pobreza impedía levantar grandes monumentos como el de El Escorial.

LA ESCULTURA

Es la escultura el arte que mejor refleja el sentimiento religioso de aquella época.[2] Como en las demás artes, se observa desde 1525 la inevitable reacción contra el paganismo y sensualismo del Renacimiento italiano, acentuada en España por la preocupación religiosa que trajo consigo la Contrarreforma. Alonso Berruguete (1482–1561), por ejemplo, estuvo en Florencia y en Roma y allí conoció la obra de Miguel Ángel, pero al regresar a su país (1520) comprendió que las formas clásicas eran un impedimento a la expresión de emoción religiosa, característica esencial de la escultura de imágenes policromadas.[3] Aunque conserva mucho de lo italiano, sus figuras son menos atléticas que las de su maestro, y de más expresivismo.[4]

Otro escultor famoso del siglo XVI fue Juan de Juni (1507–1577) —probablemente de origen francés pero completamente aclimatado en España—considerado el "padre del barroquismo español" en escultura. Sus imágenes son más macizas y sus gestos más exagerados y patéticos, muy lejos de la serenidad clásica que aún poseía Berruguete. El fuerte realismo de estas figuras ha logrado conmover al creyente al contemplar la sangre de las llagas y las lágrimas de las divinas imágenes.

Cuenta el siglo XVII con tres grandes y populares escultores pertenecientes a dos escuelas distintas: la "castellana," representada por Gregorio Hernández (1566–1636) y la "sevillana" por Juan Martínez Montañés (1568–1649) y Alonso Cano (1601–1667). El primero es considerado como el imaginero que labra sus esculturas con más devoción, el que con el arte de policromar alcanzó un hermoso realismo. Montañés es conocido y admirado hoy en Sevilla por sus famosos *pasos*[5] de Semana Santa. Alonso Cano fue como los grandes genios de Italia escultor, pintor y arquitecto. Como escultor se separó bastante de sus contemporáneos en no seguir la línea del realismo exagerado y en ocuparse de temas menos trágicos. (La mayoría de todas estas imágenes formaban parte del conjunto escultórico en los grandes *retablos*.)[6]

EL ENTIERRO DEL CONDE DE ORGAZ. Este cuadro, que se conserva en la pequeña iglesia de Santo Tomé, en Toledo, es considerado como la pintura más sublime de *El Greco* y como una de las obras más grandes de la pintura universal. En la parte inferior se representa a San Esteban (el santo más joven) y a San Agustín (el santo más viejo) en el momento de enterrar al Conde de Orgaz en presencia de notables caballeros toledanos de la época. La parte superior representa la Gloria, hacia la cual un ángel conduce el alma del conde muerto.

LAS MENINAS. Este cuadro maravilloso de Velázquez ocupa un lugar de preferencia en el Museo del Prado. Representa a Velázquez en su estudio pintando a varios personajes de la corte. En el centro se destaca la infanta Margarita, de cuatro años, con una dama de honor a cada lado. A la derecha aparecen dos enanos: Mari Bárbola, de origen alemán, y Nicolasito de procedencia italiana, con su pie sobre un perro medio dormido. Velázquez está de pie, ostentando la cruz roja de caballero de Santiago que acababa de recibir. El rey Felipe IV y la reina aparecen reflejados en un espejo al fondo de la habitación.

LA PINTURA

Ya hemos visto que durante la Edad Media la pintura española tuvo poco desarrollo. Servía sólo de aditamento a la escultura. Durante el siglo XVI ya se siente la influencia de Italia, que nunca entusiasmó grandemente al pueblo por no ofrecer temas religiosos comparables a los de la escultura. Luis Morales *el Divino* (m. 1586) fue el único que mostró gran habilidad en la intensa expresión de dolor y melancolía de sus "Dolorosas." Alonso Sánchez Coello también se distinguió por ser excelente retratista, arte que aprendió del holandés Antonio Moro.

Fue en el siglo XVII cuando la pintura española alcanzó verdadera originalidad, superior a la de cualquier otro país de Europa. Las características que le dan expresión nacional se pueden reducir a cuatro: (*1*) predominio de temas religiosos; (*2*) ausencia casi total de elementos fantásticos y mitológicos; (*3*) fragmentación del espacio, haciendo que la atención se fije en la figura humana y no en el paisaje; (*4*) eliminación del desnudo excepto en la representación de Cristo.

EL CRISTO CRUCIFICADO,
notable cuadro de Velázquez
que se conserva en el
Museo del Prado de Madrid.

La primera gran figura en el tiempo y uno de los primeros en el valor artístico es Domenico Theotocópuli, mejor conocido con el nombre de *El Greco*, así llamado por haber nacido en la isla griega de Creta hacia el año 1548. Estuvo en Italia, donde hizo su aprendizaje de artista, y en 1576 se trasladó a España para vivir en Toledo hasta su muerte en 1614. Gozó *El Greco* durante su vida fama de pintor, pero después quedó relegado al olvido hasta principios de este siglo. Hoy se le hace justicia y se le reconoce como uno de los grandes pintores de la pintura universal. Se asimiló de manera perfecta al ambiente español de su tiempo, e inspirado en él pudo pintar aquellas figuras de caballeros y de santos, estilizados en su alargamiento, que llevan en los ojos la llama de un ardiente misticismo. De la abundancia de colorido que heredó de sus maestros venecianos pasó al llegar a España a una manera propia en la que observamos estrechez de espacio, por un lado, y alargamiento de sus figuras por el otro. Era una manera de expresar lo terrenal y distender el espíritu hacia arriba. Famoso entre sus muchos cuadros es *El entierro del Conde de Orgaz*.

José de Ribera (1588–1652), llamado *El Españoleto* por los italianos, pasó casi toda su vida en Nápoles y allí creó una escuela de imitadores. En sus pinturas de mártires y santos se muestra sin embargo profundamente español por el realismo de sus figuras. Francisco de Zurbarán (1598–1664) es el pintor por excelencia de monjes de las distintas órdenes que le dieron empleo.[7]

De la misma época que Zurbarán fue Diego de Silva y Velázquez (1599–1660), gloria no sólo de España sino del mundo entero. Él y Cervantes llevaron el genio español a sus más altas cumbres. (Según el alemán Karl Justi, "con ellos no puede compararse ningún otro artista del mundo.") Ningún otro pintor le iguala en la facultad de sorprender y representar la realidad esencial de las personas y cosas. Como pintor de cámara del rey Felipe IV hizo magníficos retratos de la familia real y de los bufones y enanos que vivían en palacio para servir de entretenimiento a las reales personas. Llama la atención que entre las obras que dejó Velázquez haya tan pocas de asuntos religiosos. Una de ellas, sin embargo, vale por todas. Es el *Cristo crucificado*, admirado por la serenidad de su rostro y ausencia de dramatismo. La más famosa de sus obras es sin duda *Las Meninas*, donde parece que el tiempo se ha detenido y el espacio se ha reducido a un simple obrador con el propósito de concentrar nuestra atención en cada una de las personas que aparecen en el cuadro: la infanta Margarita, las meninas, dos enanos, Velázquez mismo con la Cruz de Santiago en el pecho, etc. Al fondo, reflejados en un espejo se ven los reyes. (Si éste era un cuadro de la familia real, ¿por qué no

GRUPO CENTRAL DE "LA ADORACIÓN DE LOS REYES MAGOS." Es obra esculpida por Alonso Berruguete, el escultor más famoso del siglo XVI.

aparecen los reyes al frente?) Otro cuadro en que también supo Veláz-quez pintar el ambiente es el llamado *Las Hilanderas*.

Otros dos pintores de aquel tiempo fueron Esteban Murillo (1618–1682), apreciado hoy por los cuadros realistas de niños más que por sus *Inmaculadas*; y Valdés Leal (1622–1690)—"el pintor de los muertos"— que nos sorprende y emociona con sus cuadros macabros.

EL SANTO ENTIERRO. Obra tallada en madera policromada por Juan de Juni, el escultor de origen francés que mejor supo interpretar el dolor en el siglo XVI.

LA PIEDAD (O "LA QUINTA ANGUSTIA"), genial composición de Gregorio Hernández, escultor del siglo XVII.

LA ADORACIÓN DE LOS PASTORES, una de las obras más bellas de Martínez Montañés, el escultor más famoso de la escuela de Sevilla.

LA MÚSICA

Aunque poco conocida en España y fuera de ella, la música española tuvo gran desarrollo en los siglos XVI y XVII, sobre todo la popular. Hubo teorizantes cuyas obras alcanzaron fama en el extranjero, entre ellos Francisco Salinas (1513–1590), ciego y buen amigo de fray Luís de León, que coleccionó en sus *Siete libros sobre la música* gran número de melodías populares. Hubo también famosos ejecutantes, tanto en la música religiosa como en la profana, como Antonio Cabezón (*m.* 1566), al que han llamado "el Bach español." Aunque ciego, fue organista de Carlos V y Felipe II y muy conocido en Europa por sus composiciones religiosas. Más famoso aún fue Tomás Luis Victoria (1560–1613?), continuador de la obra del italiano Palestrina, de quien probablemente fue discípulo. Se le atribuyen alrededor de 180 composiciones religiosas de alto calibre.

Corresponde a este período la aparición de la *zarzuela*,[8] género teatral típicamente español, en el que alternan recitados en prosa o verso con trozos de música y canto de carácter popular generalmente. Tienen estas obras un matiz a veces sentimental y a veces humorístico. La primera *zarzuela* cuya letra o texto fue escrito por Lope de Vega, se titula *La selva de amor* (1629). A Calderón se le atribuye el libreto de *El golfo de las sirenas*, zarzuela puesta en escena en 1657.

LAS ARTES MENORES

La orfebrería y la joyería tuvieron siempre un espléndido desarrollo en España con artífices de exquisito gusto y gran habilidad que realizaron obras magníficas para las iglesias, los palacios y el adorno personal. Las *custodias*[9] por su destino, por sus dimensiones y por su rica ornamentación, eran la más alta representación de esta labor artística. Causa asombro la cantidad de objetos de oro y plata que atesoran las catedrales españolas, particularmente la de Toledo por ser la Iglesia Primada de España.

En la *cerámica* predomina el estilo mudéjar y el dibujo morisco. Pero durante el Renacimiento se introdujeron en los talleres de Talavera de la Reina ciertas novedades de origen italiano. La cerámica de Talavera fue famosísima y todavía hoy se tienen en gran estimación las piezas de vajilla de tal procedencia.

El arte de la *rejería* era conocido desde la época del gótico. De su valor artístico dan testimonio las rejas que cierran las capillas y coros de las grandes catedrales de los siglos XV y XVI.

NOTAS

1. Por sus dimensiones este edificio fue considerado "la octava maravilla del mundo." Felipe II dirigió las obras desde el principio y en una pequeña celda del monasterio vivió y murió. (A este estilo renacentista pertenecen, entre otros, la catedral de Granada y el palacio de Carlos V en la Alhambra de Granada.)

2. Al interesado en la escultura de este período le es indispensable una visita al Museo Nacional de Escultura, en Valladolid, situado en lo que antes fue el Colegio de San Gregorio.

3. El arte de la policromía requería a veces la colaboración de otros oficios: (1) los *encarnadores* para pintar las carnes y (2) los *estofadores* para pintar las ropas, técnica ésta que consistía en dorar la madera primero y después pintarla, pero teniendo cuidado de arañar la pintura en aquellos lugares donde se quería dejar el oro al descubierto. Se policromaban las imágenes por dos razones: para dar a las carnes y ropas mayor realismo y para preservar la madera contra el efecto de la polilla. España era el único país que se mantenía fiel a la escultura policromada durante el Renacimiento.

4. Berruguete trabajó en muchos lugares de Castilla; en Toledo colaboró en la magnífica sillería de coro de la catedral, obra terminada en 1543.

5. *Pasos* son imágenes o grupos escultóricos que representan escenas de la Pasión del Señor y son "paseados" a hombros por las calles durante la Semana Santa. La Orden Tercera inició estas procesiones en el siglo XVI, y a ellas se debe en gran parte el progreso de la escultura española.

6. Continúa en el siglo XVI la extraordinaria afición a la construcción de *retablos*, que son grupos escultóricos de varias figuras talladas en madera para ser colocados en los paneles de los varios tramos en que se divide el altar.

7. El Monasterio de Guadalupe contiene la más extensa colección de cuadros de Zurbarán.

8. El nombre de *zarzuela* (que generalmente es un diminutivo de *zarza*), proviene del nombre que se daba a una propiedad de los reyes donde se representaban frecuentemente esta clase de entretenimientos.

9. *Custodia* es, según el Diccionario de la Academia, "la pieza de oro, plata u otro metal, en que se expone el Santísimo Sacramento a la pública veneración."

CAPÍTULO XX

IEL SIGLO XVIII

LA NUEVA DINASTÍA

En el siglo XVIII cambió la dinastía que venía reinando en España desde Carlos V. Los Austrias fueron sustituidos por los Borbones. Al morir Carlos II (1700) sin sucesión, nombró heredero de la corona a Felipe de Anjou, nieto de Luis XIV de Francia. El otro pretendiente al trono era el archiduque Carlos de Austria, que no se conformó con la designación hecha a favor de su rival, dando origen a una guerra que fue a la vez civil e internacional. Esta guerra, llamada de *Sucesión*, duró trece años, y al fin el tratado de Utrecht (1713) reconocía a Felipe V como rey de España, pero privaba a la monarquía española de gran parte de sus dominios en Europa[1] y de la isla de Menorca.

Perdía España también el famoso "peñón de Gibraltar," en el propio territorio español, del cual se habían apoderado los ingleses. Todas las tentativas que posteriormente han hecho los españoles para recuperar la plaza de Gibraltar y todas las gestiones diplomáticas efectuadas con igual objeto han sido infructuosas. Inglaterra sigue en posesión de aquel pequeño trozo de tierra peninsular, hecho que los españoles consideran como un caso de *irredentismo* y es causa de una constante irritación contra la Gran Bretaña.[2]

Le sucedió su hijo Fernando VI, rey poco capaz para el gobierno pero muy amante de la paz, que consiguió mantener durante bastantes años, aprovechados por sus ministros Carvajal y Ensenada para hacer reformas convenientes al país.

LA FAMILIA DE CARLOS IV. Magnífico cuadro de Goya en que aparece retratada con sutil ironía toda la familia real. En el centro aparecen el abúlico rey y la liviana reina, y a la izquierda, el petulante príncipe heredero, más tarde rey con el nombre de Fernando VII, de triste recuerdo para los españoles.

Al morir en 1759 heredó el trono su hermano Carlos, que era entonces rey de las Dos Sicilias[3] y tenía por ello experiencia de gobierno. Fue Carlos III el mejor monarca de la dinastía borbónica. Hombre de buena voluntad y cuidadoso de los asuntos del reino, tuvo también el acierto de elegir excelentes ministros, que fueron Floridablanca, Aranda, Campomanes y el italiano marqués de Esquilache. En los asuntos interiores del país se hicieron reformas muy beneficiosas y eficaces. Al morir, en 1788, le sucedió su hijo Carlos IV.

Carlos IV ha sido uno de los reyes más funestos para España. Hombre sin talento, sin carácter y sin afición a gobernar, pasaba los días dedicado a la caza. Prescindió de los buenos ministros, Floridablanca y Aranda, para entregar el poder a Manuel de Godoy (1792) que no tenía más méritos que los de ser el favorito de la reina María Luisa. Los fracasos de la política internacional dirigida por Godoy y la ambición del hijo mayor de los reyes, príncipe Fernando, obligaron a Carlos IV a abdicar en éste la corona, en al año 1808.

EL SISTEMA DE GOBIERNO DE LOS BORBONES

Inspirados en el absolutismo francés de aquel tiempo, los Borbones de España pusieron en práctica un sistema de gobierno que ha sido llamado *despotismo ilustrado.* No era un gobierno "del pueblo," sino del rey; ni ejercido "por el pueblo," sino por funcionarios que nombraba el monarca a su arbitrio; pero sí era un gobierno "para el pueblo," que procuraba el bien del país según la interpretación de la corona. Debemos reconocer que, a pesar de sus defectos fundamentales—no había libertad, ni democracia—fueron hechos notorios que la nación progresara en todos los órdenes y que principiara a levantarse de la postración del siglo anterior. Cierto que no renacieron las instituciones populares, pues ni las Cortes ni los municipios tuvieron importancia en el siglo XVIII, pero se permitió que entraran en España moderados aires de liberalismo, por encima de una intolerancia y de una persecución de las ideas que ya iban decayendo.

LA POLÍTICA INTERNACIONAL

La política internacional de los Borbones fue desastrosa, regida por los principios de sumisión a Francia y de odio a Inglaterra. Carlos III concertó con Luis XV de Francia el *Pacto de Familia* (1761) que era una alianza entre las dos monarquías, por la cual se vio España complicada en guerras y en intrigas internacionales.

LOS FUSILAMIENTOS DEL 3 DE MAYO. Este cuadro de Goya, de gran expresivismo, representa un doloroso espectáculo ocurrido en Madrid al día siguiente de ser conquistada la capital española por las tropas de Napoleón. Es una escena nocturna, iluminada sólo por la luz de un farol colocado en el suelo. Entre los condenados a morir destaca la figura central, que con los brazos levantados parece estar desafiando a la muerte.

Sin embargo, Carlos III no acompañó a Francia en su política de ayuda militar manifiesta a las colonias norteamericanas en su guerra contra Inglaterra. Pero España favoreció el movimiento de independencia y revolución con préstamos en dinero y efectos, así como declarando luego la guerra a la Gran Bretaña, sin aceptar ninguna proposición de paz que no fuera a base del reconocimiento de la independencia de los Estados Unidos.[4]

LA IGLESIA

Fueron los Borbones católicos fervorosos y practicantes, pero al propio tiempo muy celosos defensores del ejercicio de ciertas potestades que creían inherentes a la corona, sobre determinados asuntos eclesiásticos. No mantuvieron la rígida intolerancia del tiempo de los Austrias para toda tendencia de libertad ideológica, así que la Inquisición funcionó con menos actividad y rigor que en los dos siglos anteriores. Carlos III adoptó una disposición radical, que fue la expulsión de los jesuitas de los dominios españoles (1767).[5]

LAS CLASES SOCIALES

Siguieron las diferencias entre la clase nobiliaria y la no privilegiada, pero las ideas dominantes se encaminaban a establecer la igualdad de todas las personas ante la ley y a conseguir mayor nivelación económica. Las clases medias adquieren mayor importancia al elevarse la consideración de los hombres de carrera, de los comerciantes, de los industriales, de los pequeños propietarios, etc. Reales disposiciones procuran enaltecer y dignificar el trabajo manual.

LA ECONOMÍA

Muy poco ganaron los españoles bajo el régimen borbónico en cuanto a libertades políticas e individuales, pero sí hubo un positivo mejoramiento en las condiciones materiales de vida. Los reyes, y especialmente Carlos III, aceptaron las iniciativas de reformas que les proponían sus inteligentes ministros, inspiradas en el provecho de los habitantes de la nación.

Se protegió la agricultura y se promovió el renacimiento de las industrias, se estableció la libertad de trabajo con la supresión de los gremios, y se inició un movimiento de liberación de la propiedad mediante disposiciones desamortizadoras.[6] También se hicieron ensayos de colonización interior, extendiendo el cultivo a tierras antes incultas. Contribuyeron eficazmente al progreso nacional las Sociedades Económicas de Amigos del País.[7]

El segundo grabado, *Tú que no puedes*,
merece este comentario:
"¿Quién no dirá que
estos caballeros son caballerías?"
DOS "CAPRICHOS" DE GOYA.
Los *Caprichos* o grabados al aguafuerte
son la obra de Goya que más prestigio
le ha dado en el extranjero.
En ellos el pintor satiriza a
sus contemporáneos de una manera
humorística y caricaturesca.
Al primero, *Ni así la distingue*,
hace Goya el siguiente comentario:
"¿Cómo ha de distinguirla?
Para conocer lo que ella es,
no basta el anteojo;
se necesita juicio y práctica del
mundo, y esto es precisamente lo que
le falta al pobre caballero."

LA CULTURA

Felipe V fundó la Real Academia de la Lengua y la de la Historia. Fernando VI dispuso el establecimiento de la Real Academia de Bellas Artes. Principió con los Borbones la formación de la Biblioteca Real, que luego se ha convertido en la Biblioteca Nacional.

Se introdujeron grandes reformas en la enseñanza, inspiradas en el cultivo de la ciencia positiva y en la *secularización*, palabra ésta que significaba la eliminación del monopolio eclesiástico en los establecimientos docentes. Se reorganizaron las Universidades con un cierto sentido de liberalismo ideológico, y se fundaron nuevas instituciones de enseñanza. Las nuevas doctrinas filosóficas que circulaban por Europa penetraron en España y sirvieron de inspiración a los gobernantes y a los intelectuales. En términos generales se puede afirmar que una minoría directora intentó revitalizar el país con las nuevas ideas europeas sobre reformas culturales, económicas y sociales. Lo triste es que esta revolución "desde arriba" no siempre respetaba los gustos y tradiciones del pueblo.[8]

LA LITERATURA

La influencia del neo-clasicismo francés, predominante en la primera mitad de la centuria y perceptible en toda ella, no dio grandes frutos en España. Juan Meléndez Valdés (1754–1817) y Nicasio Álvarez Cienfuegos (1764–1809) fueron dos poetas dignos de recordar. En el teatro se distinguieron dos escritores de mérito en sus respectivos géneros: Leandro Fernández de Moratín (1760–1828), creador de la moderna comedia de costumbres, y Ramón de la Cruz (1731–1794), autor de graciosos sainetes. La novela está representada por Diego de Torres Villarroel (1693–1770), con su género de autobiografía picaresca, y el jesuita José Francisco de Isla (1703–1781), autor del *Fray Gerundio de Campazas*, que es una ingeniosa sátira contra cierta clase de predicadores. Pero las dos figuras más importantes del siglo fueron Benito Jerónimo Feijoo (1676–1764), el más grande español del siglo XVIII, y Gaspar Melchor de Jovellanos (1744–1811), hombre que sufrió encarcelamiento por algunas de sus ideas. Especial mención merece José Cadalso (1741–1782), quien en sus *Cartas marruecas* hace una crítica social muy acertada de los españoles, señalando como defectos su falta de curiosidad intelectual y su carencia de energía, gastada en tantas aventuras guerreras.

LAS ARTES

La influencia francesa se notó igualmente en las artes. Aunque en *arquitectura* siguió usándose al principio el estilo *churrigueresco*, predominó el neo-clásico francés, al cual corresponden el Palacio Real de Madrid y el de la Granja, cerca de Segovia. También se construyó entonces el edificio del Museo del Prado, tan renombrado por las riquezas artísticas que atesora. Don Ventura Rodríguez y don Juan de Villanueva fueron los arquitectos más conocidos.

La *escultura* decayó grandemente en este período. El espíritu neoclásico y su esclavitud a lo francés e italiano no produjo escultores geniales. El único que se distinguió fue Francisco Salcillo (1707-1781), que mantuvo la tradición de los imagineros en madera policromada. Sus *pasos* de Semana Santa, en Murcia, son bien conocidos, especialmente el del *Prendimiento* y el de la *Oración en el Huerto*.

Como en siglos anteriores, también vinieron a España *pintores* franceses e italianos. Los más importantes fueron Giovanni Tiepolo (italiano) y Rafael Mengs (alemán), decoradores ambos de los varios palacios reales de los Borbones. Con ellos aprendió a pintar el más vigoroso de los pintores universales: Francisco de Goya Lucientes (1746-1828). De recio temperamento y singular inclinación, Goya pronto se apartó del academismo y temas de sus maestros para convertirse en intérprete de la vida española en toda su enorme variedad: en lo que tiene de bello y grotesco, de humorístico y trágico. Con *el Greco* y con Velázquez forma Goya la trilogía excelsa de la pintura española, y en ella encontraron inspiración los impresionistas y expresionistas que aparecieron más tarde en otros países.

Como pintor de dos reyes, Carlos IV y Fernando VII, Goya retrató a las familias reales y a otros personajes importantes de la corte. También pintó cuadros muy dramáticos de la guerra de la *Independencia*, contra las tropas de Napoleón. No hay que olvidar que Goya fue igualmente notabilísimo grabador. En la primera serie de sus grabados titulada *Caprichos* da rienda suelta a su imaginación para satirizar las flaquezas humanas. Según el mismo Goya, "había escogido [para sus *caprichos*] asuntos que se prestaban a presentar las cosas en ridículo, a fustigar prejuicios, imposturas e hipocresías consagradas por el tiempo."

Entre las artes menores hubo manifestaciones de gran valor. Merece citarse especialmente la Real Fábrica de Tapices, para la que dibujó Goya gran número de tapices.

En la música predominó el gusto italiano en las funciones de ópera, aunque también se mantenía el gusto nacional en las *zarzuelas* y composiciones populares. El más famoso de los músicos del siglo XVIII fue el italiano Domenico Scarlatti (1685-1757), que pasó los últimos veintisiete años de su vida en su país adoptivo. Como tantos otros artistas extranjeros llegados a España, Scarlatti no sólo influyó en futuros compositores españoles, sino que él mismo sintió la influencia de la música popular española.

NOTAS

1. Estos dominios eran el Milanesado (ducado de Milán, que estuvo en manos de los españoles desde 1535), Cerdaña, Luxemburgo y Flandes (Bélgica).
2. Los españoles consideran que es absolutamente injusta la actitud de Inglaterra negándose a devolver a España el "peñón de Gibraltar," cuya importancia estratégica es muy pequeña desde que han hecho tantos progresos la aviación militar y la ciencia atómica. Es muy explicable que se considere doloroso y depresivo el dominio de una potencia extranjera sobre una parte, por pequeña que sea, del territorio nacional.
3. Pequeño reino de Italia que comprendía Nápoles y la isla de Sicilia.
4. A consecuencia de la desastrosa política internacional de alianza con Francia y odio a Inglaterra, España sufre en 1805 el desastre naval de Trafalgar y pierde el prestigio que había vuelto a adquirir en el siglo XVIII.
5. Antes habían sido expulsados los jesuitas de Portugal (1759) y de Francia, en 1764.
6. Las "leyes desamortizadoras" tenían por objeto poner en circulación propiedades que antes estaban vinculadas a perpetuidad en lo que llamaban "manos muertas," o sea, instituciones de carácter religioso o civil que explotaban deficientemente la tierra.
7. Estas Sociedades eran Asociaciones de personas de buena voluntad interesadas en promover la economía y bienestar de la nación.
8. Buen ejemplo de esta resistencia a todo cambio es el llamado *Motín de Esquilache* (1766), producido por la antipatía que sentía el pueblo hacia un extranjero, bien intencionado pero decidido a imponer un cambio en la manera de vestir de los españoles: sustituir la capa grande y el sombrero de ala ancha por prendas de menor tamaño. La reacción fue tan violenta en las calles de Madrid que Esquilache se vio obligado a abandonar España y regresar a su país (Nápoles). Buero Vallejo se ocupa de este episodio en su excelente comedia *Un soñador para un pueblo*.

CAPÍTULO XXI

EL SIGLO XIX

LOS CAMBIOS POLÍTICOS

Presenta el siglo XIX caracteres muy especiales. Guerras, revoluciones, cambios de dinastías y de forma de gobierno, sorprenden a primera vista a quien trate de interpretar período tan agitado de la vida de España. Hay, sin embargo, en todo ello causas fundamentales de continuidad histórica.

FERNANDO VII

Al principiar el siglo (1808) Carlos IV se ve en la necesidad de abdicar la corona en su hijo el príncipe Fernando. Pero antes, la torpe política a que le llevó el favorito Godoy había facilitado la invasión de España por los ejércitos de Napoleón Bonaparte.[1] Fernando VII se traslada a Francia y el pueblo español tiene que improvisar un régimen de gobierno y unas fuerzas de defensa contra el ataque de los franceses. Durante la guerra, que se ha llamado de la *Independencia*, se celebraron Cortes nacionales en la ciudad de Cádiz, por las que fue aprobada, en 1812, la primera Constitución escrita que España ha tenido.

Terminada la guerra y expulsado el ejército de Napoleón, vuelve a España Fernando VII (1814) e inmediatamente deroga la Constitución de Cádiz. Implanta otra vez la monarquía absoluta, encarga del gobierno a los políticos más reaccionarios y principia una terrible persecución contra los hombres de ideas liberales. Surgen varias rebeliones militares que son

LA PLAZA DE LA CIBELES. Vista aérea de la famoza plaza madrileña.

reprimidas duramente, pero al cabo triunfa la del general Riego (1820) que obligó al rey a nombrar un gobierno liberal. Siguieron otros ministerios liberales, cuya acción dificultaba el rey con sus intrigas, pero no pudiendo expulsarlos del poder, llama Fernando en su auxilio a los monarcas absolutistas de Europa, quienes envían un ejército, que se ha denominado los *Cien mil hijos de San Luis,*[2] que restableció otra vez en España el régimen despótico, encargando del gobierno a los políticos reaccionarios y comenzando otro período de feroz persecución de los liberales.

Durante el primer cuarto del siglo se produjo un hecho muy importante, que fue el movimiento de independencia de las colonias españolas de América. Por su virtud quedaron todas liberadas de la soberanía de España, excepto las islas de Cuba y Puerto Rico.

Falleció Fernando VII en 1833. Los historiadores lo juzgan con gran severidad. Fue un hombre vil y un gobernante odioso, al que muchos llaman el "rey felón." Su muerte planteó un difícil problema de sucesión, pues sólo dejaba dos hijas de corta edad. Nombró heredera a la mayor, princesa Isabel, y Regente del reino a la reina viuda, María Cristina.

ISABEL II

Al ser proclamada reina la princesa Isabel los absolutistas se opusieron, invocando la Ley Sálica, y apoyaron la candidatura del príncipe don Carlos,[3] hermano de Fernando. Lanzaron así al país a una guerra espantosa, la guerra *carlista,* que duró seis años y terminó por un convenio de los generales de ambos ejércitos, reconociendo como reina a Isabel II.[4]

Tuvo la Regente que renunciar a su cargo en 1840, y le sustituyó en él el general Espartero, pero éste, ante las dificultades políticas, dimitió en 1843. Entonces las Cortes declararon mayor de edad a Isabel II, quien por ello se hizo cargo de las funciones de soberana cuando aún no había cumplido catorce años. Principió entonces una etapa de gobierno reaccionario. En 1846 la joven reina contrajo matrimonio con su primo Francisco de Asís, que era el más incapaz de sus pretendientes, afeminado y beato. El régimen monárquico se convirtió pronto en un tejido de intrigas vergonzosas, a las que daban lugar, de un lado, las veleidades amorosas de la reina, y de otro la influencia de las *camarillas* de Palacio, compuestas de eclesiásticos, monjas, generales y aristócratas, que estaban por encima del Consejo de Ministros.

Bajo la presión de un movimiento popular, Isabel II entregó el poder a los liberales, quienes gobernaron de 1854 a 1856, pero luego se volvió a la política reaccionaria, acompañada de tal inmoralidad que no sólo los liberales sino las personas celosas de la dignidad y del decoro se pusieron frente a la dinastía. Al cabo estalla la revolución de septiembre de 1868, que destrona a Isabel II. A esta revolución se le dio el nombre de *La Gloriosa*.

LA DINASTÍA DE SABOYA

Vacante el trono, se nombra un gobierno provisional y se convocan las Cortes Constituyentes, que aprueban una Constitución de espíritu francamente liberal y democrático. Se conservaba en ella la forma monárquica de gobierno y fue elegido rey el príncipe don *Amadeo* de Saboya, hijo del monarca de Italia, quien ocupó el trono en 1871. La situación nacional era muy difícil, y al convencerse don Amadeo de que no podría tener éxito en su reinado, renunció la corona el 11 de febrero de 1873.[5] Inmediatamente el Congreso, aunque en él había mayoría monárquica, proclamó la República.

LA REPÚBLICA

El régimen republicano tuvo que hacer frente a una gran oposición y a las complicaciones derivadas de una segunda guerra *carlista*, de la división de los republicanos en unitarios y federales, de la indisciplina militar y de la demagogia de las masas no preparadas para el ejercicio de la ciudadanía política. El militarismo, que varias veces había perturbado la vida nacional con sus *pronunciamientos*,[6] hizo su aparición, y el general Pavía disolvió por la fuerza el Congreso el día 3 de enero de 1874. Así terminó la primera República Española.

LA RESTAURACIÓN BORBÓNICA

Se nombró un gobierno provisional y principiaron las conspiraciones políticas. Por segunda vez hace su aparición, en el mismo año, el militarismo, y el general Martínez Campos, adelantándose a todas las maniobras monárquicas, al frente de sus tropas formadas en Sagunto (diciembre de 1874), proclama rey al príncipe don Alfonso, hijo de la destronada reina Isabel II.

El nuevo régimen se estableció sobre la base de dos partidos: el liberal y el conservador. Se convocaron unas Cortes y fue aprobada la Constitución monárquica de 1876. Los dos partidos convinieron en alternar en el disfrute del poder y en falsear lo poco que de liberal y democrático había en la Constitución. Comenzó así uno de los períodos más vergonzosos de la vida política de España. Alfonso XII hizo lo posible para atraerse la simpatía de los españoles, pero murió muy pronto, en 1885, víctima de una lesión pulmonar.

LA REGENCIA

Después de la muerte de Alfonso XII nació su único hijo varón (el 17 de mayo de 1886), que fue proclamado rey con el nombre de Alfonso XIII, bajo la Regencia de la reina madre doña María Cristina de Habsburgo. Siguió la misma política de falseamiento de las elecciones y de supresión de las libertades públicas, entregando el poder alternativamente al partido liberal y al conservador. Los propósitos de *defensa de la dinastía* "por encima de todo," llevaron a una anulación de los derechos del ciudadano en el interior, y en el exterior a una absurda política colonial que torpemente condujo a la guerra con los Estados Unidos, por cuya virtud España perdió el dominio de las islas de Cuba, Puerto Rico y Filipinas, las únicas que le quedaban de su imperio colonial (1898). Así terminó para España el tormentoso siglo XIX, bajo la dinastía de los Borbones.

SIGNIFICADO POLÍTICO DEL SIGLO XIX

Para poder explicarnos los movimientos de la agitada vida española en el siglo XIX, es preciso tener en cuenta la influencia de las corrientes ideológicas de liberalismo y la oposición que éstas encontraron tanto por parte de otras ideologías como de los intereses dominantes en la vida nacional. Penetrados de las nuevas ideas que circulaban por Europa, los españoles aspiraban a un régimen de libertad y democracia. Frente a ellos se colocaron, con absoluta intransigencia, el despotismo de la monarquía, la intolerancia religiosa del clero, y la decisión de conservar los privilegios que disfrutaban la Iglesia, la nobleza, el ejército y los propietarios de tierras. Toda la historia del siglo XIX consiste en la lucha del pueblo español contra la oligarquía formada por los elementos mencionados.[7]

El pueblo español deseaba una Constitución, y por ello se redactó la de 1812, pero Fernando VII nunca quiso acatarla. En su tiempo, el clero, que temía las consecuencias del liberalismo, se unió a las maniobras de los absolutistas para apoderarse del poder, y al no conseguirlo del todo, el clericalismo creó un núcleo partidista alrededor del pretendiente don Carlos. La sangre que el pueblo español derramó en la terrible guerra civil promovida por los *carlistas* fue el resultado de tales ambiciones.

Durante la Regencia por la menor edad de Isabel II hubo unos años de gobierno liberal, pero cuando ésta ejerció personalmente la soberanía sus inclinaciones al absolutismo se unieron a la influencia de la *camarilla* clerical y a las ambiciones del militarismo para oponerse a todas las libertades y a todos los derechos de la ciudadanía popular. España vivía con un gran retraso político respecto de otros países de Europa. Vino así la Revolución de 1868, y como consecuencia de ella la Constitución de 1869 estableció un régimen de libertad y democracia, pero al ponerse en práctica se encontró con que grandes masas del pueblo no estaban preparadas para el ejercicio de sus derechos. Terminó el régimen liberal y democrático al caer la República. Volvió el poder a manos de la oligarquía compuesta del rey, del alto clero, de los nobles, de los jefes del ejército, de los dirigentes políticos y de los dueños de latifundios. Pero en 1875 no se concebía en Europa una monarquía absoluta, y por ello se hizo una Constitución para España. No se podían negar teóricamente las libertades políticas ni los derechos del ciudadano, y así se insertó en la Ley fundamental del Estado una especie limitada de "bill of rights." No era posible prescindir del sufragio, y se concedió primero limitado y luego general para los varones. Pero la oligarquía, omnipotente, organizó los partidos turnantes que gobernaban sin ajustarse a la Constitución, impidiendo el ejercicio de los derechos políticos y falsificando el sufragio. A la brutalidad *fernandina* sucedió la perfidia de los *restauradores*.

El período de la Restauración y luego el de la Regencia fueron un indigno atropello y una burla sarcástica de la soberanía popular. La verdadera base de la monarquía restaurada era el *caciquismo*, o sea una organización de *caciques* extendidos por todo el territorio nacional, que aseguraban la mayoría de votos para los candidatos que designaba el gobierno, el cual de este modo triunfaba siempre y disponía de un Congreso absolutamente sometido al partido que estaba en el poder. Así se gobernó a España en el último cuarto del siglo XIX. No hubo más variación que la de acentuar la Regencia el tono militarista y clerical del gobierno, por creer que no podía sostenerse la dinastía sin el apoyo del Ejército y de la Iglesia.

NOTAS

1. Napoleón engañó a Godoy y al rey asegurándoles que pasaría su ejército por España sólo para efectuar la conquista de Portugal, país aliado de Inglaterra. Bonaparte aspiraba realmente a dominar toda la Península.

2. Este ejército de 100.000 hombres fue enviado por el rey de Francia, Luis XVIII, para ayudar a Fernando VII y destruir la constitución liberal de 1820. El general Riego fue ejecutado y miles de liberales emigraron para huir de la persecución absolutista de 1823. También emigró el pintor Goya, que murió en Burdeos (Francia) en 1828.

3. Según la *Ley Sálica*, establecida por Felipe V, quedaban excluidas del trono las hembras. Pero Fernando VII cambió la ley al no tener hijos varones.

4. Las guerras *carlistas* tuvieron más bien que un motivo dinástico un motivo ideológico, por representar don Carlos las tendencias absolutistas y reaccionarias frente al supuesto liberalismo de los partidarios de la niña Isabel. Sin embargo, sea por lo que sea, aun hoy hay pretendientes de esa rama de los Borbones al trono de España.

5. El rey Amadeo demostró ser un joven sincero, democrático y fiel cumplidor de sus deberes constitucionales. Pero su renuncia al trono era inevitable desde el momento que pisó tierra española: su protector, el General Prim, fue asesinado aquel mismo día por un anarquista en las calles de Madrid.

6. Se llamaba *pronunciamiento* al acto de rebelión de un jefe militar, que se "pronunciaba" en favor de determinada política.

7. Los elementos que tradicionalmente venían gozando de los bienes y privilegios en España se agruparon alrededor de la monarquía para mantener a toda costa sus ventajas. Formaron así una oligarquía, que se disfrazó de régimen constitucional y parlamentario.

CAPÍTULO XXII

LA VIDA CULTURAL EN EL SIGLO XIX

LA ENSEÑANZA

Es fácil explicarse el hecho de que durante el siglo XIX no progresara mucho la enseñanza. Respondía al sistema de instrucción costeada, regulada y dirigida por el Estado. Desde 1870 el Bachillerato se ha cursado en los Institutos de segunda enseñanza. Todas las Universidades conferían los grados de licenciado, pero el de doctor se reservaba a la de Madrid exclusivamente.[1] La instrucción primaria estaba bastante desatendida por no haber suficiente número de escuelas.

EL ATENEO DE MADRID Y LA INSTITUCIÓN LIBRE DE ENSEÑANZA

Por sus grandes servicios a la cultura, deben mencionarse especialmente estas dos gloriosas instituciones. El Ateneo fue en el siglo XIX y luego en el XX la tribuna de mayor prestigio en la vida intelectual de España. Todos los gobiernos respetaron la libertad y la dignidad de sus oradores, incluso en períodos de gran restricción en los derechos políticos. La biblioteca del Ateneo era una de las mejores de la nación.

Las doctrinas más acertadas y progresivas en materia de educación fueron las que inspiró la Institución Libre de Enseñanza, independiente en absoluto del Estado. Fue fundada por don Francisco Giner de los Ríos, a quien se debe el establecimiento de sistemas docentes de carácter liberal y verdaderamente pedagógico, que han sido muy beneficiosas para el renacimiento cultural de España desde fines del siglo XIX y principios del XX.

LA FILOSOFÍA

La filosofía tuvo dos direcciones principales. La católica, representada principalmente por Jaime Balmes, y la *krausista*, desarrollada por el profesor de la Universidad de Madrid Julián Sanz del Río.[2] En el krausismo se formaron intelectuales tan distinguidos como los profesores Salmerón, Castelar, Giner de los Ríos, Azcárate, Altamira y otros. A estas doctrinas se debieron las corrientes de liberalismo que germinaron en la España moderna.

LOS PENSADORES

Las circunstancias de la nación a fines del siglo XIX dieron origen a las actividades de un grupo heterogéneo de pensadores que fueron como los precursores de la *Generación de 1898*. Citaremos los más destacados. Sanz del Río (1814–1869), introductor de la filosofía krausista. Giner de los Ríos (1839–1915), educador, catedrático de filosofía del Derecho, quien con su ejemplo y sus enseñanzas aleccionó a varias generaciones de intelectuales inspirados en los principios de la libertad del pensamiento y de la estricta observancia de la ética. Cossío (1858–1935), gran educador también y excelente crítico de arte. Costa (1844–1911), el patriota apasionado que removió el alma nacional. Angel Ganivet (1865–1898), el original autor del *Idearium Español*. La dirección católica estuvo representada por Donoso Cortés (1809–1853), fogoso apologista de la religión, y más tarde por Menéndez y Pelayo (1856–1912), que defendió siempre las doctrinas de la Iglesia.

LA LITERATURA

Hubo en los principios de siglo un período de transición desde el neo-clasicismo anterior, al romanticismo. Representan la tendencia romántica: el Duque de Rivas (1791–1865) en el teatro, con *Don Álvaro o la fuerza del sino*; Espronceda (1808–1842), autor de *El Estudiante de Salamanca*, en la poesía; y Enrique Gil (1815–1846) en la novela, con su excelente obra *El Señor de Bembibre*. Famosísimo como escritor romántico, poeta y dramaturgo, fue José Zorrilla (1817–1893), cuyo *Don Juan Tenorio* se representa todavía.

Se manifesta el costumbrismo en otros escritores de la misma época, como Bretón de los Herreros, Serra, Rodríguez Rubí, Mesonero Romanos y Estébanez Calderón. Y en la evolución del teatro debemos citar a Ventura de la Vega, López de Ayala y Tamayo y Baus.

La poesía post-romántica ofrece dos grandes figuras: Bécquer (1836–1870), el lírico de mayor inspiración y delicadeza de todo el siglo; y

LA SAGRADA FAMILIA (Barcelona). Iglesia que empezó a construir el arquitecto catalán Antonio Gaudí (en 1882) y que todavía está sin terminar.

Rosalía de Castro (1837–1885), poetisa de profunda raíz sentimental. Los dos poetas más famosos del último tercio del siglo fueron Campoamor (1817–1901), de tendencia filosófica y humorística, y Núñez de Arce (1839–1903), de tono ideológico y caudaloso.

La figura predominante en el teatro durante el último cuarto de siglo fue José de Echegaray (1832–1916), fecundo dramaturgo muy popular en su tiempo. Por entonces se distinguieron también Sellés, Felíu y Codina y Dicenta; además en el llamado *género chico*[3] tuvieron mucho éxito Ricardo de la Vega, Luceño, Burgos, Ramos Carrión y algunos otros.

La segunda mitad del siglo XIX aportó a la literatura española una magnífica producción novelística. Principia con Pedro Antonio de Alarcón (1833–1891) autor de una verdadera joya, *El sombrero de tres picos*, y de otras obras de menos valor; y sigue con los escritores del realismo costumbrista, de tono regional, que fueron José María de Pereda (1833–1905) el insuperable pintor de paisajes y tipos santanderinos en *Peñas Arriba*, *Sotileza* y muchas más; y Juan Valera (1824–1905), notable humanista, que escribió *Pepita Jiménez* y otras novelas primorosas.

La novela realista llega a la cumbre, con un ámbito nacional, en la producción de Benito Pérez Galdós (1845–1920), genial creador de un mundo imaginado lleno de vida y expresión. *Fortunata y Jacinta* representa plenamente el arte magnífico de este gran novelista, sólo superado por Cervantes. Además de sus numerosas novelas y de la monumental serie de los *Episodios Nacionales*, de carácter histórico, fue Galdós autor de obras teatrales que inician la renovación de la literatura escénica en España.

La tendencia naturalista, de tono moderado, está representada por dos buenos escritores: Emilia Pardo Bazán (1852–1921) cuya obra maestra se titula *Los Pazos de Ulloa*, de ambiente gallego; y Leopoldo Alas (1852–1901), que hizo famoso su seudónimo "Clarin," autor de *La Regenta*, novela excelente, y de otras narraciones de ambiente asturiano.

Ejercieron la crítica literaria en este período del fin de siglo tres escritores ya citados como novelistas: Valera, Alas y la condesa de Pardo Bazán. También fue extraordinario crítico, en el sentido de la historiografía literaria, Menéndez y Pelayo, el portentoso erudito cuya obra causa verdadero asombro por su grandiosidad y valía.

LA ORATORIA

Se cultivó la oratoria con gran brillantez en el siglo XIX. Las circunstancias políticas crearon muchas oportunidades para que la palabra hablada se manifestase con pasión, inteligencia y eficacia. Llegó la elocuencia a las más altas cumbres en las Cortes Constituyentes de 1869, donde hubo muchos oradores notabilísimos entre los cuales sobresale

JOSÉ DE ESPRONCEDA,
poeta romántico.

Emilio Castelar, que fue en la pasada centuria uno de los más grandes tribunos de Europa. Hubo además oradores magníficos en el Ateneo, en las Academias y en el Foro.

EL PERIODISMO

Fue la prensa una importante fuerza política y un gran elemento cultural en la España del siglo XIX. No eran periódicos de empresa los de entonces, sino más bien órganos de un partido o de una tendencia ideológica, que vivían con grandes dificultades financieras. Siempre han colaborado en la prensa diaria española los más distinguidos literatos y ello daba a los periódicos un gran valor cultural.

LAS ARTES

Puede decirse que no fue un siglo de grandes desenvolvimientos ni de notables novedades en materia de *arquitectura*, aunque por tratarse de tiempos modernos se construyó mucho. Entre los edificios importantes construidos en el siglo pasado merecen citarse especialmente el Palacio del Congreso, la Biblioteca Nacional, el edificio de la Academia Española, el Banco de España y otros, en Madrid. En Barcelona, el edificio de la vieja Universidad, el Palacio de Justicia y el de la Música.

Un arquitecto catalán que demostró extraordinaria originalidad fue Antonio Gaudí (1852–1926). Su estilo ha sido muy discutido y criticado, pues no hay nada en el mundo que se le parezca. Su obra cumbre es la iglesia de la *Sagrada Familia*, empezada en 1882 pero nunca terminada.[4] De las tres fachadas que había de tener el edificio, Gaudí solo pudo terminar una, la que causa admiración y asombro a cuantos la contemplan por la combinación de elementos que emplea el arquitecto: góticos, mudéjares, barrocos y modernos. Todo en esta fachada es asimétrico, de líneas contorsionadas y con decoraciones de animales y pájaros. Lo que más llama la atención en la parte más alta y entre las dos torres es un árbol de Navidad, hecho de piedra pintada de rojo y verde.

En *pintura*, el siglo XIX lo abrió Goya y lo cerró Joaquín Sorolla (1863–1923), notable pintor por los colores brillantes de su paleta.[5] Entre ambos ocupan lugar menos importante pintores de cuadros históricos, como Eduardo Rosales y Moreno Carbonero, y pintores de escenas costumbristas y de paisajes entre los que se destaca Mariano Fortuny (1838–1874). Otro pintor que se dio a conocer a fin de siglo y que adquirió mucha fama en su tiempo fue Ignacio Zuloaga (1870–1945), cuyos colores sombríos contrastan con los brillantes de Sorolla. Pintó retratos de toreros, gitanos, campesinos y de muchos hombres de la generación del 98.

En cuanto a la *música*, continuó la afición a la ópera italiana, contra la que a mediados de siglo empezó a manifestarse una reacción españolista en forma de zarzuelas. Hilarión Eslava (1807–1878) se distinguió como compositor de música religiosa. A José Anselmo Clavé (1824–1874) se le debe la organización de las primeras Sociedades Corales de España. El catalán Felipe Pedrell (1841–1919)—musicólogo y compositor—fue el padre espiritual de muchos de los compositores que le sucedieron. Pero el que más contribuyó a revitalizar la música popular española fue F. Asenjo Barbieri (1823–1894) con su obra *Cancionero musical de los siglos XV y XVI* y con varias zarzuelas. Zarzuelistas ya conocidos a fines de este siglo fueron Tomás Bretón (1850–1923) y Amadeo Vives (1871–1932), compositores respectivos de las famosas zarzuelas *La verbena de la Paloma* y *Doña Francisquita*.[6]

Entre los instrumentalistas tuvo fama mundial el violinista Pablo Martín Sarasate (1844–1908), que todos los años regresaba a su tierra natal (Navarra) para dar un concierto durante las fiestas de San Fermín.

La *escultura* tuvo poco desarrollo en este período. Existen, sobre todo en Madrid, numerosas estatuas, fuentes y bustos; pero el único grupo escultórico que despierta algún interés es el monumento a Alfonso XII, esculpido por Mariano Benlliure (1868–1947) en el Parque del Retiro, en Madrid.

NOTAS

1. Hoy casi todas las Universidades españolas están capacitadas para conferir el doctorado.
2. Sanz del Río, enviado por el Gobierno a Alemania para estudiar filosofía, fue allí discípulo de Krause. Al volver a España tuvo a su cargo la cátedra

de Filosofía en la Universidad de Madrid y creó una rama española de filosofía krausista que fue más importante que el original tronco alemán.

3. Se llamó *género chico* a cierta clase de obras teatrales, muchas de ellas de un acto, casi siempre con música, de tono popular y humorístico, en que se permitían algunos atrevimientos de lenguaje y situación.

4. La Asociación de Amigos de Gaudí está recogiendo fondos para terminar esta obra de acuerdo con los planos del arquitecto. A pesar del gran entusiasmo de los catalanes, mucho se teme que pasarán muchos años sin lograr el proyecto.

5. Para conocer la obra de Sorolla es indispensable una visita a la Hispanic Society de New York. Allí se encuentran grandes cuadros en que el artista pinta tipos y costumbres de muchas de las regiones españolas.

6. El género de *zarzuelas* produjo creaciones de verdadero sabor popular, a veces con partituras de difícil ejecución que ofrecían oportunidad al lucimiento de grandes artistas de canto.

CAPÍTULO XXIII

LOS PROBLEMAS FUNDAMENTALES DE LA ESPAÑA MODERNA

EL PROBLEMA REGIONALISTA

Como ya se ha explicado en capítulos anteriores, el territorio nacional fue reconquistado de los musulmanes por la acción guerrera que separadamente realizaron varios reinos cristianos. Cada uno de éstos se desarrolló durante la Edad Media con una personalidad independiente que produjo caracteres y elementos distintos, y entre ellos las varias lenguas. Al propio tiempo que el romance castellano y el galaico-portugués se formó el romance catalán hablado en los dominios del conde de Barcelona. Cataluña tuvo así su lengua peculiar, que ha sido y es la principal característica de su individualidad como pueblo hispánico. En el orden político, en el administrativo y en el jurídico, unos fueros especiales, los *fueros catalanes*, seguían siendo, a la vez que la lengua, la expresión típica de su personalidad y de su vitalidad como pueblo.

La hegemonía de Castilla y del idioma castellano sobre toda la nación española, afirmada especialmente bajo los Austrias y continuada bajo los Borbones, se tradujo en pérdida parcial de los fueros catalanes y en un sentido de unificación de todo el país bajo la cultura y la lengua del pueblo español predominante, que era Castilla. Cataluña se castellanizó hasta cierto punto, como toda España, y en el siglo XIX las corrientes centralistas y uniformistas se impusieron sobre las particularidades regionales de los catalanes.

Pero la fusión de Cataluña con los demás pueblos hispánicos nunca fue completa, y los catalanes se lamentaban de lo que ellos creían una injusta preponderancia de Castilla en la dirección de la vida nacional. Por otra parte, Cataluña, que siempre fue más industrial y comercial que el resto de España, se enriqueció durante la segunda mitad del siglo XIX, y su prosperidad económica, su adelanto cultural y su tradición histórica hicieron revivir en los catalanes el sentido nacionalista, que los llevó a pedir una mayor autonomía en el gobierno de Cataluña.

El movimiento nacionalista de las provincias vascongadas era algo distinto. Se caracterizó siempre por un sentido exageradamente tradicionalista y antiliberal, que los vascos pusieron de relieve en su fanática contribución al carlismo.[1] La lengua, el vascuence, fue sólo idioma vernáculo, sin las manifestaciones literarias que tuvo el catalán.

En todo caso, las aspiraciones autonomistas de catalanes y vascos debieron ser estudiadas y discutidas en un ambiente de cordialidad patriótica, para concederles todo lo que fuera compatible con la unidad nacional de España. Pero nada se hizo. La monarquía tuvo una actitud absolutamente negativa, reforzada por la del Ejército, que consideraba antiespañol todo movimiento regionalista.

EL PROBLEMA DE LOS LATIFUNDIOS

Como ya hemos dicho, durante la Reconquista, las grandes casas nobiliarias, de una parte, y los obispados, iglesias y monasterios, de otra, se hicieron dueños de las tierras de pueblos enteros, convirtiéndose así en señores de cuantiosos dominios territoriales. Tales propiedades eclesiásticas fueron aumentando por virtud de donaciones y legados piadosos, al propio tiempo que los matrimonios entre herederos de dominios nobiliarios concentraban la posesión de las tierras en muy pocas manos. Por otra parte, al fundarse ciertas instituciones de beneficencia y de enseñanza se las dotaba con propiedades que no podían venderse y cuyas rentas cubrieran los gastos de sostenimiento. Llegó así un tiempo en que la casi totalidad de las tierras de España pertenecía al rey, a los nobles y a las llamadas "manos muertas,"[2] eclesiásticas o civiles.

En tal situación, los campesinos no cultivaban tierra propia, sino que la que trabajaban, como siervos o arrendatarios, pertenecía a las clases privilegiadas, que no necesitaban intensificar mucho la producción, pues sus rentas eran siempre cuantiosas. Al crecer la población de España en el siglo XVIII se presentó el problema de desamortizar la propiedad de las tierras[3] para hacerlas más productivas y facilitar su adquisición por los campesinos. Por ello el liberalismo del siglo XIX pedía como reforma imprescindible la desamortización de las tierras pertenecientes a "manos muertas," con objeto de promover la circulación de la riqueza y conseguir mayor rendimiento.

UNA IGLESIA PROTESTANTE EN MADRID. Como signo de libertad religiosa, se permite ahora a los templos no católicos el uso de signos exteriores para anunciarse.

Al cabo se decretó la desamortización y se vendieron las tierras antes poseídas por la Iglesia y las instituciones docentes y benéficas, pero los compradores fueron no los campesinos, sino especuladores y personas de pocos escrúpulos, que de este modo se enriquecieron rápidamente y acumularon en sus manos extensas propiedades. Continuaron así, aunque con otros dueños, los funestos latifundios. Por tal motivo en la mitad sur de España, que es donde abundan las grandes concentraciones de tierras en pocas manos, existe desde mediados del siglo XIX un gravísimo problema agrario, para cuya solución nada se hizo por la monarquía.

EL PROBLEMA DE LA LIBERTAD RELIGIOSA

Desde la Revolución de 1868 el liberalismo español inscribió en sus programas entre otros postulados, que parecían indispensables, la libertad de cultos para todas las religiones, la separación de la Iglesia y del Estado, la limitación de las órdenes religiosas, la neutralidad o laicismo en las escuelas públicas, el matrimonio civil, la secularización de los cementerios y algunas otras medidas de menor importancia. Todo esto parecía, en la España de entonces, de un radicalismo revolucionario verdaderamente espantoso, aunque disposiciones semejantes existían, desde muchos años antes, en los Estados Unidos y en otros países, excepto la limitación de las órdenes religiosas cuyo número sólo allí constituía problema.

La Constitución de 1876 fijó la situación legal mediante tres declaraciones básicas: 1ª La religión católica, apostólica y romana es la religión del Estado. La Nación se obliga a mantener el culto y sus ministros. 2ª Nadie será molestado en territorio español por sus opiniones religiosas, o por ejercicio de su respectivo culto, salvo el respeto debido a la moral cristiana. 3ª *No se permitirán, sin embargo, otras ceremonias ni manifestaciones públicas que las de la religión del Estado.* Estas han sido las normas vigentes en España hasta el año 1923, en que rigió la Constitución. Muchos liberales no estaban conformes con que el Estado tuviera una religión oficial, ni con que no se autorizara la plena libertad de cultos para todas las religiones. Por otra parte, los obispos rechazaban hasta la mera tolerancia de cultos no católicos aun practicados sin publicidad. Pero la fórmula constitucional quedó firme, si bien se dieron a ella diversas interpretaciones gubernativas.

La realidad era que no se perseguía a los españoles que estaban fuera de la religión católica, pero en ciertas esferas sociales había contra ellos manifiesta discriminación. La no publicidad de cultos distintos del católico se llevó a efecto con tal rigor que hasta se prohibía a las iglesias protestantes ostentar en el exterior rótulo alguno, y ni aun podían colocar en la fachada una cruz cristiana. Tampoco se les permitía anunciar en la prensa los servicios del culto. Los españoles no católicos—que aumentaron mucho en número en la segunda mitad del siglo XIX y aún más en el XX—no ingresaban en otras religiones, sino que se convertían en agnósticos o indiferentes, pero en general eran anti-clericales y muchos de ellos anti-católicos. También había buen número de católicos liberales, asimismo anticlericales, y el conjunto de todos estos elementos formaba una corriente de opinión que exigía las reformas de secularización[4] antes indicadas.

EL PROBLEMA DEL MILITARISMO

Las luchas por el poder en el siglo XIX introdujeron en la política a los generales, que sin talento ni cultura gobernaron a España en largos períodos. De ellos, sólo Prim tenía talla de estadista. Fue un general, Pavía, quien disolvió por la fuerza las Cortes de la primera República; y fue otro general, Martínez Campos, quien, al frente de sus tropas, restableció la monarquía en la persona de Alfonso XII. Los generales fueron desde el primer momento personajes influyentes en la corte del joven rey. Cuando éste murió, su viuda, la reina Regente, procuró atraer más y más a los militares, a quienes consideraba el mayor apoyo de la dinastía. En cambio de la adhesión de los jefes del ejército y de la marina, se les otorgaron los mayores privilegios y ventajas que en aquel tiempo

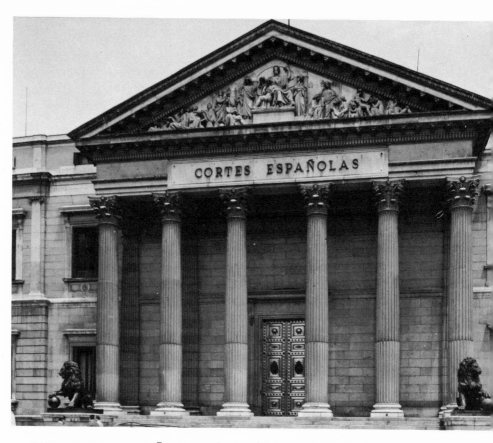

PALACIO DEL CONGRESO. Se construyó este edificio en el siglo XIX para que en él se instalara el Congreso de los Diputados.

era posible conceder. Se impuso así un militarismo de casta, orgulloso, absolutista, enemigo de la libertad y de la democracia, desdeñoso de la opinión pública, que se consideraba a sí mismo no ya el brazo armado de la nación, sino el cerebro, el corazón y la espina dorsal de la patria.

El rey niño no tuvo hasta dos años antes de su mayoría de edad otros profesores que clérigos y militares. Sólo dos años antes de su coronación llevaron a Palacio un profesor universitario de ciencia política para que le explicara algo de las funciones de gobernar. Educado en tal ambiente, el joven Alfonso XIII se creía un rey por derecho divino, con poderes absolutos por encima de la farsa del parlamentarismo, seguro de que su corona no corría peligro alguno mientras contara con el favor del Ejército. Por ello desde el primer momento procedió no como rey constitucional, sino como gobernante que deseaba ejercer un poder personal efectivo. Así fueron los resultados.

NOTAS

1. El *carlismo*, que se inspiraba en el absolutismo antiliberal, recibió gran parte de su fuerza de la población de las Provincias Vascas y de Navarra, que fueron las bases más importantes de sus operaciones de guerra.

2. Se llamaban *manos muertas* a las instituciones religiosas o eclesiásticas y a los establecimientos civiles de enseñanza, beneficencia, asistencia social, etc., que poseían a título perpetuo, es decir, sin poder venderlos, gran cantidad de bienes inmuebles.

3. Por *desamortización* se entendía la venta de las propiedades pertenecientes a las *manos muertas*, para que entraran en las normas generales de circulación y explotación de la riqueza nacional.

4. *Secularización* significaba que la enseñanza primaria y los cementerios quedaran fuera de la influencia o de la autoridad de la Iglesia.

CAPÍTULO XXIV

EL REINADO DE ALFONSO XIII

LA OLIGARQUÍA

El reinado personal de Alfonso XIII, que principia con el siglo, representa el fracaso definitivo de una dinastía que ha traído el infortunio al pueblo español. El sistema de gobierno que la Restauración borbónica implantó era una oligarquía en la que compartían el poder, para ejercerlo en beneficio propio, el rey, los nobles, los jefes militares, el alto clero, los terratenientes y los dirigentes políticos. No puede negarse que la mayor parte de los dirigentes políticos eran personalmente honrados y que muchos tuvieron aciertos parciales muy estimables, pero los vicios fundamentales del régimen esterilizaban las buenas obras. La oligarquía, en conjunto, no se preocupaba más que de defender al monarca, sostenerse en el poder y oponerse a los avances democráticos. Nunca intentó de buena fe dar solución a los graves problemas de España. Por ello, los viejos problemas, agravados con el transcurso del tiempo, y los problemas nuevos, que el siglo XX creaba, se manifestaron con caracteres muchas veces inquietantes.

EL CLERICALISMO

Desde principios del siglo XX se notó un fuerte movimiento anticlerical. El gran número de religiosos de uno y otro sexo y la influencia del clero en la política suscitaron las repetidas y enérgicas protestas de importantes elementos políticos que consideraban un peligro para la nación y para las libertades ciudadanas el predominio eclesiástico. Algunos gobernantes del partido liberal intentaron poner un límite al número y a las actividades de las órdenes religiosas sometiéndolas a una ley especial, pero al cabo nada se hizo.

LOS EXCESOS DEL MILITARISMO

El problema catalanista tuvo un planteamiento político con el triunfo electoral de los candidatos que abogaban por una amplia autonomía regional para Cataluña. En relación con el catalanismo, pronto la imprudencia del militarismo suscitó nuevas dificultades de verdadera gravedad. Un grupo de oficiales del ejército asaltó la redacción de un periódico de Barcelona (1905) que había publicado una caricatura calificada por ellos de ofensiva. Los militares en general se solidarizaron con los de Barcelona y obligaron al gobierno a que se dictara una ley por la que quedaban sometidos a la jurisdicción militar los supuestos delitos contra la patria y el ejército (1906). Los partidos catalanistas, los republicanos, los sindicatos obreros y toda la opinión liberal de España se sintieron agraviados por tan absurda ley, llamada "Ley de Jurisdicciones." La lucha contra ella, que duró muchos años, fue otro de los motivos de inquietud política constante.

EL PROBLEMA DE MARRUECOS

Tuvo España desde principios de siglo su "problema de Marruecos," que consistía en frecuentes ataques de los moros contra las fuerzas españolas. En 1909 el gobierno decidió enviar a Marruecos tropas de la reserva, provocando con ello una protesta popular de la que en Barcelona se aprovecharon los anarquistas y otros elementos revolucionarios para quemar iglesias y cometer toda clase de atrocidades durante la llamada *semana trágica.* Hubo por parte del gobierno una represión severa, y en ella se condenó a muerte a un educador laico, Francisco Ferrer, considerándolo jefe del movimiento, sin que realmente hubiera pruebas de su culpabilidad. La ejecución de Ferrer, castigado más por sus ideas que por sus actos, dio motivo a grandes campañas contra el régimen español tanto dentro del país como en el extranjero.

EL TERRORISMO

Predominaban en Cataluña los sindicatos obreros de orientación anarquista pertenecientes a la Confederación Nacional del Trabajo (CNT). Por motivos no bien conocidos, principió en Barcelona una serie de atentados terroristas dirigidos muchas veces contra los gerentes de empresas industriales. La situación llegó a ser verdaderamente grave, causando gran alarma a la población. El gobierno nunca trató de resolver el problema del terrorismo. No hizo otra cosa que emplear la persecución implacable y ciega, en la que probablemente se cometieron muchas injusticias.

EL PROBLEMA CATALANISTA

El movimiento catalanista no era solamente una lucha política por conseguir la autonomía regional, sino que también significaba una oposición contra el régimen, y por ello en varias ocasiones tuvo la cooperación activa de otros partidos no catalanes. Tal sucedió en 1917, cuando por iniciativa de los representantes catalanes se celebró en Barcelona una Asamblea de Parlamentarios, a la que asistieron también legisladores de otras regiones de España. El problema catalanista no tuvo solución dentro del régimen monárquico. La actitud inteligente y perseverante de los políticos catalanistas se estrelló contra la incomprensión de la oligarquia y la oposición del militarismo. Lo único que ya tarde se concedió a los catalanes fue una autorización para reunir varios servicios de las cuatro provincias de la región en un organismo común denominado "Mancomunidad" de Cataluña.[1]

EL MOVIMIENTO SINDICAL

El desarrollo de los sindicatos obreros se extendió a toda la nación y especialmente a las zonas industriales. Gran parte de estas organizaciones tuvo una actividad política muy intensa[2] a través del partido socialista, y por efecto de ella, así como de las ideas dominantes en Europa, se aprobó una legislación reguladora del trabajo que fue lo más progresivo de la obra del régimen. Pero todo lo que se hizo favorecía sólo a los obreros industriales, bajo la presión de su fuerza sindical y política. Nada se hizo, absolutamente nada, para mejorar a los obreros del campo, quizá más necesitados de protección que los de la ciudad, y así los jornaleros de los latifundios siguieron abandonados, viviendo en la miseria más espantosa.

LAS JUNTAS MILITARES

Forzoso es reconocer que nada de lo ocurrido en el reinado de Alfonso XIII tuvo tanta gravedad ni causó tanto daño al país como la sindicación de los jefes y oficiales del ejército y de la marina, que un historiador muy ecuánime, el profesor Ballesteros,[3] denomina "el repugnante estallido de las Juntas Militares." Fue un hecho inconcebible e insensato, que no ha ocurrido en ningún otro país. No es admisible la sindicación de las fuerzas combatientes del Estado, y ya sólo por ello

EL OSO Y EL MADROÑO,
estatua instalada en
la Puerta del Sol.
El oso y el madroño
forman parte del escudo heráldico
de Madrid.

habría que condenar a las Juntas Militares. Pero lo peor fue que se convirtieron en un super-Estado, que imponía ciertas disposiciones al gobierno, oponía el veto a otras, exigía el nombramiento de determinados ministros y la dimisión de otros. Fue un período vergonzoso. Cuando los gobernantes no se sometían a los mandatos de las Juntas, acudían éstas a Alfonso XIII, quien ante el temor de perder el apoyo del Ejército obligaba a los ministros a someterse o a renunciar su cargo. Fácil es comprender las deplorables consecuencias de semejante situación de desquiciamiento nacional. El "desmandamiento," como lo calificó un distinguido político, ponía en peligro las bases fundamentales de la organización del Estado.

EL DESASTRE DE MARRUECOS

Nuevas desgracias cayeron sobre España, provocadas por la acción personal de Alfonso XIII. Sin conocimiento del gobierno, el rey ordenó al general Fernández Silvestre que realizara ciertas operaciones militares en Marruecos. Los resultados fueron desastrosos. Derrotadas las tropas españolas por los moros, murieron en el campo de batalla muchos jefes y soldados, quedaron otros prisioneros, y el general, agobiado por la tremenda responsabilidad, se suicidó (1921).

La catástrofe causó profunda impresión en el pueblo español. La opinión pública y los partidos de oposición pedían el castigo de los culpables. El gobierno tuvo que nombrar un juez instructor[4] para que formara expediente en averiguación de lo ocurrido. Del expediente, modelo de exactitud y de imparcialidad, se deducía claramente la responsabilidad del rey, que había obrado fuera de la Constitución.

LA DICTADURA MILITAR

Todo lo relativo al desastre de Marruecos se sabía públicamente y aumentó el número de los enemigos del monarca. Para evitar que saliera a luz su personal culpabilidad, Alfonso XIII se puso de acuerdo con un general de su amistad y confianza, Miguel Primo de Rivera, para que éste se sublevara contra el gobierno. Así lo hizo el general, desde Barcelona, el día 13 de septiembre de 1923. Conforme a lo convenido, el rey llamó a Primo de Rivera y le encargó del gobierno. Se formó entonces un Directorio Militar, constituido por generales y presidido por Primo de Rivera, iniciándose con ello un gobierno de dictadura, con poderes absolutos y supresión de todos los derechos políticos y de todas las libertades del ciudadano. Algún tiempo después sustituyó su gabinete de generales por otro en el que también había hombres civiles, pero su gobierno seguía teniendo el mismo carácter absolutista y dictatorial, con tono marcadamente reaccionario en sus disposiciones. La dictadura se hizo completamente impopular. Algunos políticos monárquicos, despreciados por el rey e injuriados por el dictador, se situaron en la oposición.

Comprendió Alfonso XIII que su trono peligraba, y decidió poner fin a la dictadura despidiendo a Primo de Rivera (1930). Se formó entonces un gobierno presidido por el general Berenguer con el propósito de reanudar la vida política normal, pero los jefes de los partidos se negaron a ello si no se aceptaban previamente ciertas condiciones. No hubo arreglo, y otro general se encargó de formar nuevo gobierno y de celebrar elecciones municipales para designar los miembros de los Ayuntamientos.

LA CAÍDA DE LA MONARQUÍA

La opinión contraria al rey se había extendido por todo el país, y los partidos opuestos al régimen hicieron una campaña electoral muy activa. Al celebrarse las elecciones el día 12 de abril de 1931 sus resultados demostraron que la mayoría de los españoles era antimonárquica. La sorpresa fue grande, hasta para los enemigos del régimen monárquico. Un Comité revolucionario compuesto de delegados de los partidos republicanos exigió que Alfonso XIII renunciara a la corona. El rey se resistía, pero, al ver que no contaba con fuerzas suficientes para imponerse al pueblo, decidió abandonar el trono el día 14 de abril. Inmediatamente Alfonso XIII salía para el extranjero y se proclamó la segunda República.

NOTAS

1. La *Mancomunidad* satisfizo a muy pequeña parte de la opinión de Cataluña y no podía ser una solución adecuada al problema autonomista.

2. La principal fuerza del partido socialista eran los obreros de la Unión General de Trabajadores.

3. *Historia de España*, por Antonio Ballesteros Beretta, Catedrático de la Universidad de Madrid.

4. Se nombró juez, para que formara expediente en averiguación de lo ocurrido, al general Picasso, del cuerpo de abogados del ejército.

CAPÍTULO XXV

LA SEGUNDA REPÚBLICA

LOS PERÍODOS DE LA SEGUNDA REPÚBLICA

Aunque la segunda República se estableció pacíficamente, por virtud del voto democrático, sin que para ello se disparara un solo tiro ni se derramara una gota de sangre, tuvo una existencia muy agitada en todas sus manifestaciones, y en ella pueden distinguirse cuatro períodos: a) la República auténtica del 14 de Abril; b) la República reaccionaria; c) la República del Frente Popular; y d) la República en guerra contra sus enemigos nacionales y extranjeros.

LA REPÚBLICA AUTÉNTICA DEL 14 DE ABRIL

Se proclamó la segunda República el 14 de abril de 1931, acompañada de un verdadero entusiasmo popular. Los españoles creyeron que expulsado de España el último Borbón habría en el país libertad, democracia, justicia y progreso.

El Gobierno Provisional convocó a elecciones para celebrar Cortes Constituyentes cuyo principal objeto sería aprobar una Constitución y unas leyes de la mayor importancia. El resultado de las elecciones dio una gran mayoría al partido socialista y a los partidos republicanos de izquierda.

En la Constitución, del 9 de diciembre de 1931, se establecía un sistema democrático de gobierno y se definieron, con criterio de gran libertad, los derechos fundamentales del ciudadano español. También se dieron soluciones a dos problemas básicos de la nación: el de libertad religiosa y el regionalista.

Dice el artículo 27 de dicha Constitución: "La libertad de conciencia y el derecho de profesar y practicar libremente cualquier religión quedan garantizados en el territorio español, salvo el respeto debido a las exigencias de la moral pública. Todas las confesiones podrán ejercer sus cultos privadamente. Las manifestaciones públicas del culto habrán de ser, en cada caso, autorizadas por el Gobierno. Nadie podrá ser compelido a declarar oficialmente sus creencias religiosas."

Se establecía la completa separación entre la Iglesia y el Estado y se ordenaba que en un plazo máximo de dos años quedara extinguido el presupuesto del Estado en la parte destinada al sostenimiento del culto y del clero. En cuanto a las órdenes religiosas, disponía la Constitución que quedaran disueltas las que imponían, además de los votos canónicos, otro especial de obediencia a autoridad distinta de la legítima del Estado[1] y que las demás se someterían a una ley especial.

Respecto del problema de la autonomía regional, dispuso el artículo 11 de la Constitución que si una o varias provincias limítrofes, con características comunes, acordaran organizarse en región autónoma para formar un núcleo político-administrativo dentro del Estado español, podrían hacerlo mediante en Estatuto propuesto por la mayoría de los Ayuntamientos, aceptado al menos por las dos terceras partes de los electores de la región y aprobado por las Cortes de la República. Cumplidos los requisitos, se aprobó por ley de 15 de septiembre de 1932 el *Estatuto* de la Generalidad[2] de Cataluña, que iba a ser el órgano de gobierno autónomo de la región. El *Estatuto* del País Vasco se aprobó el primero de octubre de 1936, durante la guerra civil.

En cuanto al problema agrario dictó el Gobierno de la República varias disposiciones para mejorar la situación de los campesinos, como fueron las que establecían un salario mínimo, la jornada de trabajo de ocho horas, el retiro obrero y la prohibición de los desahucios. La cuestión básica de los latifundios se reguló en la ley de septiembre de 1932, por la cual había de efectuarse una reforma agraria aplicable a aquellas zonas, sobre todo del sur, donde la tierra estaba concentrada en pocas manos. La ley autorizaba en principio la ocupación temporal de los latifundios, pagando a los propietarios una renta anual del 4 por 100; pero en vista de la rebeldía de éstos se dispuso después la expropiación de la tierra por razones de utilidad pública, sin indemnización a los dueños. Las tierras pasarían a ser propiedad del Estado para dividirlas después en parcelas familiares que se darían en usufructo a los campesinos que las trabajaran.

Owned by the artist, Courtesy The Museum of Modern Art, New York.

GUERNICA. Pablo Picasso refleja en esta impresionante obra de arte la destrucción de Guernica—la ciudad sagrada de los vascos—por los aviones alemanes al servicio del general Franco (1937). Picasso, sin embargo, ha querido expresar algo más: el horror que causan las guerras. El gran acierto del pintor es el de hacernos ver la angustia del pueblo con sólo cabezas aisladas: un toro con un ojo feroz debajo de una oreja, un caballo que relincha desesperado, una mujer con el hijo muerto en brazos, otra mujer con los brazos levantados en actitud de súplica, etc.

Por desgracia, esta reforma agraria nunca entró en efecto por carecer de medios técnicos para ponerla en ejecución.

Otro problema difícil con el que tuvo que enfrentarse el Gobierno de la República fue el de reducir el número de generales y oficiales (800 generales y 21.000 oficiales), excesivos para un ejército de pocos soldados. A los que quisieran retirarse voluntariamente les ofrecía el Gobierno la continuación del sueldo y facilidades para dedicarse a otros empleos. Cerca de la mitad optaron por pedir el retiro; el resto juró fidelidad a la República.

La ley del divorcio que dio la República tuvo gran oposición por parte del elemento católico, aunque en realidad no ofrecía muchas facilidades para la disolución del matrimonio.

LA REPÚBLICA REACCIONARIA Y LA DEL FRENTE POPULAR (1933–1936)

Las dos reformas que más oposición encontraron en el elemento conservador fueron la religiosa y la agraria. La Iglesia se consideraba perseguida, y con cierta razón, mientras los grandes terratenientes y capitalistas vivían alarmados ante la posibilidad de perder sus intereses económicos. En noviembre de 1933 se celebraron nuevas elecciones para renovar el Congreso y obtuvieron gran mayoría los partidos derechistas, no sólo debido a la falta de unión entre las izquierdas, sino a la participación de las mujeres, que por primera vez ejercitaban el voto en España. En consecuencia, se formaron sucesivos gobiernos con elementos conservadores, incluso monárquicos, decididos a deshacer la obra republicana del período anterior.

La represión de varios movimientos de protesta fue tan violenta y cruel que el Presidente de la República se vio obligado a disolver el Parlamento y a convocar nuevas elecciones, que habían de efectuarse el 16 de febrero de 1936. En esta ocasión los partidos de izquierda formaron una coalición o *Frente Popular*[3] y obtuvieron el triunfo, pasando el gobierno a manos de republicanos de izquierda y socialistas. Los meses que siguieron fueron de tanta tensión entre los bandos opuestos que pistoleros de uno y otro lado cometían a diario crímenes de toda índole. En aquel ambiente de nerviosidad política era tanto el desorden y desaliento del país que las fuerzas anti-republicanas creyeron que había llegado el momento de rebelarse contra el régimen constituido. Así comenzó una guerra en que habían de perder la vida un millón de españoles.[4]

LA GUERRA CIVIL ESPAÑOLA Y LA CAÍDA DE LA REPÚBLICA (1936–1939)

El movimiento rebelde, iniciado en las Islas Canarias el 18 de julio de 1936, no triunfó en todas las provincias. En Madrid, Barcelona y

Valencia, las tres ciudades mayores, el heroísmo del pueblo derrotó a los militares sublevados. En general se puede decir que la parte más rica, culta y progresiva de España mantuvo su adhesión a la República. A los pocos meses, sin embargo, se hizo evidente que la República no podría triunfar. Obligada a depender de un proletariado mal armado y abandonada de las democracias europeas y de los Estados Unidos[5] la derrota era inevitable ante un ejército bien organizado y bien aprovisionado de material de guerra que enviaban los dos dictadores, Hitler y Mussolini. Frente a tan poderosos enemigos, la República no recibió otra ayuda que la pequeña de Méjico, la no muy grande, pero bien pagada, de Rusia y la de unos miles de voluntarios internacionales, que individualmente fueron a España para luchar contra el nazifascismo. Madrid se defendió heroicamente con la colaboración de estas Brigadas Internacionales, llegando a poner en vergonzosa huida, en Guadalajara, a los miles de "expedicionarios" italianos que fueron enviados a España.

Pero todos estos actos de heroísmo no bastaron para contrarrestar la superioridad de material de guerra, especialmente el de aviones que mandaba Alemania.[6] Esto permitió al general Franco lanzar una poderosa ofensiva contra Cataluña. Barcelona tuvo que rendirse el 25 de enero de 1939 y pocos meses después el ejército republicano se disolvió. Madrid todavía se resistía, pero para evitar más derramamiento de sangre se formó un Consejo Nacional de Defensa, encargado de negociar una rendición honrosa. Franco no admitió condiciones de ninguna clase y la capital de España hubo de rendirse el 29 de marzo y sufrir las consecuencias de la derrota. Francisco Franco Bahamonde toma entonces el poder absoluto de la nación con los nombres de "Jefe del Estado," "Generalísimo de los Ejércitos" y "Caudillo de Espana."

LA ESPAÑA DISPERSA Y PEREGRINA

Poco después de entregarse Barcelona, empezaron a cruzar la frontera francesca alrededor de 500.000 españoles. El gobierno francés les dio acogida, pero la mayor parte de estos infelices expatriados sólo encontraron refugio en campos de concentración donde sufrieron humillaciones. Más de la mitad regresaron a su patria cuando el pánico de la guerra había pasado. De los que quedaron en Francia, un buen número logró trasladarse a países de América que consintieron recibirlos. Méjico y Chile fueron magníficos en acoger a estos republicanos exiliados. Grupos más pequeños entraron en Venezuela, Argentina, Cuba, Puerto Rico y los Estados Unidos.

Cuando unos seis meses después de terminar la guerra civil española estalló la guerra mundial, algunos de los exiliados españoles decidieron abandonar Francia en la creencia de que sería menos peligroso regresar a su país que esperar la invasión de los tanques alemanes. Los más jóvenes se alistaron a la "Resistencia" francesca y lucharon en todos los frentes. Hubo casos en que se ganaron la admiración y gratitud de las fuerzas americanas.

NOTAS

1. En este caso estaban sólo los jesuitas, quienes no obstante siguieron viviendo en España.

2. La *Generalidad*, nombre que tenía una significación histórica, fue el órgano de las funciones autonómicas de gobierno que se reconocieron a Cataluña. Y esta solución se consideró satisfactoria, por ser descentralizadora sin perjuicio de la unidad nacional y del Estado español.

3. Estas elecciones han sido hasta ahora las últimas en que el pueblo español ha podido expresar libremente su voluntad. El "Frente Popular" estaba integrado por los republicanos de izquierda, los socialistas, los comunistas y los partidos regionales democráticos, que se presentaron formando candidaturas únicas. En el conjunto de las derechas entraron los monárquicos, los carlistas, los latifundistas, los militaristas y los falangistas. En realidad se trataba de una batalla más entre las dos Españas, es decir, entre las dos agrupaciones de españoles (izquierdas y derechas) que iban a disputarse de nuevo el ejercicio del poder.

4. Se calcula que a consecuencia de la guerra España perdió un millón de sus mejores hijos entre los que murieron en el campo de batalla, los asesinados o fusilados, por ambos lados, en la retaguardia y los que salieron expatriados.

5. Los países democráticos no intervinieron en la guerra española por temor a que de tal conflicto surgiera la segunda guerra mundial.

6. Uno de los actos más crueles de la guerra española fue la destrucción de la ciudad de *Guernica* por la aviación alemana, crimen que Picasso perpetuó en su famoso cuadro del mismo nombre. Guernica ha sido siempre para los vascos símbolo de los privilegios y libertades que obtuvieron en 1366.

CAPÍTULO XXVI

EL ESTADO NACIONAL-SINDICALISTA

ESTABLECIMIENTO DEL NUEVO RÉGIMEN

El 1 de abril de 1939 el general Franco dio por terminada la guerra civil española y el 31 de julio se echaron los cimientos del régimen nacional-sindicalista, así llamado por estar basado en el nazismo de Hitler y en el fascismo de Mussolini.

Decididos los nuevos gobernantes a acabar con la demagogia de los últimos días de la República, establecieron un Tribunal de Responsabilidades Políticas que se encargara de purgar los "crímenes políticos" de aquéllos en la oposición. Muchos fueron encarcelados y muchos más fueron "depurados" y perdieron sus puestos. Fue un período verdaderamente angustiador para España. El país estaba moralmente deshecho y económicamente destrozado.

Después vino la II Guerra Mundial y el gobierno, que simpatizaba con los países del Eje, mandó una "Legión" de voluntarios al frente alemán para luchar contra los rusos. Pero con la victoria de las democracias, el país se vio políticamente abandonado. La Organización de las Naciones Unidas (ONU) condenó a España al ostracismo y en Madrid sólo quedaron tres delegaciones diplomáticas. Por añadidura, el Plan Marshall, que extendió su ayuda económica hasta a las naciones vencidas (Alemania, Italia y el Japón), no se aplicó a España donde se pasaba mucha hambre.

De este aislamiento no salió el país hasta 1953. Fue entonces cuando la

FUNES ROBERT

ACUSA

Visión política de una crisis económica

índice

| N.º 230 | PRECIO, 50 PTAS. | MADRID, ESPAÑA |

ESPAÑA, ¿PARA QUIÉN?

Crisis de la economía española, 1968
por Pablo Cantó

Se pone a la venta este número una vez suprimido el artículo «MIEDO» MONARQUICO, que dio lugar a su SECUESTRO judicial.

por J. Fernández Figueroa

En la cubierta de la prestigiosa revista *Indice* apareció un aviso en que se notificaba a los lectores que el Nº 230 (abril 1968) se publicaba sin insertar el artículo "Miedo monárquico," que había sido suprimido por el censor. (Por lo visto aún existe censura en España para ciertas cosas.)

guerra de Corea y el temor al comunismo internacional forzaron a los Estados Unidos a firmar con España un tratado de Bases militares estratégicas que aún continúa. Este simple acto restauró el prestigio del Estado español, y en 1956 España fue admitida a las Naciones Unidas y a otros organismos internacionales. Hoy mantiene el régimen de Franco relaciones diplomáticas o comerciales con casi todas las naciones civilizadas del mundo, incluso con Cuba y con los países al otro lado del "telón de acero." Hay que admitir que en este campo de política internacional el gobierno español ha actuado con acierto y diligencia.

ORGANIZACIÓN DEL ESTADO

Bajo el supuesto de que la España de antes era incapaz de gobernarse, el nuevo régimen suprimió todos los órganos políticos que existían. Así, en adelante sólo se permitió un partido político: la Falange Española,[1] y una sola ideología: el Movimiento Nacional, que representa, colectivamente, el sentir de todos los elementos o grupos que han jurado defender el régimen establecido por el general Franco.

Con una dictadura tan férrea no es de extrañar que se crearan leyes igualmente rigurosas. El conjunto de todas ellas constituyen una democracia "orgánica" que los nuevos estadistas definen como "democracia dirigida o encaminada a proteger la comunidad española contra imprácticas ideologías que amenazan la destrucción de la esencia española." Es evidente, pues, que esta clase de democracia no es "susceptible de una absoluta libertad," como proclamaba Simón Bolívar, ni como la que para Lincoln tiene sus raíces en el "gobierno del pueblo, por el pueblo y para el pueblo." Es simplemente una democracia concebida por un hombre que se cree (con razón o sin ella) salvador de la patria contra los enemigos internos y que, al mismo tiempo, no sólo considera que cumple un deber político sino religioso y moral.[2] A semejanza de los Borbones del siglo XVIII, el general Franco ha deseado "hacer todo por el pueblo, pero sin el pueblo," esto es, ha querido elevar el nivel de vida del español, pero negándole el derecho a criticar sus acciones y a participar directamente en el gobierno del país.

Desde que se instauró el presente régimen con el sostén del Ejército, la Iglesia y la Falange ha reinado en España el orden público. No podía ser de otra manera, pues según las declaraciones del Caudillo en uno de sus discursos de fin de año, habían sido combatidos los "demonios familiares" que rondan al país, es decir, que ya no existen en España "el espíritu anárquico, la crítica negativa, la insolidaridad entre los hombres y el extremismo y enemistad mutua."

"DEMOCRATIZACIÓN" DEL RÉGIMEN

Si se considera que desde 1939 no ha habido en España libertad de enseñanza, de religión, de prensa, de asociación y electoral, se comprenderá que cualquier intento de alteración de las leyes ha de tener gran resonancia. Así se explica que las modificaciones de estos últimos años han ido encaminadas a demostrar al mundo que España está evolucionando hacia una verdadera democracia.[3] Por lo pronto, la *libertad de enseñanza* no existe, pues según el artículo 26 del Concordato entre España y el Vaticano: "En todos los centros docentes de cualquier orden y grado, sean estatales o no estatales, la enseñanza se ajustará a los principios del dogma y de la moral de la iglesia católica. Los obispos ejercerán libremente su misión de vigilancia sobre dichos centros docentes en lo que concierne a la pureza de la fe, las buenas costumbres y la educación religiosa."[4]

La ley de libertad religiosa. En la primera ley religiosa se toleraban otras religiones a condición de no practicar "ceremonias o manifestaciones externas." Modernamente, sin embargo, por la ley del 26 de junio de 1967 se sustituye el principio de tolerancia por el de reconocimiento de la libertad de cultos. Tanto el Jefe del Estado como el Vaticano y el Ministro de Relaciones Exteriores aprobaron el proyecto de ley. Por desgracia, este proyecto cayó en manos de un Comisión especial que si bien reconocía el derecho de otras religiones que la católica a adquirir personalidad jurídica, exigía de ellas obligaciones que contradicen la declaración vaticana sobre libertad de conciencia. Estas obligaciones consisten en tener que inscribirse en el Ministerio de Justicia, declarar el nombre de la iglesia y de cada comulgante y presentar el balance de los libros de contabilidad. Otras medidas restrictivas son la de tener que reconocer que la religión católica es la única del Estado[5] y la de no poder profesar o divulgar públicamente sus creencias. La mitad de las iglesias protestantes, ansiosas de adquirir reconocimiento y personalidad, se han inscrito; las demás se han negado por estimar que la ley no representa auténtica libertad religiosa.

La ley de Prensa e Imprenta. La antigua ley de imprenta sometía todas la publicaciones a una censura previa y "triple," esto es, la ejecutada por el Estado, el Ejército y la Iglesia. En la nueva ley se decreta algo más sencillo: "El Director de un periódico o empresa editorial es responsable de cuantas infracciones se cometan a través del medio informativo a su cargo y responsable solidaria la Empresa propietaria de la publicación."

Al amparo de esta ley se publican hoy cosas que antes hubiera sido imposible.[6] No obstante, existe todavía el peligro de exponerse a interpretar mal las restricciones contenidas en el artículo 2º de la ley. Allí se dice que es recomendable mantener: "el respeto a la verdad y a la moral, a las exigencias de la Defensa Nacional, de la seguridad del Estado y del mantenimiento del orden público interior y la paz exterior." Asimismo se recomienda "el debido respeto a las instituciones y a las personas en la crítica de la acción política y administrativa." Valiéndose de estas restricciones, el Trinunal de Orden Público está capacitado para castigar los delitos que considera infracción de la ley. Muy comentadas en la prensa han sido las severas sentencias aplicadas a un periódico de Madrid y a un semanario de Barcelona. El diario *Madrid* y su Director fueron multados por haber publicado un artículo titulado "Retirarse a tiempo. No al general De Gaulle," y por un editorial que llevaba de título "La ley del silencio." La prestigiosa revista catalana *Destino* fue suspendida por unos meses y a su Director (acusado de propaganda ilegal) se le multó con miles de pesetas. Lo más curioso es que la infracción consistía en haber publicado en la sección de "Cartas al Director" una carta anónima que hacía referencia a la enseñanza del catalán. Esto, según el fiscal, era un ataque "a la unidad de España, el catalán y a Cataluña." Es innecesario añadir que España aún necesita una ley de prensa más abierta si se desea crear la imagen de país progresivo y liberal.

La ley electoral. El sistema legislativo español (mejor conocido con el nombre de "Cortes Españolas") ha estado basado desde los primeros años del presente régimen en elecciones corporativas o de grupos, y no en el sufragio universal que autoriza al pueblo para ejercer su voluntad. Para dar un paso adelante en el camino de la democratización política, las Cortes españolas decretaron una ley en que se autorizan elecciones parciales más o menos democráticas—las primeras de esta clase desde 1936. Pero aunque esta ley ha sido bien recibida por algunos países extranjeros, debe advertirse que el sufragio está restringido a padres de familia, mujeres casadas y a candidatos de probada fidelidad al régimen.[7] Aun así, el decreto electoral del 20 de julio de 1967 está produciendo algunos resultados favorables. Por lo menos, los procuradores elegidos de esta forma están dando algunas señales de independencia política.

La composición de las Cortes es sumamente compleja, aun para los mismos españoles. Hay en ellas 564 procuradores, que para ser breves reduciremos a tres grupos principales:

- 108 procuradores son de elección popular, aunque restringida a cabezas de familia y a mujeres casadas.
- 303 procuradores son elegidos indirectamente por un electorado muy limitado en representación de grupos más numerosos.
- 153 procuradores son designados o natos, es decir, nombrados por derecho propio o en virtud de los altos cargos que ocupan.

Si se quiere ser más exacto, los procuradores pueden agruparse en seis sectores diferentes: el "familiar," el local (i.e., municipios y provincias), el sindical, el profesional, el del "Movimiento" y el de designados y natos.

COMPOSICIÓN DE LAS CORTES ESPAÑOLAS
(Una sola Cámara)

PRESIDENTE

(Designado por el Jefe del Estado)

MESA DE LAS CORTES
2 Vicepresidentes y 4 Secretarios

(Elegidos por los procuradores)

PROCURADORES EN CORTES

Eligidos por:

FAMILIAS	MUNICIPIOS Y PROVINCIAS	SINDICATOS	ENTIDADES CULTURALES	CONSEJEROS NACIONALES	DESIGNADOS Y NATOS
(108)	(115)	(150)	(25)	(102)	(64)

TOTAL: 564

- -

REPRESENTACIÓN FAMILIAR EN CORTES

(Decreto del 20 de junio de 1967)

CABEZAS DE FAMILIA Y MUJERES CASADAS

Eligen:

Por cada provincia (2)	100
Por cada posesión africana (2) (Sahara, Río Muni, Fernando Poo)	6
Por cada plaza de soberanía (1) (Melilla y Ceuta)	2

TOTAL: 108

NOTAS

1. La *Falange* fue un partido creado por José Antonio Primo de Rivera, hijo del dictador del mismo nombre. Murió muy joven, víctima de la guerra, como el poeta García Lorca.

2. Esta clase de democracia nos recuerda otra que alguien llamaba "frailuna." Era la dirigida por un rey de la Casa de Austria que se creía el salvador de la fe y el servidor del bien público, o en otras palabras, que no obraba por interés personal sino para cumplir un deber moral y religioso.

3. En los gobiernos que elige el Caudillo no hay siempre un grupo uniforme de pensantes. En los últimos que ha formado se nota la presencia de ministros pertenecientes al *Opus Dei* y a juzgar por las publicaciones de este partido, sus miembros son los más decididos a modernizar el régimen.

4. No es de extrañar que un extranjero se sorprenda cuando se le dice que todo estudiante español está obligado a seguir un curso de religión desde que entra en la escuela primaria hasta que termina su carrera universitaria.

5. A veces es difícil comprender hoy la insistencia en proclamar la religión católica como la única del Estado. En primer lugar sólo 57.000 españoles pertenecen a otras confesiones: 50.000 protestantes, 6.000 judíos y 1.000 musulmanes. Por otro lado, según las estadísticas publicadas en la revista *Ciervo*, de Barcelona, reproducidas y comentadas después por Julio Manegat en el diario *ABC* (25 mayo, 1968), se demuestra que la tan ensalzada religiosidad española es cada día menos religiosa. Las estadísticas, basadas en una encuesta popular, prueban que sólo un 55 por 100 de los consultados creen en la existencia de Dios; un 70 por 100 admite no asistir a misa los domingos; y un 85 por 100 se considera católico por motivos tradicionales.

6. Véanse los excelentes editoriales y estudios que publica la revista mensual *Cuadernos para un Diálogo*. De interés es también la lectura de un voluminoso informe sobre "La España de hoy," preparado por "Fomento de Estudios Sociales y Sociología Aplicada," publicado en Madrid por *Editorial Euroamérica*.

7. Para ser admitido como candidato a procurador en representación de las familias se requiere una de las siguientes condiciones: (1) Ser propuesto al menos por cinco procuradores; (2) Ser o haber sido antes procurador; (3) Ser propuesto por siete o más de la mitad de los diputados provinciales; (4) Ser propuesto por cabezas de familia y mujeres casadas de las respectivas provincias, en número no inferior a 1.000, o no inferior al 5 por 100 del total según el censo de población.

CAPÍTULO XXVII

Manifestaciones de la cultura en el siglo XX

EL FLORECIMIENTO INTELECTUAL DEL PRIMER TERCIO DEL SIGLO XX

El estado de inquietud en que vivió el pueblo español desde principios de siglo y los frecuentes desaciertos de sus gobernantes no impidieron un gran florecimiento de las actividades intelectuales durante el primer tercio de la presente centuria. Las instituciones de enseñanza, los centros
5   de cultura, las empresas editoriales, el periodismo, todo lo que podía revelar la intensidad de un movimiento intelectual ampliamente compartido, reflejó la espléndida vitalidad de la nación. Procuraremos resumir sus principales manifestaciones.

LAS CIENCIAS

Poco significaría, para dar idea del movimiento científico, citar unos
10   nombres con referencia a cada uno de los ramos del saber. Pero tampoco sería procedente omitir algunos que son mundialmente conocidos. Tal sucede, por ejemplo, con Santiago Ramón y Cajal, el genial investigador de la integración del tejido nervioso; Jaime Ferrán, descubridor de una vacuna contra el cólera; Torres Quevedo, autor de notables
15   inventos; Cierva, que ideó y construyó el primer autogiro. Pero hubo además otras grandes figuras en varias ramas de la ciencia.

LA LITERATURA

A principios de siglo seguían escribiendo dos novelistas procedentes del siglo XIX. Vicente Blasco Ibáñez (1867–1927), muy popular dentro y fuera de España, autor de numerosas obras entre las que se destacan por su mayor mérito las de ambiente valenciano, como *La Barraca*. Y Armando Palacio Valdés (1853–1938), que ha escrito novelas primorosas, como *La Hermana San Sulpicio* y *Marta y María*, en las que la técnica realista se combina con un humorismo suave y cordial.

Al presente siglo corresponden los escritores pertenecientes a la *Generación* llamada de *1898* porque su primordial inspiración literaria estuvo ligada al desastre colonial que España sufrió en esa fecha. Figuran en este notable grupo hombres de letras muy distintos entre sí que representan los cuatro principales géneros literarios: la novela, la poesía, el teatro y el ensayo. Citaremos los seis más notables.

Pío Baroja (1872–1956) tipifica la marcha del realismo español en la novela, con una técnica original, impresionista, de sentido marcadamente dinámico. Baroja gusta de lanzar opiniones audaces que pugnan con la manera común de pensar de la gente, en las que suele haber una lógica algo arbitraria. La sátira, muchas veces sarcástica, forma parte de su intención. Entre sus muchas obras son famosas *Zalacaín el aventurero, Camino de perfección* y *El mundo es ansí*.

Ramón María del Valle-Inclán (1866–1936) fue el maravilloso artífice de la prosa modernista en España. Con la evolución de su obra va del lirismo sensual de las *Sonatas*, al trazo caricaturesco, terrible por su exactitud, de los famosos *esperpentos*. Representa este novelista—que también fue poeta y lo es siempre en su prosa refinada—el culto a la forma literaria y a sus posibilidades de expresión. Su criatura favorita, el *Marqués de Bradomín*, es una reencarnación, estilizada y modernizada, del *Tenorio*.

José Martínez Ruiz (1873–1967), que ha hecho famoso su seudónimo de "Azorín," representa una nueva modalidad del estilo literario como expresión de un contenido caracterizado a la vez por la sensibilidad lírica y la profundidad ideológica. Pone de relieve Azorín lo que Ortega ha llamado "primores de lo vulgar." *Los pueblos* y *La ruta de Don Quijote* ejemplifican la obra de este ilustre escritor, en que predomina el tono del ensayo y la preocupación filosófica del tiempo. Escribió también para el teatro, pero sin éxito popular.

Antonio Machado (1875–1939), que murió expatriado en Francia, es el excelso poeta de la *Generación del 98*, que expresa con la hondura lírica de su fina sensibilidad todo el dolor de la frustración de España. Aunque nacido en Andalucía, sintió—como Baroja, Azorín y Unamuno—una constante predilección por Castilla. La obra de Machado fue muy personal, poco influida por las corrientes literarias, pero muy atenta a las preocupaciones filosóficas de su tiempo. Poeta "predilecto" de muchos de sus

RETRATO
DE MIGUEL DE UNAMUNO,
pintado por Ignacio Zuloaga.

compatriotas de hoy, es una de las más puras glorias de la poesía española. Colaboró con su hermano Manuel, también poeta de mérito, en algunas obras teatrales.

Jacinto Benavente (1866–1954) ha sido en la primera mitad del siglo la figura predominante dentro del teatro español. El inició la modernización de la escena con un género personal en el que la sátira fina y la agilidad de los pensamientos son las características más definidas. Hay en sus obras poca continuidad ideológica y escasa acción, defectos compensados por la distinción intelectual y por la delicadeza. Se nota en su producción cuantiosísima gran desigualdad de valores de niveles: cumbres como *La malquerida* y *Los intereses creados*, obras medianas como *Señora Ama*, y engendros absurdos como, por ejemplo, *Aves y pájaros*. Recibió el Premio Nobel de Literatura en 1922.

Miguel de Unamuno (1864–1936) fue un hombre verdaderamente extraordinario por su capacidad intelectual, que le permitió distinguirse en varias actividades y cultivar con éxito todos los géneros literarios. Proyecta sus fundamentales preocupaciones existencialistas,[1] llenas de pasión humana, en muchas de sus obras. Es el ensayista de profunda visión que culmina en *El sentimiento trágico de la vida*. Es el novelista formidable que escribió *Abel Sánchez* y *San Manuel Bueno y Mártir*. Es el autor de obras teatrales con elegantes líneas clásicas. Y es el gran poeta de los *Salmos*, de *El Cristo de Velázquez* y de tantas composiciones geniales, que ha dejado vertida su intimidad espiritual en el extenso *Cancionero* poético. Es siempre el paradigma de la *Generación del 98*, a quien "le dolía España en el corazón." Su figura se agiganta a medida que el tiempo nos separa históricamente de él, y serenadas las pasiones va conquistando admiración unánime.

Cronológicamente vienen después de la *Generación del 98* dos selectos escritores nacidos en 1881. Juan Ramón Jiménez (1881–1958), poeta exquisito, realizador del arte por el arte; con el Premio Nobel de Literatura en 1956. Y Ramón Pérez de Ayala (1881–1962), que cultivó el ensayo y la poesía, pero que sobresale en la novela. Siguen luego los escritores que nacieron a principios de siglo, entre los que se distingue el novelista Ramón Sender (1903–).

En la lírica, posteriores a Juan Ramón Jiménez, se distinguen notablemente: Federico García Lorca (1898–1936), universalmente famoso como representante de la moderna poesía genuinamente popular, que fue vilmente asesinado en Granada; y tres excelentes poetas que pertenecieron a la España "dispersa y peregrina": Pedro Salinas (1892–1951), Jorge Guillén (1893–) y Rafael Alberti (1903–).

La intelectualidad española tiene una ilustre representación en José Ortega y Gasset (1883–1955), filósofo, ensayista y literato, que goza de gran prestigio mundial. Ortega, que fue profesor de Filosofía en la Universidad de Madrid hasta la guerra, es autor de obras muy notables en que con original penetración y bello estilo trata múltiples temas de interés. Sus

RETRATO DE JOSÉ ORTEGA Y GASSET, obra del pintor Joaquín Sorolla.

FEDERICO GARCÍA LORCA
en conversación con la actriz
Josefina Díaz, vestida para
interpretar el papel de
la Novia en *Bodas de Sangre.*
Lorca aparece vestido con el
"mono" (*overalls*) o uniforme
que llevaban los estudiantes
que pertenecían al grupo
teatral "La Barraca,"
fundado y dirigido por Lorca
durante los años
de la República.

libros tan conocidos como *La Rebelión de las masas* (1930), *España inverte-brada* (1921), *El tema de nuestro tiempo, Meditaciones del Quijote* y otros muchos, ejercen gran influencia en los escritores españoles e hispanoamericanos contemporáneos.

Como historiador es preciso citar especialmente al ilustre Rafael Altamira (1866–1950), autor de una excelente *Historia de España y de la Civilización Española.* En el campo especializado de la historiografía medieval y de la filología románica se destaca la obra insuperable de Ramón Menéndez Pidal (1869–1968).

El teatro de orientación moderna sólo ha tenido dos autores verdaderamente notables. Uno fue Federico García Lorca, ya citado como poeta, que escribió obras tan valiosas como *Yerma, Bodas de sangre, La casa de Bernarda Alba* y algunas más iniciando con ellas la renovación de la escena española. La otra gran figura fue Alejandro Casona (1903–1965), exiliado en la Argentina y muerto en España. El talento literario de este escritor le ha permitido alcanzar grandes éxitos con obras tan distintas como *La Dama del alba* y *Los árboles mueren de pie.*

Lo que podríamos llamar literatura de hoy, la de los escritores de la postguerra, es abundante pero está demasiado cerca para juzgarla con perspectiva. De las varias tendencias que se han manifestado en la novelística, las más importantes son quizás la *tremendista*,[2] la de tipo social y la influida por la guerra civil. Entre los novelistas de más prestigio y

RETRATO DEL VIOLONCELISTA PABLO CASALS, gloria del arte español contemporáneo.

más conciencia de estilo se cuentan dos autores. El primero es Camilo José Cela (1916–), autor de *La familia de Pascual Duarte* (1942), *La colmena*, quizás su novela más ambiciosa, y *Tobogán de hambrientos*. El segundo, Miguel Delibes, se dió a conocer con *La sombra del ciprés es alargada*. José María Gironella es el más traducido a lenguas extranjeras, con obras voluminosas como *Los cipreses creen en Dios* y *Un millón de muertos*.

La más prolífica de las varias novelistas que han aparecido en este período es Ana María Matute (1926–), que ha demostrado verdadero talento, tanto en sus novelas extensas como en sus cuentos de fantasía y en sus relatos de niños adolescentes. De éxito menos continuado son Carmen Laforet, Dolores Medio, Elena Quiroga; y entre los hombres, Ignacio Aldecoa, Luis Romero, Ramiro Pinilla, etc.

En el teatro la crisis sigue siendo notoria. Sólo se distingue como valor positivo Antonio Buero Vallejo (1916–), que ha escrito obras de verdadero mérito: *Historia de una escalera* (1942), *En la ardiente oscuridad* (1950) y su última hasta ahora, *El tragaluz* (1967). Menos conocido, pero de gran capacidad para la escena es Alfonso Sastre (1926–).

LAS BELLAS ARTES

En la *pintura* del siglo XX ha habido un gran resurgimiento—el representado por tres grandes pintores capaces de compararse con los que forman la trilogía del arte pictórico español de siglos pasados: *El Greco*, Velázquez y Goya. Esta trilogía moderna la constituyen Pablo Picasso (1881–), nacido en Málaga de padres catalanes; Joan Miró (1893–), natural de las Islas Baleares, y Salvador Dalí, catalán también. Todos ellos son universalmente conocidos. Picasso es considerado hoy el mejor pintor del mundo.[3] Inventor y animador, todo lo ha intentado y en todo ha triunfado, desde la pintura primitiva de negros de África hasta el cubismo, expresionismo, arte abstracto, etc. También se ha dado a conocer como excelente escultor y ceramista. Miró, hombre sencillo y de vida tranquila en Mallorca, ha sido olvidado por la crítica durante años. Sólo hoy se le reconoce como gran pintor. (En reconocimiento de su valor, la Universidad de Harvard le concedió, en 1968, el título de Doctor *honoris causa*.) El nombre de Dalí es igualmente conocido en todas partes, aunque por distintas razones. Es gran pintor y retratista, pero la mayoría de sus pinturas se ocupan de cosas raras y extraordinarias que no siempre gustan. Entre los de la generación más joven se han destacado Antonio Tápies y sus colegas catalanes Modesto Cuixart y José Guinivart.

En *arquitectura* predomina la tendencia funcional, siguiendo el lema de que "la economía no es sinónimo de fealdad." En Madrid se pueden admirar magníficos edificios dedicados a viviendas, entre ellos el llamado

APARICIÓN DE UNA CARA Y UN PLATO FRUTERO EN UNA PLAYA, cuadro de Salvador Dalí.

A la derecha: JOAN MIRÓ: INTERIOR HOLANDÉS. Para Miró como para la mayoría de sus contemporáneos, no se debe imitar la Naturaleza, sino completarla. Cada artista ve el mundo a su manera.

Abajo: PERRO LADRANDO A LA LUNA, del pintor catalán Joan Miró.

"Torres Blancas," de tal originalidad que de los cien apartamentos que contiene, ninguno es de la misma configuración.

A principios del siglo era muy alabado el *escultor* Julio Antonio (1889–1919), a quien calificaban en su tiempo de "prodigio" y "reformador." Hoy ya nadie se acuerda de él. De más valor es la obra de Victorio Macho (1888–1968), hombre que se formó y trabajó en España hasta 1937, emigró entonces a Hispanoamérica y en el Perú especialmente esculpió importantes monumentos por encargo del gobierno de aquel país. En Madrid se pueden admirar sus estatuas de Galdós y Ramón y Cajal. Al regresar a España pudo terminar el "Cristo del Otero," a cuyo pie están enterrados sus restos, cerca de Palencia, su ciudad natal. Más moderno es Juan de Avalos, el escultor de las enormes figuras del Valle de los Caídos.[4]

Artistas notables de principios de siglo han conseguido, por primera vez, hacer conocida la *música* española en todo el mundo. Isaac Albéniz (1860–1909), niño prodigio que dio su primer concierto a la edad de cuatro años, es autor de la *Suite Iberia*, obra que después influyó en el francés Debussy; Manuel de Falla (1862–1946), llamado por algunos "el músico del corazón de España," es el más famoso de todos. Después de obtener un premio por *La vida breve* (1904), su carrera fue de continuos triunfos: *Noches en los jardines de España*, *El amor brujo* (1915), cuya *Danza del Fuego* es indispensable en muchos conciertos, y el ballet llamado *El sombrero de tres picos* (1919).

Entre Albéniz y Falla aparecen Enrique Granados (1867–1916), conocido por su *Goyescas*, y Joaquín Turina, menos español por haber vivido en Francia buena parte de su vida, pero autor de preciosas obras como *Canto a Sevilla* y *Jardines de Andalucía*, en las cuales parece recordar la luz y el ambiente de su tierra natal. Compositores más modernos son Luis Pablo, que aprendió a leer música por sí solo, Rodolfo y Ernesto Halffter, y Arteaga.[5] Entre los ejecutantes son mundialmente conocidos y admirados Pablo Casals (1876–), el gran maestro del violoncelo, y Andrés Segovia (1893–), el primero que se ha atrevido a convertir la guitarra en instrumento de concierto.

NOTAS

1. La filosofía de la existencia del "hombre de carne y hueso" fue la preocupación fundamental de Unamuno. Lector de Kierkegaard, don Miguel se adelantó, dentro de la corriente intelectual y de la literatura española, a la filosofía del alemán Heidegger, del francés Sartre y de los demás existencialistas modernos.

2. Se da el nombre de *tremendismo* a una tendencia literaria—de raíz probablemente existencialista—que elige sus temas encaminándolos a la narración de hechos *tremendos* ocurridos a personas víctimas de cierto fatalismo y escritos en el áspero lenguaje de la calle.

3. Muy comentado ha sido el donativo hecho por Picasso a la ciudad de Chicago. De la maqueta que él envió, la U.S. Steel Corporation empleó 162 toneladas de acero para construir una enorme estatua que pocos saben lo que representa: ¿una mujer?, ¿un pájaro? o ¿una cabeza gigantesca? La estatua fue descubierta al público en 1967 y hoy es lugar de atracción para miles de personas.

4. A pocas millas de Madrid, en las estribaciones de la Sierra de Guadarrama, miles de turistas ven diariamente esta gigantesca basílica, que según se dice fue dedicada a la memoria de los *caídos* en la guerra civil. Es un edificio que impresiona más por su grandeza que por su belleza. La basílica está labrada en el corazón de una montaña; su única nave se extiende 820 pies y su cúpula, de 130 pies de diámetro, está adornada de mosaicos que representan el "Día del Juicio" de todos los que murieron en el campo de batalla. Todavía se admira más la imponente cruz de granito sobre la basílica por su altura de 492 pies y su anchura de 150.

5. En los "Festivales de la Ópera," que se celebran en Madrid, se representan numerosas óperas extranjeras y algunas españolas, como *La Atlántida*, de Falla; *Goyescas*, de Granados; *Pepita Jiménez*, de Albéniz-Sorozábal; *Amaya*, de Jesús Guridi; y *Zigor*, del maestro Francisco Escudero, escrita en vascuence. En *ballet* español triunfa hoy en todo el mundo la incomparable Pilar López, digna sucesora de su famosa hermana, "La Argentinita."

CAPÍTULO XXVIII

La economía
Y EL TRABAJO EN EL SIGLO XX

LA ECONOMÍA

No tuvo la economía española desenvolvimiento extraordinario durante la primera mitad de este siglo. La agricultura, que es parte importantísima, no podía progresar en los latifundios porque a sus propietarios no les interesaba aumentar la producción, ni en los munifundios porque la pobreza y el atraso de los medios de cultivo impedían toda mejora. Los principales productos agrícolas españoles siempre han sido la naranja, el vino, el aceite de oliva, el trigo y la almendra.

Por lo que respecta a productos minerales, ya es sabido que España posee minas de mercurio, hulla, mineral de hierro, cobre, uranio y, modernamente descubiertas aunque no explotadas, fabulosas minas de fosfato en el Sahara español.

La industria del hierro y del acero ha pasado por distintas vicisitudes pero es hoy una de las principales. Otra de las industrias de más tradición e importancia es la textil, que ha sido el principio del florecimiento económico de Cataluña. La producción carbonífera de Asturias ha decaído bastante, debido en parte a las malas condiciones de trabajo y a los conflictos obreros. Las industrias que más han progresado son la de automóviles[1] y las dedicadas a satisfacer necesidades generales como la alimentación, el vestido y la vivienda.

En la evolución económica de España desde 1939 habría que distinguir tres períodos. En el primero (1939–1953) ya se ha dicho que España estaba en ruinas. Fueron años dedicados a la reconstrucción del país con una economía controlada, cuyos efectos fueron el mercado negro, la inflación y el racionamiento.

En el segundo período (1953-1959) fue 1953 un año clave. Con las inyecciones de la ayuda americana y préstamos que empezaron a recibirse de otros países la economía española entraba en terreno más firme. Se abandonó parte del control estatal y fue posible adquirir abonos para las tierras y equipo industrial para terminar obras iniciadas en años anteriores. También sirvieron de valor adquisitivo las remesas de divisas extranjeras que enviaban los miles de trabajadores españoles que habían salido en busca de trabajo a países más prósperos de Europa. Este desarrollo de la economía se dejó sentir principalmente en los años 1956 y 1957.

El tercer período (1959-1967) fue de marcado adelanto en el sector industrial. En el año de 1959—año decisivo—el gobierno estabilizó la peseta (60 por dólar), autorizó la plena entrada de capital extranjero y abrió las fronteras al comercio internacional. Con estas medidas y la importación de nuevo material técnico fue posible el extraordinario crecimiento de la industria entre 1962 y 1966. Algunos expertos sin embargo, consideran esta expansión demasiado espontánea, artificial y desequilibrada, incapaz de ser sostenida por la economía española.

Es un hecho indudable que el país ofrece algunos signos de progreso económico. Cualquier extranjero que va hoy a España se sorprende de ver por todas partes excelentes hoteles, paradores[2] y otros grandes edificios; carreteras en mucho mejor estado, especialmente las principales; embalses y pantanos en lugares donde antes sólo había tierra seca e incultivable. Son tantas las hectáreas convertidas hoy en tierras de regadío que para cultivarlas ha sido necesario construir pueblos enteros para atraer a los nuevos trabajadores. Es de lamentar que a pesar de los nobles esfuerzos del Instituto Nacional de Colonización—el encargado de esta reforma agraria—la producción agrícola no es todavía suficiente para satisfacer la demanda interior.

EL COMERCIO EXTERIOR

España ha sido siempre un país exportador de productos agrícolas, sobre todo los pertenecientes al grupo de los agrios o cítricos: naranjas, limones, mandarinas y pomelos. También exporta a países europeos casi toda la cosecha de plátanos y tomates tempranos procedentes de las Islas Canarias. Otros productos del reino vegetal gustados en todo el mundo son: gran variedad de vinos, almendras con las que se confecciona el famoso turrón, y frutas secas.

Entre los productos industriales dedicados a la exportación se

PANTANO DE ORELLANA, en la provincia de Badajoz. Es uno de los muchos pantanos que se han construido para aumentar las tierras de regadío.

pueden mencionar: minerales como el mercurio y el cobre, conservas de verduras y frutas, partes para aparatos electrónicos, máquinas-herramienta y enormes barcos petroleros o buques-tanques de más de 90.000 toneladas de peso bruto.[3]

Las importaciones ascienden a mucho más que las exportaciones y en consecuencia siempre ha existido un déficit en la balanza comercial.[4] Por el momento, el desequilibrio en la balanza de pagos se ha reducido gracias a dos tipos de ingresos. Uno se deriva de la "manzana de oro" de la economía española, es decir, el turismo. Se nos dice que en 1967 llegaron a España más de 17 millones de turistas, que dejaron en el país alrededor de 1.245 millones de dólares. La otra fuente de ingresos es la ya mencionada de los emigrantes, que se calcula en 450 millones de dólares anuales. No obstante, el déficit español a finales de aquel año aún representaba una desbalanza de $1.800 millones.

El gobierno está tratando de equilibrar la balanza comercial disminuyendo las importaciones y aumentando la producción nacional. Parece que la única esperanza sería ganar entrada a la Comunidad Económica Europea para vender sus productos en condiciones más favorables. Pero desde 1962 en que la solicitaron por primera vez se le han negado a España las puertas, no se sabe si por razones políticas o por el fluctuante estado de la economía española.

EL MOVIMIENTO OBRERO

El movimiento obrero español tuvo gran influencia en la vida de España durante el primer tercio del siglo XX. Principió su organización sindical en la segunda mitad del siglo anterior, y no obstante las persecuciones de los gobiernos contra las asociaciones de trabajadores y sus líderes, el movimiento fue tomando, en general, creciente importancia bajo la Regencia.

Este movimiento tomó dos direcciones distintas y en esencia antagónicas. Por un lado, la ideología socialista, que caracterizaba a la UGT (Unión General de Trabajadores), tuvo marcada inclinación a los métodos políticos de lucha. Fundada y dirigida por Pablo Iglesias, en 1886, guardaba estrecha relación con el partido Socialista, creado por el mismo líder unos años antes. Por otro lado, la CNT (Confederación Nacional del Trabajo) era de inspiración anarquista e inclinada a la violencia.

La doble práctica sindical y política de la UGT, hábilmente sincronizada, logró grandes beneficios para los trabajadores, especialmente desde que el partido Socialista consiguió que fueran elegidos diputados del Congreso algunos de sus miembros. Ambos partidos (Socialista y UGT) colaboraron a veces con el Ministerio de Trabajo, pero esto no fue obstáculo para que formaran parte de la oposición y conspiraran para derribar la Monarquía. Por ello, al marcharse el rey y proclamarse la República, estas fuerzas socialistas intervinieron activamente en la marcha de la política.

En todo el tiempo de la Monarquía (1902–1931) la actitud de la CNT no varió: abstención total de la política, pero acción directa contra las empresas e indirecta contra el régimen mediante el planteamiento de huelgas. Al establecerse la República, que consideraban preferible a la Monarquía, varios grupos de este partido causaron graves perjuicios con sus insensatas exigencias revolucionarias. Su conducta durante la guerra civil fue también muy deplorable al no querer reconocer el mérito de la disciplina y la autoridad.

Desde 1939 no existen en España sindicatos independientes y poderosos. Los que ha concebido el presente régimen están controlados por la Falange, y de ellos forman parte los trabajadores, los técnicos y las empresas.[5] Este sistema paternalista que aspira a evitar la lucha entre el capital y el trabajador no sirve hoy para satisfacer al obrero, y mucho menos al que regresa de la emigración después de haber pertenecido a sindicatos independientes en otros países.

El gobierno español ha querido, recientemente, demostrar una vez más su liberalización política y social y ha legalizado las huelgas a su modo. La Organización Internacional del Trabajo (OIT) tiene bajo estudio las condiciones en que se autorizan las huelgas antes de conceder admisión a los sindicatos españoles en este organismo internacional. El dictamen esperado dependerá de la interpretación a los dos tipos de huelga. Según el reciente decreto, las huelgas económicas serán toleradas mientras se limiten a "controversias laborales"; pero si van "dirigidas a quebrantar la seguridad nacional," seguirán prohibidas como actos delictivos y castigados como tales.

LA LEGISLACIÓN SOCIAL

Aunque la tendencia dominante en los gobiernos de la Monarquía era reaccionaria, debe reconocerse sinceramente que respecto de los trabajadores adoptaron un sentido de justicia social más bien progresivo. Esto se debía, de una parte, a la presión política del partido Socialista, apoyado ordinariamente del republicano, y de otra, a ciertos principios de protección a las clases económicamente débiles que por motivos religiosos o filantrópicos inspiraban a importantes políticos del partido conservador.

Resultado de ambos impulsos fue una legislación del trabajo que por su contenido y ejecución podía clasificarse entre las más adelantadas de Europa. En el conjunto de sus disposiciones deben destacarse las que crearon el Instituto de Reformas Sociales[6] y el Instituto Nacional de Previsión (INP), organismos que tenían una estructura semejante y estaban integrados por representantes de los obreros, de las empresas y del gobierno.

Al implantarse la República se dio aún más impulso a la legislación obrera. La ley del contrato de trabajo y la que establecía los Jurados Mixtos de Trabajo sirvieron de protección al trabajador.

Casi toda esta legislación ha desaparecido bajo el Estado Nacional-Sindicalista. El único organismo que ha permanecido es el INP, cuya misión es la de establecer y administrar los seguros sociales para la protección de los trabajadores. En lo que concierne al seguro obligatorio de trabajo, de enfermedad y de vejez, el Instituto de hoy sobrepasa en mérito a los anteriores. De todos los servicios que presta, es sin duda el de enfermedad el mejor administrado, con competente personal médico, abundancia de productos farmacéuticos y excelentes hospitales que pueden verse por todo el país.

Al régimen de Franco todavía le queda mucho que legislar en la cuestión obrera. No basta preocuparse de mantener sus dogmas políticos sin dar solución a problemas vitales. No podrán existir sindicatos independientes mientras el Código Penal considere delito "la exhibición de banderas y símbolos, cantos de himnos y uso de ademanes de inequívoca significación comunista." Ya está demostrado que muchas de las protestas de estudiantes y obreros no fueron debidas "a una minoría subversiva manejada desde el exterior." De más utilidad que el empleo de la Fuerza Pública para evitar "asociaciones ilícitas," sería el estudio de los motivos que producen la inquietud obrera.

EL NIVEL DE VIDA DE LOS TRABAJADORES

Es difícil dar idea del nivel de vida del obrero español en comparación con el de otros países. Tales estadísticas no existen, y si existen "no son muy dignas de confianza, y a menudo se contradicen"—según nos informa una revista española. No es exageración, sin embargo, el afirmar que el trabajador del campo vive en tan pésimas condiciones que miles de ellos dejan sus pueblos casi abandonados y emigran a centros industriales o emigran al exterior, a países como la Alemania Federal, Francia, Suiza, Australia, etc. De acuerdo con las estadísticas proporcionadas por el Director General del "Instituto Español de Emigración," en la década de 1950 a 1960 salieron del país a razón de 95.000 por año. Aunque el número ha disminuido, todavía quedaban en Europa, en 1967, más de 650.000 obreros españoles.[7]

En las ciudades se vive con algo más de desahogo. Un claro índice de su nivel de vida es que el obrero se permite los lujos de adquirir televisores, frigoríficos y cocinas de gas butano en vez de carbón. Pero para mantener ese nivel es necesario trabajar horas extraordinarias o acudir al pluriempleo. Y por encima de todo esto queda el interrogante del mañana, el problema de saber equilibrar el salario mínimo garantizado de 1.35 dólares diarios con la escalada del coste de vida, que entre 1961 a 1967 ascendió en un 55 por 100... y los precios siguen subiendo de modo alarmante.

NOTAS

1. En 1968 la industria más floreciente era la de vehículos de "turismo," es decir, vehículos de pequeño tamaño y bajo precio que ahora se construyen en abundancia con capital y patentes extranjeras.

2. *Paradores* son hoteles construidos por el Estado y dedicados al turismo. Por lo común están colocados a lo largo de las carreteras y en lugares de valor artístico o pintoresco: antiguos palacios, castillos o monasterios.

3. Otras exportaciones de tipo más moderno son la de cabello de mujer (el más cotizado en la preparación de pelucas por sus cualidades de duración) y la de zapatos, que se venden por millones de pares.

4. Los productos que más importa España son: petróleo, fuel-oil, gasolina de aviación, algodón, maquinaria para la agricultura y para el transporte, café, azúcar, carne y productos químicos.

5. A los sindicatos españoles se les llama *verticales* o *piramidales* porque en ellos el poder de decisión no es facultad de los organismos locales, sino de las normas impuestas desde arriba. No se debe olvidar que la sindicación en España es obligatoria.

6. El "Instituto de Reformas Sociales" se encargaba de promover la legislación del trabajo y cuidar de su aplicación, con el propósito de mejorar la situación de la clase obrera.

7. Esta emigración española a otros países de Europa tiene un carácter muy especial. Los que salen lo hacen con la esperanza de regresar a su país en cuanto encuentren trabajo allí. Quizás una mitad de ellos llevan a sus familias consigo; otros las dejan en España y vuelven a visitarlas en el período de vacaciones. Los que al fin encuentran trabajo en España pronto se hacen sospechosos a las empresas por temor a que formen "Comisiones Obreras" independientes, como en otros países.

CAPÍTULO XXIX

La educación
y enseñanza en España

LA EDUCACIÓN

Una de las obras más nobles de la República fue el esfuerzo por disminuir el analfabetismo y mejorar los métodos de enseñanza. Prueba de ello eran los miles de casitas blancas que se veían en las afueras de los pueblos y que servían de escuela y de vivienda para la maestra. Desde entonces han pasado muchos años y se han creado otras escuelas, pero el número de analfabetos aún continúa. Esto habrá que atribuirlo sin duda al decepcionante porcentaje que los gobiernos destinan en los Presupuestos Generales a la educación de las masas. Es de esperar que con el nuevo énfasis que se está dando a la enseñanza gratuita y obligatoria (desde los seis a los catorce años) desaparezca para siempre el analfabetismo en España.

LA ENSEÑANZA PRIMARIA

Este tipo de enseñanza se extiende desde la edad de seis a diez años y se administra en "Grupos Escolares" del Estado y en "Colegios" privados reconocidos por el Estado. A los que no van a hacer estudios más altos se les recomienda que continúen en estas escuelas hasta los catorce años.

Transcurridos los años de enseñanza elemental, el alumno puede matricularse en un "Instituto" para cursar el primer año del Bachillerato.

LA ENSEÑANZA MEDIA

Al igual que para la enseñanza primaria, el Estado reconoce los estudios realizados en Colegios particulares que han sido aprobados. Los estudios oficiales se imparten en Institutos Nacionales, muchos de los cuales han sido creados en estos últimos años. Después de cuatro años de estudio y un examen de reválida el alumno puede obtener el título de *Bachiller Elemental*, que no le capacita para hacer estudios universitarios, pero sí para ser admitido a la Escuela Normal de Maestros y llegar a ser maestro de primera enseñanza, o para ocupar ciertos empleos.

Con dos cursos más de estudio (el 5º y el 6º) el educando consigue el *Bachillerato Superior*, bien en Ciencias o en Letras. Es de advertir que sólo un 22 por 100 de los alumnos, por razones económicas principalmente, pasan del bachillerato elemental al superior.

A la enseñanza media también pertenecen las llamadas "Universidades Laborales," creadas y sostenidas muy generosamente por los sindicatos, no por el Ministerio de Educación. En realidad no son otra cosa que Escuelas de Peritos ("Vocational Schools") industriales o agrícolas. Los alumnos que cursan allí este tipo de estudios son casi todos—al menos en teoría—hijos de obreros.

Después de terminar la enseñanza media, se supone que el alumno no está lo suficientemente preparado para iniciar sus estudios universitarios y el Estado exige un curso Preuniversitario (PREU) que se estudia en el Instituto, pero el estudiante se examina en la Universidad. En este curso se estudian seis asignaturas, cuatro de ellas son comunes a todos y dos son de especialización (Ciencias o Letras). Es curioso observar en las estadísticas del año 1968 que entre los estudiantes que se examinaron del PREU, un 78 por 100 correspondía a la rama de Ciencias, clara evidencia de que también en España se da preferencia a los conocimientos científicos.

LA ENSEÑANZA SUPERIOR

Hay en España doce universidades estatales y tres de la Iglesia. La más importante y rica de éstas es la de Navarra, de reciente creación. Las universidades más grandes entre las estatales son la de Madrid (con 32.000 estudiantes) y la de Barcelona (con más de 14.000). Las otras están situadas en las ciudades siguientes: Granada, Zaragoza, Valladolid, Sevilla, Valencia, Salamanca, Santiago de Compostela, Oviedo, Murcia y La Laguna (en las Islas Canarias). Todas ellas tienen "Facultades," aunque no el mismo número. La de Madrid es la única que tiene siete: Filosofía y Letras, Derecho, Medicina, Farmacia, Ciencias Exactas,

TÍTULOS		ORGANIZACIÓN DE LA ENSEÑANZA EN ESPAÑA						
		AÑOS DE ESTUDIO						
		ENSEÑANZA *PRIMARIA* *(de los 6 a los 10 años)*						
		ENSEÑANZA *MEDIA* *(de los 10 a los 16 años)*						
	BACHILLER	Bachillerato Elemental *(terminado a los 14 años)*						
		Bachillerato Superior *(terminado a los 16 años)*						
		CURSO PREUNIVERSITARIO *(a los 17 años)*						
		ENSEÑANZA *SUPERIOR* UNIVERSITARIA *(desde los 17 a los 22 ó 23 años)*						
	LICENCIADO	FACULTADES						
		Filosofía y Letras: (Lingüística- clásica moderna Historia de España América Arte Filosofía)	*Ciencias:* (Matemáticas Física Química)	*Ciencias:* (Económi- cas Sociales Políticas)	*Derecho*	*Medicina*	*Farmacia*	*Veteri- naria*
	DOCTOR	**AÑO DE ESTUDIO Y PREPARACIÓN DE TESIS** *(a los 24 ó 25 años de edad)*						

Ciencias Económicas y Sociales, y Veterinaria. Las demás sólo tienen en común con la de Madrid las Facultades de Derecho, Filosofía y Letras y la de Ciencias Exactas.[1]

La Enseñanza Superior también se imparte en las Escuelas Técnicas Superiores, independientes de la Universidad y con un alumnado más restringido. Las principales son ocho: la Escuela de Arquitectura, de Ingenieros Agrónomos, Industriales, Textiles, de Telecomunicaciones, de Minas, de Caminos y Puertos, y la de Ingenieros Navales. Aunque los exámenes de ingreso y de curso tienen la reputación de ser muy severos, los graduados de estas Escuelas tienen por lo general asegurado su futuro al abandonar las aulas.

LA UNIVERSIDAD ESPAÑOLA Y SUS PROBLEMAS

Hoy parece ser la Universidad española la institución más incomprendida y criticada del país. Por falta de fondos sigue estructurada a la antigua: sin profesores suficientes para enseñar a tantos estudiantes,[2] sin dinero para remunerar generosamente a los profesores que han demostrado su valía, sin autonomía para gobernarse a sí mismas como en tiempos pasados y, finalmente, sin profesores de nueva formación, menos dogmáticos y más capacitados para establecer diálogo con sus estudiantes.[3] El día que España tenga una nueva Ley de Bases de la Universidad (la última fue elaborada en 1943) acaso se reestructure de distinta manera, partiendo siempre de una mejor dotación económica para la enseñanza y la investigación. Acaso sea posible también cambiar el método de exámenes, basados por lo general en las materias explicadas en clase, esto es, en datos adquiridos más que en la exposición de ideas. Bien claro vio esto el gran profesor Gregorio Marañón cuando en 1953 escribía sobre "la insensatez del examen como prueba del aprovechamiento de los alumnos." Esta clase de exámenes—decía él—"no puede informar de lo que más importa: de su formación intelectual y de su capacidad moral." No es de extrañar, pues, que una de las quejas más frecuentes del alumnado universitario español sea contra los interminables exámenes. Otras quejas se refieren al excesivo número de alumnos en las clases y la asignación de las mejores aulas a estudiantes extranjeros que siguen cursos especiales.

En la mayoría de los países la juventud de hoy se siente sumida en el atroz problema de la incomunicación, y la de España, que no quiere ser distinta, se encuentra en una condición peor por no tener medios de expresión a su alcance. Un profesor de Derecho en la Universidad de Madrid explicaba en una conferencia pública que las Universidades medievales (Oxford, París y Salamanca) llegaron a tan alto prestigio en virtud de la autonomía e independencia que disfrutaban, mientras las que vinieron después, en algunos países pasaron a ser un organismo diametralmente distinto: centralizado, burocrático y jerárquico. La misión básica de toda universidad—nos decía—es enseñar e investigar, pero que esto sólo se conseguía "con la formación integral de inteligencias críticas en un ambiente de libertad."

LIBERTAD Y ORDEN

Estos son los dos polos opuestos que producen la crisis universitaria de hoy en España. Desde el principio del presente régimen se consideró necesario para mantener el orden "imponer a la cultura los mismos ideales que inspiraron el Movimiento Nacional." A este fin se creó el Sindicato Español Universitario (SEU), una asociación obligatoria de caracter político por estar durante años al servicio de la Falange. Contra ésta politización de la Universidad protestaron los estudiantes y SEU tuvo que disolverse. Fue entonces cuando se celebró (curso de 1965–1966) una imponente Asamblea libre (no autorizada) con asistencia de varios profesores. Las consecuencias fueron funestas: severas sanciones a estudiantes y profesores y expulsión de varios de éstos por haber solidarizado con aquéllos y por "hacer política en la Universidad."

En realidad existen hoy Asociaciones más o menos toleradas, pero cabe preguntarse si verdaderos sindicatos libres podrán ser integrados en un sistema autoritario de gobierno. Por el momento no. No habrá entendimiento mutuo mientras no haya diálogo entre estudiantes que protestan la subordinación de la enseñanza y la cultura a una ideología y los Poderes públicos que niegan importancia a los sucesos que están ocurriendo para dar al país la sensación de normalidad y orden. Es irónico leer en periódicos de Madrid titulares como el siguiente: "*Normalidad* en la Ciudad Universitaria, que *sigue ocupada* por la Fuerza pública." Afortunadamente ya hay escritores que se atreven a comentar estos sucesos estudiantiles y a escandalizarse "de la ceguera hacia una juventud que necesita ser oída, que quiere expresarse, que tiene derecho a dar razones, a que el país sepa lo que hay detrás de unas algaradas que todos, los estudiantes también, sufren. ¿Por qué los diarios no abren sus páginas a la Universidad? A todos los estudiantes, a todos los profesores. ¿Por qué no investigan... sin condenas, con espíritu de diálogo, con comprensión, en la lacerante realidad universitaria?"[4]

Se espera mucho del nuevo Ministro de Educación, Luis Villar Palasí. Es un hombre joven, inteligente y culto, dispuesto a estudiar los problemas y a no dejarse influir de aquellos que hacen frecuentes acusaciones contra los estudiantes por sus supuestas "conjuras internacionales." Sus planes son realmente prometedores: (1) Aumentar el número de profesores y mantener una adecuada proporción de alumnos por profesor; (2) Crear una norma más moderna de seleccionar catedráticos;[5] (3) Establecer más Facultades y más Universidades, incluso Universidades libres que aminoren el poder monopolista y centralizador del Estado; (4) Autorizar Asociaciones libres de estudiantes si son "auténticamente representativas del alumnado y... siempre que sean solicitadas por un determinado porcentaje de los alumnos."

Hay que declarar que la Universidad española ha conseguido mucho con sus escasos medios económicos, pero conseguirá más si los proyectos del ministro Villar Palasí pasan a realidad. Claro que todavía queda mucho que renovar. Según un académico de la Real Academia Española queda todavía la necesidad de disminuir la duración de las carreras (5 ó 6 años) y evitar la proliferación de exámenes, que fuerzan al estudiante a pasar más horas preparándose para ellos que estudiando sosegadamente. Sugiere también el señor Julio Palacios que en vez de exigir tantos años para terminar la licenciatura, la Universidad debiera ocuparse en formar una minoría con acceso a los doctorados, para la cual debieran ser todas las becas y ayudas procedentes de fundaciones benéfico-docentes.

Sería injusto excluir a la mujer de todo lo que hemos tratado, pues su presencia se deja sentir en los centros docentes de enseñanza superior. Si hace treinta años eran muy pocas las que se acercaban a la Universidad, su número hoy asciende a un 25 por 100 del alumnado; y si antes se matriculaban casi exclusivamente en la Facultad de Filosofía y Letras, hoy invaden las de Medicina, Farmacia y Ciencias.

NOTAS

1. A estas universidades asisten hoy muchos estudiantes extranjeros, sobre todo hispanoamericanos, de los que había en 1967 alrededor de 15.000. Algunos de ellos reciben becas del *Instituto de Cultura Hispánica*, el organismo que más trabaja por el intercambio y extensión de la cultura hispánica en el mundo. En realidad es la casa de cuantos llegan de Hispanoamérica, pues allí encuentran un ambiente familiar y acogedor. En sus magníficos salones se celebran actos culturales de toda índole: recepciones, conciertos, conferencias, exposiciones y Festivales de Música y Baile.

2. A causa del alumnado masivo y del restringido número de catedráticos, ha creado el Estado últimamente cargos para profesores de varias categorías: *agregados*, *adjuntos* y *encargados de cátedra*. Todos ellos viven en la esperanza de conseguir algún día una cátedra en posesión.

3. El sistema de seleccionar profesores para Institutos y Universidades es sumamente deficiente. Consiste en el método de celebrar "oposiciones,"

según el cual varios candidatos compiten por la misma cátedra. El victorioso puede ser el más capaz o puede no serlo, pero lo triste es que los otros opositores se quedan sin oportunidad de entrar en la enseñanza, acaso por años. En cambio, los que han ganado la cátedra no sólo tienen derecho a conservarla toda la vida, cumplan o no cumplan bien en su trabajo, sino que su ascenso en la profesión está garantizado en el escalafón. La consecuencia de esta norma es que valiosos investigadores y hombres de ciencia se trasladan a universidades extranjeras, donde algunos, como el profesor Severo Ochoa, consiguen el Premio Nobel.

4. *Ver* Pedro Altares, "Sí, me escandalizo," en *Cuadernos para un Diálogo*, No. 53 (febrero de 1968), p. 25.

5. Acaso piense el ministro en el método norteamericano de seleccionar profesores cada año y de cambiar sus retribuciones de acuerdo con su categoría intelectual probada, no en la profesional. De aquí que al profesor no le convenga dormirse, sino ampliar sus estudios, investigar y publicar.

CAPÍTULO XXX

COSTUMBRES, FIESTAS Y DEPORTES

La diversidad extraordinaria que hemos observado en todo lo español es aun más evidente en las costumbres, fiestas, comidas, bailes, etc. Además ocurre con frecuencia que, por ejemplo, una misma fiesta o baile se celebra de distinta forma según la región. Ocurre igualmente en la vida española que lo religioso y lo profano están tan integrados que a veces es difícil determinar cuál de estos aspectos es el que predomina en una fiesta o en una costumbre.

COSTUMBRES

Excepto en hoteles que reciben a numerosos turistas extranjeros, el español no ha cambiado sus *horas de comida*: desayuno de ocho a nueve, almuerzo de dos a tres y cena de diez a once.

La costumbre tan antigua y popular de celebrar *tertulias* en determinados cafés va desapareciendo. Ya no existen hoy muchos de aquellos cómodos cafés donde un grupo de amigos se reunía periódicamente para hablar de "todo lo divino y humano." En cambio, el hábito de reunirse la gente al aire libre, en las *terrazas*, ha variado poco. A estos lugares, en la acera en frente de un café o bar, acuden amigos y conocidos para charlar, reanudar amistades y ver pasar a la gente por la calle mientras se toman una bebida.

En las grandes ciudades todavía subsiste la costumbre de cerrarse los portales de las casas de apartamentos a las diez de la noche en invierno

"FALLA" colocada en la Plaza del Caudillo, Valencia.

y a las once en verano. Si el inquilino no lleva la llave del portal, se ve obligado a dar palmadas y grandes gritos para llamar la atención del *sereno*. Cuando éste llega le abre la puerta y si le parece persona sospechosa le acompaña hasta la misma puerta de la persona que desea visitar. El sereno y otros que como él han prestado con regularidad durante el año algún servicio (el cartero, el lechero, el repartidor de periódicos, etc.) suben a los pisos unos días antes de Navidad para presentar su tarjeta de felicitación y recibir el *aguinaldo* o propina con que celebrar alegremente las fiestas.

La noche del 24 de diciembre o *Nochebuena*, es una de las ocasiones del año en que se reúnen las familias españolas para comer juntos la tradicional cena de sopa de almendras, el indispensable pavo y el invariable turrón.[1]

No hay regalos para los niños españoles el día de Navidad. Tampoco hay un "Santa Claus" que los traiga. En su lugar, son los *Reyes Magos* quienes durante la noche del cinco de enero dejan sus regalos en los balcones de las casas, acto simbólico de los regalos que los tres Reyes trajeron al Niño Dios en Belén.

Uno de los grandes acontecimientos relacionados con la Navidad es el sorteo de la *Lotería Nacional*, costumbre que se implantó a mediados del siglo XVIII y en la que participan muchos miles de personas. El sorteo se hace el 22 de diciembre y el que obtiene el premio "gordo" recibe la fabulosa cantidad de unos 200.000 dólares. El Estado, organizador de la lotería, tiene derecho a reservarse un 30 por 100 de los copiosos ingresos; el resto es repartido entre los otros premiados.

Otra noche importante en todo el país es la última del año o *Nochevieja*, otra ocasión de reunirse las familias para celebrar la entrada de un nuevo año. En Madrid miles de personas van a la Puerta del Sol y con gran alborozo comen las doce uvas rituales al compás de las doce campanadas del reloj oficial que da la hora para toda España. Los que han quedado en casa escuchan las horas por radio o televisión y cumplen el mismo rito. Al terminar la última uva todos gritan alegremente el acostumbrado ¡Feliz Año Nuevo!

Una costumbre antiquísima y de gran interés es la reunión del *Tribunal de las Aguas*. Lo constituyen siete "jueces," elegidos por campesinos de la Huerta. A las once y media, todos los jueves, ya están sentados en sus viejos sillones dispuestos a escuchar las quejas de los querellantes, que por lo general se refieren a la distribución y aprovechamiento de las aguas. Lo más extraordinario de este acto es que la sentencia se aplica allí mismo y sin derecho a apelación.

Alguien ha llamado al *Rastro* de Madrid "mercado de pobres y buscadores." Desde tiempos de Carlos III ha sido costumbre, por muchos años, la de desplazarse la población de la capital hacia la Ribera de Curtidores, los domingos por la mañana, en busca de gangas. Hoy la

"EL MOMENTO DE LA VERDAD." El torero se dispone a matar al toro.

ESTADIO DE FÚTBOL EN MADRID, con más de 100.000 espectadores que fueron a presenciar un partido de campeonato internacional.

mayoría de estos buscadores son extranjeros que todavía esperan encontrar joyas de arte entre un montón de cosas sin valor. Los anticuarios del Rastro han aprendido mucho y el curioso debe contentarse con cosas "típicas," si es que quiere llevarse algo de recuerdo.

FIESTAS Y DIVERSIONES

En la ciudad de Valencia tienen durante los días que preceden al 19 de marzo (día de San José) la fiesta de las *fallas*, que consisten en grupos escultóricos de figuras (*ninots*) combinadas, casi siempre de significación humorística o satírica. En las plazas y en los cruces de las calles los vecinos tienen el orgullo de competir en el valor artístico de las *fallas* que, costeadas por ellos, se presentan a la admiración de numeroso público. Los siete días de diversión terminan la noche del 19 con la quema de todas ellas, quedando así destruidas algunas obras de verdadero arte que merecían ser conservadas. Para presenciar este maravilloso espectáculo acuden a Valencia más forasteros que habitantes tiene la ciudad (600.000). Si uno quiere formarse idea de la magnitud del espectáculo, le basta recordar que en 1968 fueron sometidas al fuego las 150 fallas que se presentaron al premio de la ciudad. Por ser tanta la popularidad de este espectáculo el Ministro de Educación ha proclamado estos festejos "Fiesta de Arte y de Interés Nacional."

Ocasiones de regocijo popular son también las verbenas en las ciudades y las romerías en el campo. Las *verbenas* se celebran en determinadas noches de verano y a ellas acude una multitud deseosa de divertirse.

La más famosa de todas es "La verbena de la Paloma," celebrada el 15 de agosto en el Madrid viejo. Las *romerías* tienen lugar en los alrededores de alguna iglesia o ermita, donde la devoción (por la mañana) alterna con las meriendas y los bailes (por la tarde). Ocurre a veces que al crecer las ciudades las romerías pasan a ser verbenas. Este es el caso de la antigua romería de San Antonio, situada antes en las afueras de Madrid y ahora dentro de sus límites. La primitiva ermita está hoy convertida en Museo de Goya, pues en ella reposan los restos del pintor y se admiran sus famosos frescos. Pero esto no impide que en la nueva ermita sigan las jóvenes la tradicional costumbre de tirar alfileres en la pila de agua bendita y pedir a San Antonio que les proporcione un buen marido.

Miles de turistas de todo el mundo acuden año tras año a las fiestas de *San Fermín* en Pamplona. Su enorme popularidad se debe al novelista Hemingway, quien en su novela *The Sun Also Rises* (1926) habla de la Feria de Pamplona y dice: *At noon of the 6th of July the fiesta exploded . . . . It kept up day and night for seven days. The dancing kept up, the drinking kept up, the noise went on.* Describe también Hemingway el "encierro" de los toros durante los siete días que dura la fiesta, a las siete de la mañana. Es una semana de procesiones religiosas, fuegos de artificio, bailes y corridas de toros; pero lo que más atrae es el episodio del encierro. Consiste este acto en correr los jóvenes (mayores de 18 años) por las calles, delante de los toros que van a ser encerrados en la plaza para ser lidiados aquella misma tarde.

Otras fiestas son de un carácter más religioso, aunque también en ellas ha penetrado un sentido profano de espectáculo y entretenimiento. Así son las procesiones de *Semana Santa*, particularmente las de Sevilla, ciudad muy visitada estos días por gentes que van a participar de la animación que se disfruta. La Semana Santa se ha convertido hoy en un espectáculo turístico subvencionado por las autoridades locales y, en parte, por el Estado.

No dejan de tener interés, sin embargo, los *pasos* que desfilan lentamente por las estrechas calles a hombros de los "costaleros." [2] Estos pasos, resplandecientes de oro y plata, representan escenas de la Pasión de Cristo, cuyas imágenes han sido labradas por algunos de los grandes imagineros del siglo XVII. Detrás de cada paso marchan los penitentes o nazarenos de las distintas cofradías, encapuchados, vestidos de largas túnicas moradas, negras o verdes y con largos cirios encendidos en la mano. A veces sorprende oír la voz de una mujer que desde un balcón rompe a cantar una *saeta* o canción breve que hace alusión a la imagen que está pasando.

La fiesta del *Corpus Christi*[3] es sin duda la más solemne de la Iglesia

GIGANTES Y CABEZUDOS en las Fiestas de San Fermín. Estas exageradas figuras aparecen con menos frecuencia hoy en las procesiones religiosas. Sirven de gran regocijo a los niños que las ven pasar por las calles.

católica, celebrada con mucha pompa en Toledo y Granada. Como en muchas otras fiestas, a la procesión religiosa que sale de la catedral precede un desfile de gigantes y cabezudos[4] y otro de niñas vestidas de blanco y de hombres con estandartes y cirios. Al final aparece la custodia llevada a hombros de los costaleros.

DEPORTES

Desde tiempos muy antiguos son las *corridas de toros* un espectáculo muy popular y muy concurrido. Hay en la fiesta taurina momentos emocionantes y además un colorido singular que atrae a los aficionados. A pesar de la competencia de deportes más modernos, las corridas siguen siendo la fiesta tradicional por excelencia. Se han escrito muchos libros y ensayos en contra de la fiesta nacional o "fiesta brava," como la llaman otros, pero para el verdadero aficionado el toreo es un arte que muchos no comprendemos—el arte y la destreza del torero para dominar al toro bravo en unos minutos y al fin prepararlo para el "momento de la verdad" en que arriesga la vida.[5] Para los que así creen, el toreo no es más cruel que el boxeo, la caza de animales o la matanza de reses en los mataderos de Chicago.

Otro deporte de viejo arraigo es el juego vasco llamado *jai alai*, *frontón* o *pelota vasca*. El lugar donde se juega se llama "cancha" y los jugadores reciben el nombre de "pelotaris." El entusiasmo que este juego despierta entre sus aficionados se debe no sólo a la rápidez y destreza de los pelotaris, sino a la facilidad que ofrece para hacer apuestas.

Modernamente, la atención de grandes masas de público se dirige a otras competencias deportivas, entre ellas el fútbol, el baloncesto, el hockey sobre patines, el tenis, el esquí y otros. Tanta fue la afición al *fútbol* en los años después de la guerra civil que no faltó quien llamara "opio del pueblo" a este deporte. Aún hoy en que el fútbol español ha empezado a decaer no son raras las ocasiones, en Madrid y Barcelona, de ver en los estadios más de 100.000 espectadores. Equipos españoles han competido con los mejores de otros países y han sido campeones del mundo y de Europa varias veces.

Un factor importante que ha contribuido a la popularidad de este deporte ha sido la creación de las "apuestas mutuas," mejor conocidas con el nombre de *quinielas*. Miles y hasta millones de personas hacen apuestas sobre el resultado de los partidos semanales. De los enormes ingresos que se recaudan un 55 por 100 se reparte en premios.

FESTIVALES DE ESPAÑA

No hay país que tenga un folklore tan rico como España. Sin embargo, esta variedad de bailes, trajes y cantos va siendo desplazada poco a poco

EL RASTRO
("*FLEA MARKET*")
DE MADRID. UN DOMINGO
POR LA MAÑANA.

Abajo: ENCIERRO DE TOROS.
En Pamplona, durante
las Fiestas de San Fermín,
existe la costumbre
de llevar por las calles
a los toros que han
de lidiarse cada día.

EL "CORDOBÉS"
es el torero más admirado
por la gente del pueblo.
Los verdaderos aficionados
al toreo niegan
su arte y valentía.

Abajo: BAILE TÍPICO
de la provincia
de Santander.

"TERRAZA" en una de las calles principales de Madrid.

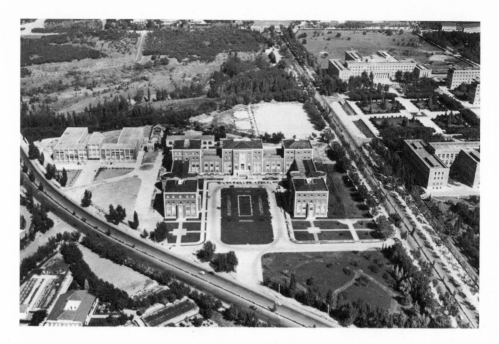

ESCUELA TÉCNICA SUPERIOR de Ingenieros Agrónomos, Madrid.

por modas extranjeras. En realidad sólo tres bailes conservan cierta aceptación en sus respectivas regiones: la *jota* en Aragón, la *sardana* en Cataluña y las *sevillanas*[6] en Andalucía. De las tres, es la sardana la más popular. La bailan en cualquier lugar público y por toda clase de gente. Tres o cuatro personas empiezan a bailar e inmediatamente se unen otros, y cuando el círculo es ya grande se forman otros más pequeños dentro. Algunos comparan esta danza con el "ring-around-the-rosy," aunque bailada con más solemnidad y adaptada a personas mayores también.

Para la preservación de este folklore ha establecido el Ministerio de Información y Turismo los anuales Festivales de España, que cada año despiertan más interés. Estos festivales desarrollan multitud de actividades culturales que se ofrecen al público a precios moderados; pero son los de verano los que recorren toda España y abarcan mucha más gente. Mientras en un lugar hay certámenes nacionales de danza española, en otros se celebran exhibiciones de coros y bailes, se reponen famosas zarzuelas o se celebran festivales de auténtico cante y baile flamenco.[7]

Si consideramos los espectáculos y diversiones tradicionales de un pueblo expresión exacta de su modo de ser y de su carácter, debemos reconocer que por encima de las diferencias regionales, sin duda interesantes y significativas, las fiestas y los regocijos de los españoles traducen muy bien su sentido de alegría, de vivacidad y de franqueza. Esto es lo que atrae y conquista siempre las simpatías de cuantos visitan aquel país.

NOTAS

1. El *turrón* es un dulce hecho de almendras, huevos, miel y azúcar. Se cree que fueron los árabes quienes lo inventaron. El gran poeta musulmán Hafis lo alaba en sus *kasidas*.

2. La palabra *paso* se podría definir como una carroza con imágenes. Estos pesadísimos artefactos son llevados desde las iglesias a la catedral y desde la catedral a sus respectivas iglesias. Los costaleros tienen que marchar despacio, paso a paso, no sólo por el enorme peso que llevan encima sino por no ver el camino a causa de las cortinas que les rodean. Los guía un "mayordomo" que marcha delante, con su voz o con los golpes de su bastón sobre el pavimento.

3. El *Corpus* es una fiesta movible que se celebra 60 días después de la Pascua de Resurrección.

4. La aparición de estas gigantescas figuras en las procesiones religiosas es algo incomprensible para nosotros hoy. Alcanzaron su mayor popularidad en los siglos XVI y XVII, época en que había aumentado la fastuosidad del culto católico. En un principio aludían estas figuras a las luchas entre cristianos y moros; más tarde representaban personajes de la Biblia, como el gigante Goliat o los Reyes que llegaron de distintos continentes para adorar al Niño Dios. Con el tiempo estos gigantes aprendieron a bailar, por cuya razón sirven hoy de regocijo y diversión a los niños. Su popularidad de cinco siglos está hoy en decadencia.

5. Lo que no comprende la mayoría de la gente es que el toreo está sometido a reglas muy estrictas e inmutables: (a) Dos hombres a caballo (los alguaciles), vestidos a la manera del siglo XVII, aparecen en la plaza y piden permiso al presidente de la fiesta para empezar la lidia; (b) Desfile de las dos cuadrillas; (c) Salida del primer toro y la suerte de los picadores; (d) Sigue la suerte de los banderilleros; (e) La muerte del toro; (f) Entrada de las "mulillas" para sacar al toro muerto de la plaza; (g) A cada matador le corresponden dos toros, que deben ser lidiados en el espacio de 20 minutos cada uno; (h) Las corridas deben celebrarse por la tarde y sólo durante los meses de marzo a octubre.

6. Una buena ocasión de ver bailar sevillanas es durante la *Feria de Sevilla*, fiesta que sigue a la de Semana Santa y que atrae a muchos forasteros por su colorido. Hombres y mujeres ataviados en trajes típicos de la región se pasean sobre caballos andaluces. En las casetas y en las calles mismas hombres, mujeres y niños bailan sevillanas al sonido de la guitarra y las castañuelas.

7. Se llama arte *flamenco* el de los cantes y bailes típicos creados por determinados grupos de la población andaluza, en que predominan los gitanos, con una música muy característica de tradición oriental.

CAPÍTULO XXXI

Las regiones españolas y el futuro de España

EL FUTURO DE ESPAÑA

Al español de hoy le parece tan incierto el futuro de su país que sólo se preocupa del presente. No sabe lo que sucederá el día que desaparezca el general Franco. Cuando se piensa que un 65 por 100 de la población activa no ha conocido la guerra civil, se comprenderá que no le interese ni la Monarquía ni la República. Por otro lado, sabe muy bien que como el presente régimen no admite la posibilidad de crear partidos políticos, no habrá en el futuro organismos capaces de encargarse de un gobierno diferente. De esta política sin partidos se hizo eco el Caudillo en un discurso famoso ante las Cortes Españolas: "Los partidos no son un elemento esencial y permanente sin los cuales la democracia no puede realizarse. A lo largo de la historia ha habido muchas experiencias democráticas sin conocer el fenómeno de los partidos políticos."

LA LEY DE SUCESIÓN

Poco después de instaurarse el régimen nazifascista se dictó una ley de Sucesión para aplacar el descontento de los monárquicos que espera- ban la restauración de la Monarquía. Según esta ley, España es un "Reino" que será gobernado por el general Franco hasta que llegue el momento propicio de nombrar su sucesor. La ley también determina que cuando el cargo de Jefe del Estado quede vacante, el Consejo de Regencia y el Gobierno propondrán a las Cortes el nombre de la persona que ha de ser Rey o Regente. Se especificaba también que el rey debe ser español, de

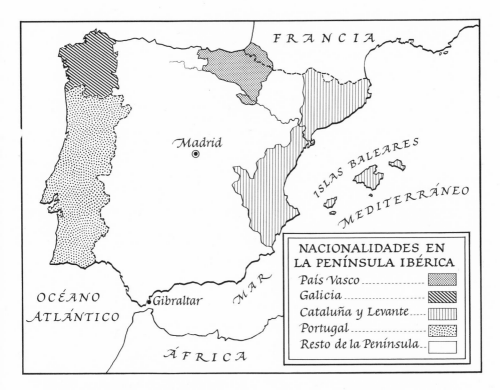

NACIONALIDADES EN
LA PENÍNSULA IBÉRICA
País Vasco
Galicia
Cataluña y Levante
Portugal
Resto de la Península

sangre real, católico, de no menos de treinta años y obligado a jurar obediencia a las leyes constituidas.

Es dudoso que el español acepte la persona más indicada para heredar el trono—el Príncipe Juan Carlos de Borbón, educado en la misma ideología del régimen. Más probable es que el general Franco nombre regente al almirante que ha escogido como Vicepresidente. Ese temor parece que lo siente el periódico *ABC*, de manifiesta tendencia monárquica, pues ha dedicado varias páginas para advertir a sus lectores que una Regencia debe entenderse como algo transitorio y no como una manera "de preparar disimuladamente para mañana una dictadura militar... que sería una República presidencialista camuflada, de tipo ni siquiera fascista, sino nazi."

El culpable de esta indecisa situación es sin duda el general Franco, quien después de treinta años de poder personal absoluto no se ha preocupado de solucionar el problema de sucesión.

LAS "NACIONALIDADES" ESPAÑOLAS.*

En la conciencia nacional del español entra el sentido de diferencia de rosto, de humor, de paisaje y hasta de lengua entre las distintas regiones, pero no necesariamente el sentido de separación política y constitucional.

* Léase de nuevo lo ya dicho al principio del capítulo XXIII.

Es este otro problema palpitante que requiere solución. El profesor Américo Castro sostiene en su famosa obra, *La realidad histórica de España*, que este país es un pueblo que no ha sabido convivir y que para entenderlo es necesario entender su pasado: "cómo fue que tal región, y antes tal reino, se malentendieron con sus vecinos; cómo fue que aragoneses, catalanes y castellanos retardaron siglos la Reconquista a causa de sus rivalidades y rencillas, de sus complejos—diríamos hoy—de inferioridad colectiva." Añade el Sr. Castro que España nunca tuvo una monarquía centralizadora como la francesa y que en realidad no hay una España, sino varias.

Esto parece decirnos que hay en España, en su periferia, núcleos de población en que la diferenciación lingüística y racial es más acusada que en el interior. A estas regiones (Cataluña, el País Vasco y Galicia) dan algunos el nombre de nacionalidades.

La "nación" catalana. La mayoría de los españoles siente el problema catalán de una manera confusa. Unos admiran en el catalán su laboriosidad y dinamismo; otros los consideran poco simpáticos y no comprenden por qué siendo españoles sienten tanto apego a su lengua y su cultura.

En la historia de Cataluña hubo momentos gloriosos. Después de unirse con Aragón, Barcelona se convirtió en puerto importantísimo, rival de Génova y Venecia y a los catalanes se debe la expansión del reino catalán-aragonés por el Mediterráneo. Durante la Reconquista también lograron extender su lengua por la región valenciana, las Islas Baleares y la provincias francesas al otro lado de los Pirineos.[1]

La lengua catalana es una lengua romance, como la castellana, pero más ligada a la de Provenza. Su literatura, influida por la provenzal, tuvo gran desarrollo en la Edad Media, con poetas como Ausias March (1397–1459), traducido muy pronto al castellano, y Joan Ruis Corella (fines del siglo XV), cuyo poema *Pietá* es una de las más bellas piezas de aquella literatura.

Desde el tiempo de los Reyes Católicos decae el poder comercial de Cataluña al no permitírsele traficar con los países descubiertos en América. Conservaron sin embargo los catalanes, durante los siglos XVI y XVII, la mayor parte de sus instituciones, y esto a pesar de que en 1640 se rebelaron contra Felipe IV y a punto estuvieron de proclamar rey a un francés. El momento más triste para esta "nación" fue cuando los Borbones, al terminar la guerra de Sucesión (1713), la privaron de los privilegios que habían disfrutado hasta entonces: el de tener sus propios tribunales, el de usar el catalán en las escuelas, el de administrar su propio territorio, el de acuñar moneda, etc.

El nacionalismo catalán empezó a manifestarse, aunque de una manera vaga y sin dirección determinada, en la segunda mitad del siglo

JUEGO DE BOLOS, del pintor Sorolla. Estos juegos todavía se practican en algunos de los pueblos de la "nación" vasca.

XIX. En cambio, a principios del siglo XX y durante el reinado de Alfonso XIII adquirió verdadera violencia. Terminó este período con la concesión de autonomía en septiembre de 1932. Fue entonces cuando se dio un renacimiento de su literatura y arte, con poetas como Jacinto Verdaguer[2] (1845–1902) y Juan Maragall; músicos como Anselmo Clavé, Felipe Pedrell, Pablo Casals y muchos más; arquitectos como Antonio Gaudí; y pintores como Rusiñol, Mariano Fortuny, Joan Miró, etc.

No se cree que Cataluña aspire hoy a constituirse en Estado independiente. A esto se opondrían, por razones económicas, muchos catalanes y la mayoría de los emigrantes que han llegado últimamente de otras regiones.[3] Lo que sí desean es cierta libertad político-administrativa y libertad completa para enseñar su lengua en las escuelas y para usarla en todos los niveles de instrucción y en todos los medios de comunicación de masas, como la prensa, la radio y la TV. El profesor y filósofo José Ferrater Mora, de origen catalán, ofrece dos soluciones viables: (1) el restablecimiento del Estatuto concedido por la República en 1932 ó (2) el establecimiento de una federación semejante a la de Suiza, país donde se hablan cuatro lenguas diferentes. Por extraño que parezca, esta última solución es la menos deseable para el centralismo español.

La "nación" vasca. También los vascos están dando señales de impaciencia, pues estiman que su país merece privilegios especiales. Por lo pronto, tienen lengua propia (el vascuence)—una de las más antiguas del mundo—, tienen historia y tienen características raciales y psicológicas distintas al resto de los españoles. Aunque pertenecieron al reino de Castilla, la corona les concedía privilegios que todos los reyes juraban respetar antes de subir al trono.

Hay que advertir, sin embargo, que el vascuence ya se habla poco en

LA VIRGEN DE LOS CANCELLERS. Luis Dalmau pintó este cuadro en 1445 para adornar el retablo de la capilla del Concejo Municipal de Barcelona. En él aparecen la Virgen y los cinco *cancellers* de la ciudad, arrodillados ante ella.

las grandes ciudades y en Navarra, donde se empleaba mucho antes, va desapareciendo.[4] En literatura raras veces se usa. Sus grandes hombres de letras como Unamuno y Baroja han escrito siempre en castellano. Aun los propagandistas del partido nacionalista, creado a principios del siglo XX, escriben sus manifiestos en castellano.

Las necesidades de la guerra obligaron a la República a conceder la autonomía al País Vasco en 1936. Pero el nacionalismo exaltado de entonces no lo sienten ni los hombres de letras ni el gran número de vascos de talento que se dedican a la industria, el comercio y la Banca. Lo más que recomiendan estos hombres es cierto grado de autonomía que les permita aplicar a su "nación" las excelentes dotes de organización que siempre han demostrado. Para ellos ha pasado de moda un nacionalismo a la antigua que se declaraba ciegamente aferrado a la Iglesia católica, a los fueros medievales, a la lengua vasca y a las viejas tradiciones.

La "nación" gallega. La lengua de Galicia, más cercana al portugués que al castellano, fue empleada por los poetas líricos de Castilla en la Edad Media. Con el paso del tiempo quedó relegada a las clases inferiores de la población, hasta que en el siglo XIX Rosalía de Castro (1837–1885), mujer que escribió en ambas lenguas, hizo revivir la lengua literaria de Galicia. Después, en el siglo XX, se han hecho nuevos esfuerzos por vivificar la lengua culta. Se publicaron antologías de autores gallegos y se fundó una Academia de la Lengua Gallega; pero como el castellano se habla cada vez más en las ciudades, es dudoso que el movimiento nacionalista pueda adquirir conciencia nacional. Eso sólo se lograría si se estableciese una fecunda colaboración con la lengua de Portugal.

Racialmente, se dice que en su población existen rasgos de los celtas y de los suevos. Históricamente, hubo un reino de Galicia en la Edad Media que pronto fue incorporado al de Castilla.

De aquella tierra han salido grandes hombres de letras que han escrito en castellano, y grandes estadistas. En la actualidad, algunos autores jóvenes son bilingües.

Conclusión. El futuro de España tal como lo hemos estudiado en este capítulo, depende del problema de sucesión y del no menos importante de las "nacionalidades." El Gobierno actual está concediendo favores especiales a las tres "naciones" mencionadas para dar la impresión de que no son olvidadas, pero se opone a concesiones que puedan amenazar la unidad nacional. Todo intento de resucitar antiguos nacionalismos es severamente castigado. En Barcelona, por ejemplo, un profesor español en los Estados Unidos fue encarcelado por haber asistido a una reunión "ilícita" de intelectuales en la Universidad. La Prensa diaria informa con frecuencia de actos delictivos de propaganda y asociación ilegal.

LA SARDANA, baile muy popular en toda Cataluña.

A los vascos se les acusa unas veces de "tener en su posesión publicaciones clandestinas separatistas vascas" o de ser "portadores de folletos
y periódicos de tipo separatista," y en otras, de haberse asociado a "una
organización clandestina vasca," "haber pintado letreros de caracter
separatista" y de "colocar una bandera vasca en lo alto de un depósito de
aguas en Guernica."[5]

En Galicia también hacen reclamaciones, pero no en el sentido de
separación política, sino por una razón más bien sentimental: la de tener
libertad para enseñar y emplear su idioma en sus escuelas. El Director de
un periódico fue multado por haber permitido la publicación de una carta
abierta titulada "Sobre el idioma gallego." Según el censor, la intención
de la carta era "excitar los ánimos del pueblo gallego, haciéndole ver que
su lengua era objeto de persecución oficial y eclesiástica" y que "tendía

a fomentar la discordia nacional frente al Poder central, a inculcar la idea de que no es posible el progreso en Galicia sin el idioma propio con absoluto dominio."

En vista de lo expuesto parece evidente que las libertades que estas "naciones" reclaman sólo se conseguirán mediante la libertad política, sin la cual ninguna otra es verdadera aunque lo parezca.

NOTAS

1. El dialecto valenciano y el de las Islas Baleares pertenece a la familia lingüística del catalán, que es hablado por unos cinco millones de españoles. En Valencia, sin embargo, ha penetrado mucho el castellano y no simpatizan con la ideología catalanista. La mayoría de los valencianos son bilingües. Rosellón y Cerdaña fueron provincias españolas en Francia.

2. Su poema épico *La Atlántida* sirvió de inspiración a Manuel de Falla para su ópera del mismo nombre.

3. Cada año llegan a Cataluña, sobre todo a la provincia de Barcelona, miles de obreros de otras regiones. Estos inmigrantes no siempre reaccionan de la misma manera al encontrarse con una lengua y una cultura diferente. La gran mayoría hacen esfuerzos por entender la lengua catalana, pero no consideran necesario aprender a hablarla. Tampoco les interesa, como proletarios, la ideología catalanista.

4. Después de Madrid y Barcelona, la provincia de Vizcaya es la que más inmigrantes recibe del interior. Trabajan en las minas, en los grandes astilleros y en las fundiciones de hierro y de otros metales. De seguro, a estos hombres no se les puede pedir que aprendan el vascuence—lengua que, según la leyenda, ni el mismo diablo fue capaz de aprenderla.

5. Consta que algunos sacerdotes jóvenes colaboran con un grupo terrorista llamado *Euzcadi ta Askatasuna* (ETA) o "País Vasco y la Libertad," cuyos fines son los de lograr la independencia y establecer un Estado "verdaderamente democrático y socialista." (Hablarán el vascuence unos 600.000 españoles y más de 2.5000.000, el gallego.)

CUESTIONARIOS Y TEMAS

CAPÍTULO PRELIMINAR

1. ¿Dónde está situada la Península Ibérica? 2. ¿Cuál es la proporción del territorio peninsular de España y Portugal? 3. ¿Qué otros territorios pertenecen a España fuera de la Península? 4. ¿A qué se llama Meseta central? 5. ¿Cuáles son las zonas más montañosas de España? 6. ¿Qué mares rodean a la Península Ibérica? 7. ¿Qué caracteriza el clima de España? 8. ¿Dónde desembocan los ríos mayores de España? 9. ¿Dónde se disfruta de un clima agradable? 10. ¿Cuál es el número total de provincias? 11. ¿Cuál es la cifra de la población de España? 12. ¿Cuáles son las tres ciudades mayores? 13. ¿En cuántas regiones se divide España? 14. ¿Cuáles son los principales puertos de mar de España?

I. Razones que explican la variedad de regiones en España.
II. Consecuencias de la situación geográfica de España.

I

1. ¿Cuándo principia la historia de la Península Ibérica? 2. ¿Cuáles son las referencias históricas más antiguas? 3. ¿Por qué es notable la cueva de Altamira? 4. ¿Dónde estaban situados los tartesos? 5. ¿Qué pueblos llegaron como colonizadores? 6. ¿De dónde procedían los iberos? 7. ¿Qué forma tenía la cerámica ibera? 8. ¿Qué características ofrecía la *Dama de Elche*? 9. ¿Conocían la escritura los iberos? 10. ¿Cómo sabemos que hubo un pueblo tarteso? 11. ¿Cuándo llegaron los celtas a la Península? 12. ¿Quiénes fueron los celtíberos? 13. ¿Cuáles fueron algunas de sus características? 14. ¿Cuáles fueron sus creencias religiosas?

I. Manifestaciones artísticas del hombre primitivo.
II. Diversidad de razas en los antiguos pobladores de Iberia.

II

1. ¿Quiénes eran los fenicios? 2. ¿Cuál es la ciudad más antigua de Occidente? 3. ¿Por dónde se extendía la colonización griega? 4. ¿Cómo y por qué fueron los griegos a Iberia? 5. ¿Qué representa y dónde se encontró la *Dama de Elche*? 6. ¿Por qué fueron los cartagineses a Iberia? 7. ¿Quién fue el enemigo mortal de los cartagineses? 8. ¿Qué se propuso el general cartaginés Aníbal? 9. ¿Por qué invadieron los romanos la Península Ibérica? 10. ¿En

qué consistió la romanización de Hispania? 11. ¿Qué medidas impulsaron la romanización? 12. ¿Cuándo quedó dominada la Península por los romanos? 13. ¿Desaparecieron totalmente las antiguas civilizaciones indígenas?

I. La atracción que el territorio ibérico tenía para otros pueblos.
II. Importancia y trascendencia de la romanización de Hispania.

III

1. ¿En qué materias se manifiesta la unificación de Hispania? 2. ¿Cómo se gobernaban las ciudades hispano-romanas? 3. ¿Cuándo terminó la autonomía municipal? 4. ¿Cuáles eran los principales productos agrícolas de la Península? 5. ¿Tenía importancia la ganadería? 6. ¿Qué clases sociales había en los dominios de Roma? 7. ¿Qué religión introdujeron los romanos en Hispania? 8. ¿Quién predicó el cristianismo en Hispania? 9. ¿Cómo eran las casas hispano-romanas? 10. ¿Quién combatió las doctrinas herejes del obispo Arrio? 11. ¿Quiénes fueron los emperadores romanos de origen hispánico? 12. ¿Qué doctrina filosófica profesó Séneca? 13. ¿Cómo murió este gran filósofo? 14. ¿Qué restos quedan en Hispania de las construcciones hispano-romanas?

I. Lo que aportó España al Imperio romano.
II. Importancia y consecuencia de la unificación lingüística.

IV

1. ¿Cuándo entraron los visigodos en la Península? 2. ¿Por qué se trasladaron luego en masa a Hispania? 3. ¿Dónde establecieron la capital del reino hispano-gótico? 4. ¿Cuál era la religión de los visigodos al entrar en la Península? 5. ¿Quién fue el primer rey visigodo que profesó el cristianismo? 6. ¿Cómo terminó el reino visigodo? 7. ¿Qué carácter singular presenta la civilización hispano-gótica? 8. ¿Qué clases sociales había entre los visigodos? 9. ¿Cuál era el sistema de gobierno de los visigodos? 10. ¿Qué influencia tuvo la religión en la marcha del reino visigodo? 11. ¿Hasta qué punto se romanizaron los visigodos en sus costumbres? 12. ¿En qué se caracteriza la arquitectura visigótica? 13. ¿Qué participación tuvieron los judíos en la invasión árabe? 14. ¿Quiénes fueron los escritores más notables de la época?

I. Importancia y consecuencias de la romanización de los visigodos.
II. Significación de los Concilios de Toledo.

V

1. ¿Con qué nombres se designa a los nuevos invasores? 2. ¿Quién fue Mahoma? 3. ¿Qué actitud adoptaron los visigodos después de la derrota?

4. ¿Cómo trataron los árabes a los visigodos? 5. ¿Quiénes fueron los "renegados" y los "mozárabes"? 6. ¿Cómo se gobernó al principio el territorio arábigo-hispano? 7. ¿Cómo se estableció al *Emirato* independiente? 8. ¿Cuándo se inicia la decadencia del *Califato* de Córdoba? 9. ¿Cuándo se formaron los reinos de Taifas? 10. ¿Qué otras invasiones de África ocurrieron después? 11. ¿Cómo fueron las relaciones entre los musulmanes y los cristianos? 12. ¿A quiénes se llamaba "mudéjares"? 13. ¿Hubo matrimonios mixtos entre las dos razas? 14. ¿Qué afinidades había entre judíos y musulmanes?

I. La convivencia de razas y la tolerancia religiosa en el Califato.
II. Importancia de la creación político-religiosa de Mahoma.

VI

1. ¿Cuál era el elemento común a todos los musulmanes? 2. ¿Cuál es el principio fundamental del Corán? 3. ¿Qué obligaciones impone la religión musulmana? 4. ¿En qué se demostró la prosperidad económica del Califato? 5. ¿Qué clases sociales había en *Al-Andalus*? 6. ¿Cómo vivían las mujeres en la familia musulmana? 7. ¿Qué comprendía la enseñanza primaria? 8. ¿Qué género literario prefirieron los árabes de Hispania? 9. ¿Cuál es la importancia de las "jarchas"? 10. ¿Quiénes fueron Averroes y Maimónides? 11. ¿Cómo era la estructura de las mezquitas? 12. ¿Cuándo empezó a construirse la mezquita de Córdoba? 13. ¿Qué joyas artísticas pertenecen al período de los almohades? 14. ¿Qué famosos monumentos quedan de la época de los reyes de Granada?

I. Caracteres singulares de la religión musulmana.
II. Importancia cultural del Califato de Córdoba.

VII

1. ¿Cuánto tiempo se necesitó para la Reconquista cristiana de los territorios hispano-árabes? 2. ¿Cuál fue el primer hecho saliente de la Reconquista? 3. ¿Por qué conquistó Carlo-Magno el territorio catalán? 4. ¿Cuáles eran ya los dominios cristianos a fines del siglo IX? 5. ¿Cuándo y cómo se produjo la independencia de Castilla? 6. ¿Quién unió definitivamente los reinos de León y Castilla? 7. ¿Quién fue Ruy Díaz de Vivar? 8. ¿Qué significó la separación de Portugal? 9. ¿Qué ciudades importantes conquistó Fernando III? 10. ¿Qué ciudades conquistó Jaime I de Aragón? 11. ¿Qué se convino en el tratado de Almizra? 12. ¿Por qué no se terminó la Reconquista en el siglo XIII? 13. ¿Qué problema planteaba la recuperación de territorios? 14. ¿Cómo contribuyeron a la Reconquista las Órdenes religiosas?

I. Significado político y religioso de la Reconquista.
II. Consecuencias de la creación de los varios reinos cristianos.

VIII

1. ¿Cuáles eran las potestades del rey? 2. ¿Quiénes desempeñaban los altos cargos del gobierno? 3. ¿Quiénes gobernaban las ciudades y villas? 4. ¿Hubo verdadero feudalismo en España? 5. ¿Cuáles eran las clases de la nobleza? 6. ¿Por qué adquirió gran poder la Iglesia en la Edad Media? 7. ¿Por qué tenían gran ascendiente social los eclesiásticos? 8. ¿Qué consecuencias tuvo el descubrimiento de los restos que se cree son del apóstol Santiago? 9. ¿Qué grupos comprendía la clase de hombres libres? 10. ¿Qué elementos de población predominaban en las ciudades? 11. ¿Qué situación tenían los siervos de la gleba? 12. ¿Qué participación tuvieron los eclesiásticos en la guerra? 13. ¿Qué actitud adoptaron los hombres libres en las luchas de los nobles contra los reyes?

I. La diversidad en la manera de ser gobernadas las ciudades y las villas.

IX

1. ¿Qué eran los fueros municipales? 2. ¿Cómo se concedían y cuál era su contenido? 3. ¿Qué eran los municipios libres? 4. ¿Qué eran las *hermandades*? 5. ¿Cómo se gobernaban los municipios sin fueros? 6. ¿Qué eran las Cortes medievales y cuál era su característica esencial? 7. ¿Qué intervención tenían las Cortes en la función legislativa? 8. ¿Cuáles eran los *brazos* o elementos de las Cortes? 9. ¿Cómo se celebraban las reuniones? 10. ¿Qué carácter tenía la legislación medieval? 11. ¿Cómo estaba organizada la administración de justicia? 12. ¿Cómo era el sistema penal y el de procedimiento judicial? 13. ¿Qué era el *derecho de asilo*?

I. Importancia y significación de las Cortes medievales.

X

1. ¿Qué ciudades se desarrollaron rápidamente al ser reconquistadas? 2. ¿A quiénes pertenecían las tierras? 3. ¿Cómo estaba organizada la industria? 4. ¿Quiénes contribuían a sostener los gastos del Estado? 5. ¿Qué moneda tenían en los reinos cristianos al principio? 6. ¿Por qué se desarrolló poco la cultura en los primeros tiempos? 7. ¿Qué factores contribuyeron a su mayor desarrollo? 8. ¿Qué significación histórica tiene el rey Alfonso X? 9. ¿Qué hizo el rey Sabio en favor de la cultura? 10. ¿Cómo fue al principio la vida en los reinos cristianos? 11. ¿Cuándo se notó el efecto de una mayor prosperidad? 12. ¿Qué influencias de fuera produjeron mayor efecto en la manera de vivir? 13. ¿Qué clases de matrimonio había entonces? 14. ¿Quiénes trabajaban en la Escuela de Traductores de Toledo?

I. El fenómeno de la fusión de culturas.
II. Causas de la lentitud del desarrollo económico.

XI

1. ¿Hubo gran número de judíos en la España medieval? 2. ¿Cómo se ha llamado a los judíos españoles? 3. ¿En qué actividades se distinguieron? 4. ¿Cuál fue la situación de los judíos en la España medieval? 5. ¿Por qué hubo prejuicios contra ellos? 6. ¿Cómo fueron los mozárabes y mudéjares factores de intercomunicación? 7. ¿Qué órdenes monásticas extranjeras ejercieron influencia? 8. ¿Por qué hubo influencias culturales procedentes de Italia? 9. ¿Quiénes introdujeron el arte románico en España? 10. ¿Cuáles fueron las primeras manifestaciones de este arte? 11. ¿Dónde se encuentran buenos ejemplos de pintura mural? 12. ¿Cuál es el mejor ejemplo de escultura románica medieval?

I. Importancia de la aportación sefardita a la civilización española.
II. La penetración de influencias extrañas en la civilización española.

XII

1. ¿Cómo se define la monarquía en las *Partidas*? 2. ¿Quiénes eran los *letrados*? 3. ¿Cuál fue la actitud de la nobleza? 4. ¿Qué causó la muerte del condestable don Álvaro de Luna? 5. ¿Cuáles fueron las causas de las guerras civiles en tiempo de Enrique IV? 6. ¿Cuáles fueron las consecuencias de las luchas entre reyes y nobles? 7. ¿Cuál fue la situación de los municipios? 8. ¿Cuál fue la posición de la Iglesia y del clero? 9. ¿Por qué mejoró la economía? 10. ¿Cómo se regían y sostenían las Universidades? 11. ¿Cómo fue la lucha entre la nobleza y el rey de Aragón? 12. ¿Por qué se rebelaron los campesinos? 13. ¿Qué consecuencias tuvo la reacción de los reinos cristianos frente a la invasión de los musulmanes?

I. Diferencias notables entre los reinos de Aragón y Castilla.
II. Valoración de los progresos de la civilización hispánica en los últimos siglos de la Reconquista.

XIII

1. ¿Cuáles fueron las lenguas romances formadas en España por la transformación del latín? 2. ¿A dónde se extendió el catalán? 3. ¿Cuál es la primera gran obra de la literatura en lengua castellana? 4. ¿Qué son las *Cantigas* y en qué lengua están escritas? 5. ¿Cuál es el contenido de las *Cantigas*? 6. ¿Sobre qué temas escribió Gonzalo de Berceo? 7. ¿De qué índole es el *Libro de Buen Amor* y quién lo escribió? 8. ¿Cuál es el contenido del *Libro de Patronio*? 9. ¿Cuál es la obra principal de Jorge Manrique y qué mérito se le reconoce? 10. ¿Cuáles son los caracteres del estilo románico en arquitectura?

11. ¿Cuál es el edificio románico más importante? 12. ¿Cuáles son las características del estilo ojival en arquitectura? 13. ¿A qué se aplicó principalmente la escultura? 14. ¿A qué quedó subordinada la pintura en la Edad Media?

 I. Estudio de las manifestaciones artísticas en la Edad Media.

 II. Variedad, riqueza y valor de la literatura española medieval.

XIV

1. ¿Qué significación tuvo la conquista de Granada? 2. ¿Por qué se sublevaron los moriscos? 3. ¿Qué propuso Colón a los Reyes Católicos? 4. ¿Por qué se apartó Colón del gobierno de los territorios descubiertos? 5. ¿Qué injusticia ha cometido el destino con Cristóbal Colón? 6. ¿Con qué propósito establecieron los Reyes Católicos la Inquisición? 7. ¿Por qué se decretó la expulsión de los judíos? 8. ¿Qué principio se estableció respecto de la consideración de los habitantes de las colonias de América? 9. ¿Cómo se organizó el gobierno de las colonias españolas de América? 10. ¿Cuál fue la política exterior del rey Fernando? 11. ¿Quién fundó la Universidad de Alcalá? 12. ¿Qué obras literarias de importancia se escribieron en esta época? 13. ¿Qué elementos se combinan en los estilos *isabelino* y *plateresco*? 14. ¿Por qué se dice que no hubo verdadero Renacimiento en España?

 I. Trascendencia del descubrimiento de América.

 II. Importancia política y cultural del reinado de los Reyes Católicos.

XV

1. ¿Qué representa el siglo XVI para la monarquía española? 2. ¿Por qué heredó Carlos de Austria los tronos de España y Alemania? 3. ¿Estaba preparado Carlos V para gobernar el reino de España? 4. ¿Por qué suscitó el rey el disgusto de los españoles? 5. ¿Qué pidieron los municipios al rey? 6. ¿Por qué se sublevaron las *Comunidades*? 7. ¿Qué actitud tuvo el Emperador frente a la Reforma protestante? 8. ¿Qué conquistas realizaron los españoles en América? 9. ¿Qué gran viaje de exploración se efectuó en tiempos de Carlos V? 10. ¿Qué hizo el Emperador al abdicar la corona? 11. ¿Qué actitud tuvo Felipe II en materia religiosa? 12. ¿Por qué se dio la batalla de Lepanto? 13. ¿Qué significación tuvo la conquista de Portugal por Felipe II? 14. ¿Qué sucedió a la *Armada Invencible*?

 I. Las actividades de los españoles fuera de España.

 II. Carlos V y Felipe II ante la historia.

XVI

1. ¿Qué consecuencia produjo la publicación de los escritos del Padre Las Casas? 2. ¿Cómo debe juzgarse la obra de España en América? 3. ¿Cuál

había de ser la base económica de la colonización hispano-americana? 4. ¿Qué eran los *repartimientos* y las *encomiendas*? 5. ¿Cómo se organizó el gobierno colonial? 6. ¿Qué valor tenían las *Leyes de Indias*? 7. ¿Cuál era la función de los "defensores de indios"? 8. ¿Cuáles fueron los objetivos principales de la colonización? 9. ¿Cuándo se fundaron las primeras Universidades en la América española? 10. ¿Por qué se generalizó tanto el mestizaje? 11. ¿Qué elementos de producción económica introdujeron los españoles en este Continente? 12. ¿Destruyeron los españoles las antiguas civilizaciones indígenas?

I. Resultados de la fusión de razas y culturas en Hispanoamérica.
II. Valoración histórica de la "leyenda negra."

XVII

1. ¿Qué representa el siglo XVII en la historia de España? 2. ¿Cómo fueron los reyes españoles en este siglo? 3. ¿Qué sucedió en tiempo de Felipe IV? 4. ¿Qué se proyectó en los últimos años de Carlos II? 5. ¿Cuál fue probablemente la causa primordial de la decadencia? 6. ¿Fueron responsables los reyes de esta decadencia? 7. ¿Qué efecto produjo el oro de América? 8. ¿Cuáles eran las clases económicamente improductivas? 9. ¿Por qué disminuyó la población en este siglo? 10. ¿Por qué fueron expulsados los moriscos? 11. ¿Por qué estaba en crisis la agricultura? 12. ¿Por qué vivió España aislada espiritualmente de Europa?

I. Discusión sobre la decadencia de España.
II. Discusión sobre el erasmismo y la contra-Reforma.

XVIII

1. ¿Qué período comprende el *Siglo de Oro*? 2. ¿Qué clases de novelas se escribían entonces en España? 3. ¿A qué género pertenece el *Amadís de Gaula*? 4. ¿Qué valor se reconoce al *Lazarillo de Tormes*? 5. Diferencia del *Lazarillo* con otras novelas picarescas. 6. ¿Qué contribución hizo Garcilaso a la poesía lírica española? 7. ¿Qué valor se reconoce a Fray Luis de León? 8. ¿Cuál es la distinción entre un místico y un asceta? 9. ¿Quién fue Luis de Argote y Góngora? 10. ¿Qué representa Lope de Vega en la literatura española? 11. ¿Cuál es la obra más famosa de Tirso de Molina? 12. ¿Qué valor se reconoce al *Quijote*? 13. ¿Qué significa Calderón de la Barca en el teatro español? 14. ¿A qué causas atribuye Saavedra Fajardo la decadencia de España?

I. El valor extraordinario de la literatura del Siglo de Oro.
II. El sentido universal del *Quijote*.

XIX

1. ¿Qué estilo arquitectónico gozaba de preferencia a principios del siglo
XVI? 2. ¿Qué estilo es el *herreriano* y por qué recibe este nombre? 3. ¿Cuáles
son los caracteres del monasterio de El Escorial, y qué representa? 4. ¿Qué
caracteriza al *barroco* y cómo se produjo este estilo? 5. ¿Qué estilo es el *churrigueresco*, y por qué se denomina así? 6. ¿Por qué tiene Hispanoamérica
mejores edificios barrocos que España? 7. ¿Quiénes son los principales escultores de este período? 8. ¿Por qué se empleó la policromía en la escultura de
imágenes? 9. ¿En qué siglo tuvo la pintura española su verdadera expresión?
10. ¿Dónde nació *El Greco* y dónde vivió en España? 11. ¿Qué posición ocupa
Velázquez en el arte de la pintura? 12. ¿Cuáles son algunas de sus obras
famosas? 13. ¿Con quién se compara al músico español Antonio Cabezón?
14. ¿Qué son las *zarzuelas*?

I. Carácter singular y expresión de la imaginería española.
II. El misticismo en la pintura de *El Greco*.

XX

1. ¿Qué cambio de dinastía hubo en el siglo XVIII? 2. ¿Cómo se desarrolló la guerra de *Sucesión*? 3. ¿Quién fue el mejor monarca de la dinastía
borbónica? 4. ¿En qué consistía el "despotismo ilustrado"? 5. ¿Progresó
el país en el siglo XVIII? 6. ¿Cómo procedió Carlos III en relación con la
guerra de independencia de los Estados Unidos? 7. ¿Cómo fue la política
internacional de los Borbones? 8. ¿Qué actitud tuvieron los Borbones respecto
de la religión y la Iglesia? 9. ¿Qué disposición radical adoptó Carlos III?
10. ¿Quién fue el gran pintor de este siglo? 11. ¿Qué son los *caprichos* de
Goya? 12. ¿Qué defectos señala José Cadalso en los españoles? 13. ¿Qué
gustos predominan en la música durante el siglo XVIII?

I. La actitud de Carlos III durante la guerra de Independencia de los
   Estados Unidos.
II. Actitud de los españoles bajo una nueva dinastía extranjera.

XXI

1. ¿Qué fue la guerra de la *Independencia*? 2. ¿Qué redactaron las Cortes
de Cádiz? 3. ¿Qué actitud tuvo Fernando VII al regresar a España? 4. ¿Para
qué fueron a España los *Cien mil hijos de San Luis*? 5. ¿Qué pérdida sufrió España
en el primer cuarto del siglo? 6. ¿Qué problema planteó la muerte de Fernando VII? 7. ¿Por qué se produjo la revolución de 1868? 8. ¿Por qué se
eligió rey a don Amadeo de Saboya? 9. ¿Cuándo se proclamó la primera
República española? 10. ¿Cómo terminó el régimen republicano? 11. ¿Cómo
se hizo la restauración de la monarquía borbónica? 12. ¿Qué pérdida sufrió

España en 1898? 13. ¿Cuál es, en esencia, el significado político del siglo XIX en España?

I. La lucha del pueblo español por la libertad y la democracia.
II. El caciquismo, base efectiva de la organización política de la monarquía.

XXII

1. ¿Qué ha sido el Ateneo de Madrid? 2. ¿Quiénes se distinguieron como pensadores? 3. ¿Qué escritores representan el romanticismo? 4. ¿Quiénes fueron los poetas más notables del período post-romántico? 5. ¿Quién fue el autor de teatro más popular en el último cuarto del siglo? 6. ¿Qué escritores representan el naturalismo? 7. ¿Quiénes ejercieron la crítica literaria? 8. ¿Qué edificios importantes se construyeron en el siglo pasado? 9. ¿Qué distingue el estilo revolucionario de Gaudí? 10. ¿Qué desarrollo tuvo la música? 11. ¿Quién fue el orador más notable de este siglo? 12. ¿Quiénes fueron algunos de los pintores de últimos de siglo?

I. El desarrollo de los valores culturales no obstante las agitaciones políticas.
II. Significación y valor de la Institución Libre de Enseñanza.

XXIII

1. ¿Cuáles han sido los elementos típicos de la personalidad regional de Cataluña? 2. ¿Cómo se manifestó la hegemonía de Castilla y del idioma castellano en Cataluña? 3. ¿Cuál fue la actitud de los catalanes respecto de la preponderancia de Castilla? 4. ¿Cuáles fueron las aspiraciones de los catalanes? 5. ¿Cómo ha sido el movimiento nacionalista del País Vasco? 6. ¿Cómo se crearon los *latifundios* en la Edad Media? 7. ¿Quiénes adquirieron, al ser vendidas, las propiedades desamortizadas? 8. ¿En qué consiste el problema agrario? 9. ¿Qué postulados formularon los liberales españoles del siglo XIX respecto de las actividades religiosas? 10. ¿Qué disponía la Constitución monárquica sobre la práctica de la religión? 11. ¿Cuándo nació el militarismo español? 12. ¿Cuáles son las características del militarismo español?

I. La autonomía regional como solución al problema regionalista.
II. La democracia como solución al problema del militarismo.

XXIV

1. ¿Qué representa el gobierno personal de Alfonso XIII? 2. ¿Qué grave incidente originó el militarismo en Barcelona? 3. ¿Qué disponía la *Ley de Jurisdiciones*? 4. ¿En qué consistía el problema de Marruecos? 5. ¿Por qué no se resolvió el problema catalanista? 6. ¿Qué fueron las Juntas Militares? 7. ¿Cómo se produjo el desastre de Marruecos? 8. ¿De quién fue la responsa-

bilidad del desastre? 9. ¿Qué clase de gobierno estableció el general Primo de Rivera? 10. ¿Cuál fue la actitud de los políticos monárquicos y de la opinión pública respecto de la Dictadura? 11. ¿Cuál fue el resultado de las elecciones municipales del 12 de abril de 1931? 12. ¿Cuándo abandonó el trono Alfonso XIII?

I. Las consecuencias funestas de la sindicación en las Fuerzas Armadas.
II. Las consecuencias del gobierno anti-constitucional de Alfonso XIII.

XXV

1. ¿Qué períodos pueden distinguirse en la corta vida de la República? 2. ¿Qué partidos tuvieron mayoría en las elecciones? 3. ¿Qué sistema de gobierno se establecía en la Constitución? 4. ¿Qué solución se daba al problema de la libertad religiosa? 5. ¿Qué se disponía respecto de las órdenes religiosas? 6. ¿Qué se disponía sobre la autonomía regional? 7. ¿Qué solución se intentó sobre el problema de los latifundios? 8. ¿Qué se dispuso para la reducción del personal militar? 9. ¿Por qué se convocaron nuevas elecciones para el 16 de febrero de 1936? 10. ¿Cuándo principió la rebelión militar y cuando terminó la guerra civil? 11. ¿Qué ayuda extranjera recibió la República? 12. ¿Qué clase de ayuda recibieron los rebeldes? 13. ¿Quiénes ayudaron a defender la capital de la nación? 14. ¿Cuántos españoles huyeron a Francia?

I. Las soluciones de la República a los problemas fundamentales de España.
II. La responsabilidad internacional en la caída de la República.

XXVI

1. ¿Qué trato recibieron los republicanos vencidos después de la guerra civil española? 2. ¿Cómo se titula el régimen establecido por Franco y cuál es su naturaleza? 3. ¿Existen libertades políticas en la España de hoy? 4. ¿Qué fuerzas sirven de sostén al actual régimen? 5. ¿Con quién simpatizó el régimen en la II Guerra Mundial? 6. ¿Cuándo salió España de su aislamiento internacional? 7. ¿Qué se debe entender por "democracia organizada"? 8. ¿A qué llama el Caudillo "demonios familiares"? 9. ¿Qué se dice en el Concordato con el Vaticano respecto a la libertad de enseñanza en España? 10. ¿En qué sentido se ha democratizado la ley de libertad religiosa? 11. ¿Por qué no hay en España verdadera libertad de prensa? 12. ¿A qué sector de las Cortes se quiere aplicar el sufragio? 13. ¿De cuántos procuradores constan las Cortes españolas? 14. ¿Cuál es el único partido político reconocido por el régimen?

I. Anormalidad política de un régimen que no es monarquía hereditaria ni república de elección popular.
II. Posibilidad de democratización de un régimen semejante al del general Franco.

XXVII

1. ¿Por qué se llama *Generación de 1898* a determinado grupo de escritores? 2. ¿Qué caracteriza la producción de Pío Baroja? 3. ¿Por qué fue Antonio Machado el gran poeta de la Generación del 98? 4. ¿Qué significa Benavente en el teatro del primer tercio del siglo XX? 5. ¿Qué géneros literarios cultivó Unamuno? 6. ¿Qué género de poesía cultivó Juan Ramón Jiménez? 7. ¿Qué significa en el movimiento intelectual de España José Ortega y Gasset? 8. Además de poesía, ¿qué obras de teatro escribió García Lorca? 9. ¿Qué obras de éxito escribió Alejandro Casona? 10. ¿Quién se distingue como autor de teatro actualmente en España? 11. ¿Cuáles son las tendencias literarias de los novelistas españoles contemporáneos? 12. ¿Quiénes son hoy los tres pintores españoles mundialmente conocidos? 13. ¿Qué compositores han dado a conocer la música española en al mundo? 14. ¿Quiénes son los dos ejecutantes españoles más admirados?

I. Valor y significación de la Generación del 98.
II. Importancia de la pintura española moderna.

XXVIII

1. ¿Cuál ha sido la industria primordial de Cataluña? 2. ¿Cuándo principió la organización sindical obrera en España? 3. ¿Qué ideología tenía la Unión General de Trabajadores? 4. ¿Qué ideología tenía la Confederación Nacional del Trabajo? 5. ¿Cuál fue la actitud de la CNT respecto de la política? 6. ¿Por cuántas etapas ha pasado la economía española desde 1939? 7. ¿Cómo están constituidos los sindicatos hoy en España? 8. ¿De qué se encarga el Instituto Nacional de Colonización? 9. ¿Cuáles son algunos de los productos que exporta España? 10. ¿Qué productos importa de países extranjeros? 11. ¿Por qué existe un déficit en la balanza comercial española? 12. ¿A dónde y por qué emigra el trabajador del campo? 13. ¿Qué clase de huelgas se permiten hoy en España? 14. ¿Qué progresos se notan hoy por toda España?

I. Discusión sobre el sindicalismo actual en España.
II. Anormalidad de la economía española.

XXIX

1. ¿Qué clase de escuelas elementales creó la República española? 2. ¿A qué edad entra el niño en la escuela primaria? 3. ¿Dónde se cursa la enseñanza media? 4. ¿Qué son las "Universidades Laborales?" 5. ¿A qué edad se termina el Bachillerato Superior? 6. ¿A qué edad se termina la licenciatura? 7. ¿Qué es el PREU y por qué se estudia? 8. ¿Por qué no pasan muchos alumnos del Bachillerato Elemental al Superior? 9. ¿Qué son las "Facultades," y cuántas hay? 10. ¿Qué se estudia en las Escuelas Técnicas Superiores?

11. ¿De qué carecen las universidades españolas? 12. ¿Por qué censuran muchos los exámenes en España? 13. ¿Asiste la mujer española a la Universidad? 14. ¿Qué títulos académicos se confieren en España?

I. El problema actual del estudiantado español.
II. Comparación del método de enseñanza entre España y los Estados Unidos.

XXX

1. ¿Cuál es el horario de comidas para los españoles? 2. ¿Cuál es la "Nochevieja" y qué se celebra esa noche? 3. ¿Quiénes esperan un "aguinaldo" durante las Navidades? 4. ¿En qué día celebran los españoles la gran comida de Navidad? 5. ¿Quién administra la Lotería de Navidad? 6. ¿Por qué va todavía mucha gente al *Rastro* de Madrid? 7. ¿Cuál es actualmente el espectáculo más concurrido en España? 8. ¿Dónde se reúne el Tribunal de las Aguas y quiénes lo forman? 9. ¿Dónde tienen lugar las romerías? 10. ¿Qué son las "fallas" y dónde se presentan? 11. ¿Qué carácter tienen las procesiones de Semana Santa? 12. ¿Quién ha hecho popular la fiesta de San Fermín? 13. ¿Cuáles son probablemente los bailes más populares hoy? 14. ¿Qué son las "quinielas"?

I. La riqueza folklórica de España.
II. El carácter típico de algunos espectáculos populares.

XXXI

1. ¿Por qué es incierto el futuro para un español? 2. ¿Por qué se dice que España "es un reino sin rey"? 3. ¿Con qué propósito se dictó una Ley de Sucesión? 4. ¿Por qué no es totalmente aceptable como rey el príncipe heredero? 5. ¿Por qué no hay más que un partido político en España? 6. ¿De qué acusa Américo Castro a los españoles? 7. ¿Qué opinión tienen los castellanos de los catalanes? 8. ¿Quiénes además de los catalanes poseen un idioma propio? 9. ¿A qué aspiran los catalanes hoy? 10. ¿Por qué no está resuelto el problema catalanista? 11. ¿Qué caracteriza al pueblo vasco? 12. ¿Quiénes utilizaron el gallego en la Edad Media? 13. ¿Hay alguna semejanza entre las lenguas catalana, vascuence, gallega y la castellana?

I. El problema de las "nacionalidades" españolas.
II. El problema de sucesión en España.

VOCABULARIO

VOCABULARY

The following are omitted from this vocabulary:
1. Articles and obvious cognates
2. Most names of persons and places explained in the Text and Notes
3. All pronouns, and also all possessive and demonstrative adjectives
4. Adverbs ending in -*mente* when the corresponding adjective is offered
5. Days of the week, months of the year, and cardinal numbers

Gender is not indicated for masculine nouns ending in -*o* and -*or*, or for feminine nouns ending in -*a*, -*ad*, -*dad* and -*ión*. For adjectives only the masculine form is given.

Abbreviations

adj. adjective	*pl.* plural
adv. adverb	*p.p.* past participle
f. feminine	*pres.* present
m. masculine	*pret.* preterit
n. noun	*subj.* subjunctive

A

a at, in, to, on, into, by, toward, for, as, of

a. de C. = **antes de Cristo** (B.C.)

abad abbot

abajo down, below; **hacia —** downwards

abandonar to abandon, leave

abarcar to take in, to include

abdicación *f.* abdication

abdicar to abdicate

Abencerraje name of a famous Moorish family of Granada

abierto open, opened; frank, outspoken

abjurar to abjure, abandon

ablución ablution, cleansing

abocar to approach

abogado lawyer

abogar to advocate

abono fertilizer

abordar to approach

abovedamiento arch structures

abovedar to arch, vault

abrir to open

absolutismo absolutism

absolutista absolutist

absoluto absolute; **en —** completely

absorber to absorb

absurdo absurd

abuelo grandfather

abúlico apathetic

abundancia abundance

abundar to abound; to be abundant

abuso *n.* abuse

abyección abjectness; humiliating life

acá: del lado de — this side

acabar to finish; **— de** to have just; **— con** to end by; to do away with

academia academy

académico academic

academismo Academism (*the following of established rules*)

acatar to respect; to accept

acceso access, admittance

accidente *m.* accident; **—s del terreno** irregularities of the terrain

acción action, act

aceite *m.* oil; **— de oliva** olive oil

acelerar to accelerate; to hurry

acentuar to accentuate, stress

aceptación acceptance

aceptar to accept

acera sidewalk

acerca (de) about, with regard to

acercar to approach, come near

acero steel; iron

acertado successful, correct, appropriate

acertar to succeed; to right

acierto *n.* ability, tact; success

aclarar to clarify, explain

aclimatar to acclimate, acclimatize

acogedor *adj.* friendly, hospitable

acoger to receive, to welcome; **—se a** to take refuge in

acogida welcome, reception; **dar —** to give asylum

acomodadas: familias — well-to-do families

acomodar(se) to adapt (oneself)

acomodo lodging

acompañar to accompany, follow

acontecimiento event, happening

acordar to agree, resolve; **—se** to remember

acorde: muy — in full accord

acostumbrado accustomed; customary

acostumbrar to get used; to accustom to

acreditar to accredit, prove

actitud *f.* attitude

actividad activity, enterprise

activo active

acto act, action; function

actual present; present-day

actualidad: en la — today

actuar to act

acudir to go; to come; to attend; to resort to

acueducto aqueduct

acuerdo *n.* resolution, decision; agreement; **ponerse de —** to be in agreement; **de — con** according to, in accordance with

acuñación coining; coinage

acuñar to coin

acuoso watery; liquid

acusación accusation

acusado *adj.* manifest, evident

acusar to accuse

adaptación adaptation

adaptar to adapt

adecuado adequate, appropriate, fitting

adelantado advanced; *n.* governor

adelantarse to move ahead

adelante: en — in the future

adelanto advance, progress

ademán *m.* gesture

además moreover; furthermore; **— de** besides, in addition to

adepto supporter

adhesión adherence, support to

adición addition

aditamento addition, complement

administración administration

administrador *m.* administrator

administrar to administer, manage, run

admirablemente admirably

admiración admiration

admirar to admire

admirativamente with admiration

admisible admissible

admitir to admit

adolescente adolescent

adoptar to adopt

adoptivo adoptive

adoración adoration

adorar to adore, worship

adorno ornament; ornamentation, adornment

adosar to attach, to put against

adquirir to acquire, gain

adquisición acquisition

advertir to warn

afán *m.* anxiety; eagerness

afeminado effeminate

aferrado clinging to; rooted in

afición love, fondness; inclination

aficionado devoted, fond (of); *n.* fan

afín like, near; *m.* akin, relation by affinity

afinidad affinity

afirmación assertion, affirmation

afirmar to affirm, state; assert

aflictivo afflictive, distressing

afligido affected

afortunado fortunate, lucky

afrentoso ignominious

africano African

afueras *pl.* outskirts

agigantar to become huge

agilidad agility

agitación agitation; upheaval

agitado agitated, restless; upsetting

agnóstico agnostic

agobiar to oppress, overwhelm

agotar to exhaust

agradable agreeable

agrario agrarian

agravar to aggravate; to oppress; to burden

agraviar to offend, insult

agregar to add; to gather

agrícola agricultural

agricultor *m.* farmer, peasant

agricultura agriculture

agrio sour; *n. pl.* citrus

agrónomo *see* **ingeniero**

agrupación group; cluster

agrupar to group

agua water

aguafuerte *m.* etching

agudizar to sharpen

agudo sharp, keen

águila eagle

ahora now, nowadays; — **bien** well then; **hasta** — to the present

ahorrador saving; *n.* saver, hoarder

aire *m.* air, wind; **al — libre** in the open air

aislamiento isolation

aislar to isolate

ajeno of another; foreign, strange

ajuar *m.* bridal apparel

ajustar to adjust, to conform; **—se** to agree to, abide by

Alá Allah (*Arabic name for God*)

alabanza praise

alabar to praise

alabastro alabaster

alargado elongated

alargamiento elongation, lengthening

alarife *m.* builder

alarma alarm

alarmado frightened, alarmed

alarmante alarming

alba dawn of day

alborozo merriment; gaiety

alcalde *m.* mayor

alcance: al — within reach

alcanzar to overtake; to reach; to attain

alcázar *m.* castle

alcoba bedroom; alcove

aldea village, hamlet

aleccionar to instruct, teach

alegoría allegory

alegremente happily, merrily

alegría joy, gaiety

alejar to separate, withdraw

alemán *m.* German

Alemania Germany

alfabeto alphabet

alfombra carpet, rug

algarada shouting; mêlée

algazara clamor, noise

algo something; somewhat

algodón *m.* cotton

alguno (algún) some, any

aliado allied

alianza alliance

aliarse to side with; to form an alliance

aliento breath; courage; inspiration

alimentación food, meals

alimentar to feed; to nourish

alimenticio *adj.* food

alimento food, meals
alistarse to enlist, to enroll
alma soul
almendro almond tree
alminar *m.* minaret
almirante *m.* admiral
almohadón *m.* large pillow
almuédano *m.* muezzin (*prayer crier*)
almuerzo lunch
alojamiento lodging
alrededor (de) around; about
alrededores *m. pl.* vicinity
altar: — mayor high altar
alteración alteration, change
alternar to alternate
alternativas *pl.* ups and downs
altiplanicie *f.* high plateau
alto high; great; **— vuelo** high-standing
altura height; top level; **— media** average height
aludir to allude, to refer
alumbrar to illuminate, light
alumnado student body
alumno student
alusión: hacer — to allude
alzar to rise; to raise
amante *m. & f.* lover; fond of
amargura sorrow, grief
Amberes Antwerp (*city in Belgium*)
ambición ambition
ambicioso ambitious
ambiente *m.* environment; air, atmosphere
ámbito *n.* scope
ambos *pl.* both
amenazar to threaten
amenizar to make pleasant or agreeable
amigo friend
aminorar to diminish; lessen
amistad friendship
amistoso friendly
amoldar to be adapted (adjusted)
amor love; *pl.* love affairs
amoroso affectionate, loving, amorous
amparar to protect, defend
amparo: al — de under the protection of

ampliar to enlarge; **— estudios** to do research
amplio extensive, large; ample
amplitud *f.* extent
analfabetismo illiteracy
analfabeto illiterate person
anarquía anarchy
anarquista *m. & f.* anarchist
anciano old person
ancho wide
anchura width
andante: caballero — knight errant
anfiteatro amphitheater
ángulo angle
angustia anguish
angustiador *adj.* distressing
angustioso full of anguish
anhelo desire, longing
Aníbal Hannibal (243–183 B.C.) *Carthaginian general*
animación animation, gaiety
animado animated; inspired; instilled
animador *m.* inspirer; booster
ánimo *n.* spirit
aniquilamiento annihilation, destruction
anónimo anonymous
anormalidad abnormality
ansioso anxious
antagónico antagonistic, opposite
ante before; in view of, in the face of
antecedente *m.* antecedent; *pl.* background
anteojo eyeglass
antepasados *n. pl.* forefathers, ancestors
anterior before, previous(ly), preceding; *n.* the former
anteriormente formerly, previously
antes before; **— de que** before; rather than
anti-católico anti-Catholic
anticipar to anticipate; to forestall
anticuario antiquarian
antigüedad antiquity; age
antiguo ancient, old; **a la antigua** in the old-fashioned way; **de —** since old times
antipatía dislike

antiquísimo very old
anual annual
anulación destruction, nullification
anunciar to announce, advertise
añadidura: por — in addition
añadir to add
aparato machinery; instrument, apparatus
aparecer to appear
aparente apparent
aparición appearance, apparition
apartar to separate; to abandon
aparte apart, aside; **— de** besides
apasionado passionate, emotional
apegado attached, close to
apego *n.* attachment
apelación appeal
apellidado named
apenas hardly, scarcely
aplacar to placate
aplaudir to applaud
aplicación application
aplicar(se) to apply (oneself)
apoderarse to take possession
apologista *m. & f.* apologist, defender
aportación contribution
aportar to bring; to contribute
apóstol *m.* apostle
apoteósico apotheosic; glorifying
apoyar to support; to lean
apoyo support, aid, help
apreciar to appreciate; to appraise; to value
aprecio *n.* valuation; esteem
aprender to learn
aprendiz *m. & f.* apprentice
aprendizaje *m.* apprenticeship, learning
aprobación approval
aprobar to approve; pass examinations
apropiado fit
aprovechamiento use, utilization; progress
aprovechar to make progress; profit; use; **—se** to take advantage of
aprovisionar to supply
aproximación approximation
aproximadamente approximately

aptitud *f.* ability, aptitude
apuesta *n.* bet, wage
aquél, aquélla (*pl.* **aquéllos, aquéllas**) the former
árabe Arab; Arabic
arabesco arabesque
arábigo-hispano Arabic-Hispanic
arabizado influenced by the Arabs
arado plow; plowing
aragonés *m.* native of Aragón
arañar to scratch, scrape
arbitrario arbitrary
arbitrio free-will; discretion
árbol *m.* tree; **— frutal** fruit tree
arca chest
arcada row of arches
arcipreste *m.* archpriest
arco arch; **— de medio punto** semi-circular arch
archiduque *m.* archduke
ardiente burning; ardent
argamasa mortar
argumento plot
aristocracia aristocracy
aristócrata *m. & f.* aristocrat
Aristóteles Aristotle (384–322 B.C.) *Greek philosopher*
aritmética arithmetic
arma weapon; *pl.* arms; armies
armada navy, fleet
armamento armament, arms
armar to arm; **— caballero** to knight
armonía harmony
arquilla small chest
arquitecto architect
arquitectónico architectural
arquitectura architecture
arraigado rooted
arraigar to take root; to establish
arraigo: de viejo — of long standing
arrancar to extort (from)
arras *f. pl.* coins or property the bridegroom gives to the bride at the wedding
arrebatar to snatch away
arreglar to fix
arreglo *n.* arrangement, settlement
arrendatario tenant
arrianismo Arianism

arriano　Arian (*follower of bishop Arius*)

arriba　up, above, on top; **de — abajo** from top to bottom; **hacia —** upwards

arriesgado　*adj.* dangerous; bold

arriesgar　to risk

arrogancia　arrogance

arroz　*m.* rice

arte　*m.* art; **el — por el —** art for art's sake

artefacto　contrivance, artifice

artesanado　craftsmen

artesano　workman, craftsman

artesonado　panelled (painted) ceiling

artículo　article; **—s de consumo** consumer goods

artífice　*m.* craftsman

artificioso　contrived, artificial

artista　*m. & f.* artist

arzobispado　archbishopric

arzobispo　archbishop

asaltar　to assault

asamblea　assembly, meeting

ascendencia　ascendancy; domination

ascender　to climb; to mount

ascendiente　*m.* power, influence

ascenso　*n.* promotion

ascético (asceta)　ascetic

asegurar　to secure; to affirm; to assure

aserto　assertion, statement

asesinar　to assassinate, to murder

asesor　*m.* adviser

asesoramiento　*n.* advice

asestar　to deal (a blow)

así　so, thus, therefore; **— como** in this manner, as well as, just as

asiento　seat

asignación　assignment

asignatura　*f.* subject (of study)

asilo　asylum; shelter

asimétrico　asymmetric

asimilar　to assimilate

asimismo　likewise, in like manner

asistencia　attendance, presence

asistir　to attend, be present

asociación　association

asociar　to associate; to bring into collaboration; **—se** to be associated with

asomar　to look out; to appear at

asombrar　to astonish; to amaze

asombro　*n.* astonishment, amazement

asombroso　wonderful, astonishing

aspecto　aspect, appearance

aspirar　to aspire, to long for

astillero　shipyard

astronomía　astronomy

astronómico　astronomical

astur (asturiano)　*m.* Asturian (*native of Asturias*)

asunto　matter; affair; subject

atacar　to attack

ataque　*m.* attack

ataviar　to dress; to adorn

atención　attention

atender　to attend; to pay attention; to follow

atentado　*n.* crime; attempt

atento　attentive

atesorar　to treasure; to hoard up

Atlántico　Atlantic (ocean)

Atlas　range of mountains in N. Africa

atlético　athletic

atracción　attraction

atraer　to attract

atrajo　*pret. of* **atraer**

atrás: hacia —　toward the rear, behind

atraso　*n.* backwardness

atravesar　to cross, go through

atrevido　daring, bold

atrevimiento　audacity

atribución　attribute; function; power

atribuir　to attribute; **—se** to assume

atrocidad　atrocity

atropello　outrage, abuse

atroz　atrocious

audaz　daring, bold, audacious

audiencia:　*a high court of justice and its jurisdiction*

aula　classroom

aumentar　to increase, grow large

aumento　*n.* increase

aún　still, yet; **aun** even; **— cuando** even if, although

aunque　although, even if

ausencia　absence

ausente　absent

austeridad　austerity

austero austere, severe

Austria: Casa de — House of Hapsburg

Austrias: los — members of the House of Hapsburg

auténtico authentic, real; truly

auto *n.* short play; **— sacramental** allegorical or religious play

autobiografía autobiography

autogiro *n.* autogiro

automáticamente automatically

autonomía autonomy, home rule

autonómico *adj.* autonomic, self-governing

autonomista autonomist

autónomo autonomous

autor *m.* author, creator; **— de teatro** dramatist

autoridad authority; official

autoritario authoritarian

autorización authorization

autorizar to authorize

autorretrato self-portrait

auxilio *n.* help, aid, assistance

avance *m.* advance

avanzar to advance

avasallador *adj.* overpowering

ave *f.* bird, fowl

aventura adventure

aventurero adventurer

averiguación inquiry, investigation

averiguar to find out, investigate

aviación aviation

avión *m.* airplane

aviso *n.* warning, notice

ayuda help, aid

ayudar to help

ayuno *n.* fasting, fast

ayuntamiento town council, municipal government

azteca *m.* Aztec (Mexican)

azúcar *m.* sugar

azufre *m.* sulphur

azul blue

azulejo glazed colored tile

B

Bach, Johann Sebastian (1685–1750) *German musician and composer*

bachiller *m.* bachelor's degree

bachillerato courses of study leading toward the bachelor's degree

bailar to dance

bailarina dancer

baile *m.* dance; dancing

bajar to come (go) down; to lower

bajo below, under; low

balance *m.* balance sheet; **— de los libros** financial statement

balanza: —comercial balance of trade

balcón *m.* balcony

baloncesto basketball

banca *n.* banking; **banco** bank

banda band; group

bandera flag

bandería faction; band

banderillero bullfighter with darts

bandido bandit

bando faction; side

banquero banker

banquete *m.* banquet

bañar to bathe; wash

baño bath; bath house; bathing

barba beard

bárbaro barbarous; *n.* barbarian

barcelonés *m.* native of Barcelona

barco boat, ship

barraca peasant's hut in Valencia

barraganía concubinage

barrio quarter; district

barroco (barroquismo) baroque

basado based

base *f.* base, basis; principle; **a — de, sobre la — de** on the basis of

básico basic

bastante *adj.* enough, sufficient; *adv.* quite, rather

bastar to be enough

bastón *m.* stick

batalla battle

batir(se) to fight

bautizar to baptize; to christen

beato *adj.* bigoted

beber to drink

bebida beverage, drink

beca scholarship

becerro calf

belicoso *adj.* warlike
beligerante belligerent
belleza beauty
bello beautiful; **bellas artes** fine arts
bendición blessing, benediction
bendito *adj.* blessed, holy
beneficencia charity
beneficiar to benefit
beneficio *n.* benefit, profit
beneficioso beneficial
benéfico *adj.* beneficial
bereber (berberisco) Berber (*from North Africa*)
besugo bream (fish)
bíblico Biblical
biblioteca library
bien *adv.* well; quite; all right; *m.* welfare, good; **— acomodado** wealthy; **gente de —** honest people; **— ... o** either ... or; **si —** though, while; **más —** rather; *pl.* goods; property; benefits
bienestar *m.* welfare, comfort
bilingüe bilingual
biográfico biographical
bizantino Byzantine
bloquear to block; blockade
boda wedding
bohemio Bohemian
boina beret
bolos: juego de — bowling
Borbón Bourbon (*French and Spanish royal family*)
bordado *n.* embroidery
bordar to embroider
borgoñés from Burgundy
borrado erased, wiped out
bóveda vault
brasero brazier, fire pan
bravo brave; fierce
brazo arm; **— armado** armed forces
breve brief, short
brillante *adj.* brilliant, shining
brillantez *f.* brilliance
brillar to excel; to shine
brotar to sprout, to appear
brujo wizard
brutalidad brutality

bufón *m.* jester, fool
bujía candle
bula pontificia papal bull
buque *m.* boat, ship
burgués *m.* bourgeois, middle class
burguesía bourgeoisie
burla mockery
burlador seducer; trickster
busca *n.* search
buscador *m.* seeker
buscón rogue
busto bust

C

caballeresco chivalric, gentlemanly
caballería chivalry; **— andante** knight errantry
caballero gentleman; knight
caballo horse
cabello hair
caber to go in; to fit; **no cabe duda** there is no doubt
cabeza head; leader
cabezudo big-headed
cabildo cathedral chapter
cabo end; cape; **al —** finally, in the end
cacique *m.* political boss
caciquismo bossism
cada each, every; **— cual** each one
cadalso gallows
cadena chain
caducar to dote; to fail
caer to fall
caída fall; **caído** *n.* fallen one
caja box
cajón drawer; shelf
calcular to calculate; **se calcula** it is estimated
cálculo calculation
calefacción heating
calentar to heat
calidad quality; **en — de** in the capacity of
caliente hot
califa caliph
califato caliphate
calificar to qualify; **— de** to describe as
cáliz (*pl.* **cálices**) chalice, cup

calor heat

caluroso very warm

calvinismo Calvinism (*the doctrine of John Calvin 1509–1564*)

calle *f.* street

cama bed

cámara chamber; **pintor de —** court painter

camarilla coterie of private advisers to the queen and king

cambiar to change; exchange

cambio change, exchange; **en —** on the other hand; **a (en) — de** in (as) exchange for; **— de moneda** money exchange

camino path, road, way; **por el — de** by way of

camita *m.* Hamite (*descendant of Ham*)

campamento encampment

campana bell

campanada stroke of a bell

campaniforme in the form of a bell

campaña campaign

campeador *n.* warrior; the best

campeón *m.* champion

campesino peasant

campo field; **casa de —** country home; **— de batalla** battle field; **— de concentración** concentration camp

camuflado in disguise

canalización canalization

canalizar to channel, canalize

Canarias: Islas — Canary Islands

canción song

cancionero song book; collection of poems

candidato candidate

candidatura candidacy; list of candidates; **— única** single list of candidates

canon rule, precept; *pl.* canonic(al) law

canónico canonical life

canónigo canon (churchman)

cansado tired, exhausted

cantábrico Cantabrian Sea (*better known as the* Bay of Biscay)

cantar to sing

cante *m.* singing

cantidad quantity, amount

canto song; **artistas de —** singers

cantor *m.* singer

caña cane; **— de azúcar** sugar cane

caos *m.* chaos

caótico chaotic

capa cape

capacidad capacity, ability; **— de compra** buying power

capacitado qualified, fitted

capacitar to qualify, to empower

capaz (*pl.* **capaces**) capable

capilla chapel; **— Sixtina** Sistine Chapel (*in the Vatican*)

capirote *m.* pointed hood

capital *f.* capital (city); *m.* capital (money)

capitán *m.* captain, leader

capitel *m.* capital (of a column)

capítulo chapter

capricho whim, caprice

cara face

carácter *m.* character, nature; *pl.* characteristics

característico characteristic

caracterizar to characterize

carbón *m.* coal

carbonífera *adj.* coal

cárcel *f.* prison, jail

cardenal *m.* cardinal

carecer (de) to lack, to be lacking (in)

carencia scarcity, lack

carga load; **animal de —** pack animal

cargo position; office; **hacerse —** to take charge; **a —** in charge; **tener a su —** to be in charge of

caricatura caricature

caricaturesco in caricature

carlista Carlist (*a follower of Carlos, brother of Fernando VII*)

Carlo-Magno (Carlomagno) Charlemagne (768–814) *King of the Franks and Emperor of Western Europe*

carne *f.* flesh

carnero sheep, mutton

carrera career; race; course; **en —** running

carretera highway

carro cart

carroza float, coach
carta charter; letter
cartaginés *m.* Carthaginian
cartero mailman
cartografía cartography
cartógrafo cartographer
cartón drawing (painting) on heavy paper or cardboard
casa house; household; — **de Contratación** Spanish government agency for dealing with cases concerning commerce with the Spanish American colonies; — **de Correos** Post Office; — **señorial** manor house
casamiento marriage
casar to marry; —**se con** to marry, to get married
caseta booth
casi almost, nearly
caso case; **hacer** — to pay attention; **en todo** — in any case
casta *n.* caste, clan
castañuelas *pl.* castanets
castellanizarse to become Castilian
castellano Castilian, Spanish language
castigar to punish
castigo *n.* punishment
castillo castle
castizo real, authentic (Spanish)
casualmente accidentally
catalán Catalonian, Catalan language
catalanismo Catalonian autonomy movement
catalanista *m. & f.* defender of Catalonian autonomy
cataratas *pl.* cataracts
catástrofe *f.* catastrophe
cátedra chair (in a university), professorship
catedral *f.* Cathedral
catedrático professor
categoría category, rank
catolicismo Catholicism
católico Catholic
caudal *m.* volume (of water)
caudaloso *adj.* abundant; with much water (rivers)
caudillo leader, military chief

causa cause, motive, reason; **a (por)** — **de** because of, due to
causar to cause, bring about
cautivo *n.* captive
caverna cavern, cave
caza hunting
cebada barley
ceder to yield, give (in); — **el paso** to yield the right of way
ceguera blindness
celda cell
celebrar to celebrate; to hold; to take place
célebre famous
celebridad fame
celo zeal, fervor
celoso jealous, suspicious
celta *m.* Celt
celtíbero Celtiberian
cementerio cemetery
cena supper; dinner
censo census
censura censorship; **previa** — censorship before publication
censurar to censor; to criticize
centenar *m.* hundred
centeno *n.* rye
centralizador *adj.* centralizing
centralizar to centralize
céntrico central, centric
centro *n.* center; — **de enseñanza** educational institution; **partido del** — centrist party
centuria century
cera wax
cerámica ceramics
ceramista *m.* ceramist
cerca near, nearly, close; — **de** near
cercado surrounded; walled in
cercano close, near
cerco *n.* siege
Cerdaña Cerdagne (*region in southern France where some Catalonian is still spoken*)
Cerdeña Sardinia (*Italian island*)
cerdo pig, hog
cerebro brain
cero *m.* zero
cerrar to close, shut

cerro hill
certamen *m.* contest, competition
certeza certainty
cesar to cease, to stop
cesión transfer
Ceuta Spanish city in Morocco
ciclo cycle
ciego blind
cielo sky; heaven
cien a hundred
ciencia science
científico scientific; *n.* scientist
ciento hundred; **por —** per cent
cierto *adj.* certain, a certain; correct; **(lo) — (es) que** the fact (is) that
cifra number
cifrar to number
cimientos *pl.*: **echar los —** to lay the foundations
cinc *m.* zinc
cinematógrafo *n.* movies, motion pictures
cínico cynical
circo circus
circulación traffic; circulation
circular to circulate
círculo circle; club
circunstancia circumstance
cirio long wax candle
cirugía surgery
Císter Cîteaux (*place in France*)
citado previously mentioned
citar to quote, to mention
cítrico citric; **productos —s** citrus
ciudad city; **— Universitaria** University City
ciudadanía citizenship
ciudadano citizen; *adj.* civic
civil: hombres —es civilians
civilización civilization
clarividente clear-sighted
claro *adj.* clear; obvious; *adv.* clearly; **— está** of course; **— que** of course; **— es que** it is obvious that
clase *f.* class; kind, sort; **— media** middle class; **de toda —** of all kinds
clásico classic, classical
clasificar to classify

claustro *n.* cloister
clave *f.* key
clérigo cleric, clergyman
clero clergy
clima *m.* climate
Cluny: *old Benedictine abbey in France*
cobrar to acquire; to collect
cobre *m.* copper
cocina cooking; kitchen
códice *m.* old manuscript
código code (of laws)
cofradía brotherhood, sodality (religious organization)
coincidencia coincidence
coincidir to coincide
colaboración collaboration
colaborar to collaborate, contribute
colchoneta quilted covering
colección collection
coleccionar to collect
colectividad community
colectivo collective
colega *m. & f.* colleague
colegiata church
colegio school
cólera *m.* cholera; *f.* anger
colgado hanging
colmena beehive
colocar to place
colonia colony
colonización colonization
colonizador colonizer; colonizing
colorido *n.* color, coloring
columna column
collar *m.* necklace
comarca territory; region
combate *m.* combat, bout
combatiente *m. & f.* fighter; *adj.* fighting
combatir to fight, combat
combinar to combine
comedia comedy; play
comedor dining room
comentar to comment; to discuss
comenzar to begin
comer to eat
comercial commercial; **balanza —** balance of payments
comerciante *m.* merchant, trader

comercio trade, commerce
cometer to commit, make
cómico comic(al)
comida meal, food
comienzo *m.* beginning
comité *m.* committee
como as, like, since; **así —** just as;
  cómo how, what
comodidad comfort, convenience
cómodo comfortable
compañero companion; mate
compañía company; **— de Jesús**
  Jesuit Order, Society of Jesus
comparación comparison
comparar to compare; **—se** to be
  compared
compartir to share
compás: al — de las campanas at the
  peel of the bells
compatriota *m. & f.* fellow
  countryman
compenetración mutual understanding
compensar to compensate
competencia competition, rivalry
competición competition
competir to compete; to contend
complejo complicated; *n.* complex
completar to complete, finish
completo complete; **por —** completely
complicación complication
complicar to complicate
cómplice *m.* accomplice
componer to compose
compositor *m.* composer
compra purchase
comprador *m.* buyer, purchaser
comprar to buy
comprender to understand; to com-
  prise, include
comprensible understandable
comprensión understanding
comprometer to bind, to involve; **—se**
  to commit oneself
compuesto (*p.p. of* **componer**)
  composed
compuso *pret. of* **componer**
comulgante communicant (that takes
  communion)

común common, in common; **por lo —**
  generally
comunicar to communicate
comunidad community
comunista *m. & f.* communist
con with, by, in, to; **— tal de (que)**
  provided (that)
concebir to conceive, to imagine
conceder to grant, give, bestow
concejo town council
conceller *m.* member of the municipal
  council (in Catalonia)
concentración concentration
concepción concept, idea
concepto concept, opinion; **en — de**
  in the capacity of; **por muchos —s** in
  many respects
concernir to concern; **en lo que con-**
  cierne in matters concerning
concertar to arrange, design
concesión concession, grant(ing)
conciencia conscience, awareness
concierto *n.* concert; agreement
conciliación conciliation
concilio council
concisión conciseness
conciso *adj.* concise
concordia agreement, harmony
concubina concubine, mistress
concubinato concubinage
concurrencia audience, attendance
concurrente *m.* participant
concurrido well-attended
concurrir to attend
concurso contest, competition
concha shell (of a mollusk)
condado earldom; county
conde *m.* count
condena *n.* condemnation, censure
condenable punishable
condenado *n.* condemned person
condenar to condemn, to doom
condesa countess
condición condition; **a — de que** on
  condition that
conducir to carry; lead, manage
conducta behavior, conduct
conducto way, means

Vocabulario

condujo *pret. of* **conducir**
confeccionar to prepare, make
confederación confederation
conferencia lecture
conferir to give, confer, grant
confesión religious denomination
confesor *m.* confessor
confianza trust, confidence
configuración shape
confirmar to confirm
conflicto conflict; struggle
conformarse to agree; to resign oneself
conforme: estar — to agree; **— a** in accordance with; **— a lo convenido** according to what has been agreed
confuso confused, confusing
conglomerado *n.* mixture; conglomerate
congreso congress; **— de los Diputados** House of Representatives
conjunto whole, group, ensemble; **en —** as a whole
conjura *n.* plot, conspiracy
conmemorar to commemorate
conmoción commotion
conmover to move, touch; to stir up
conocer to know; **dar a —** to make known
conocido well-known; **— como** known as; *n.* acquaintance
conocimiento knowledge
conquista conquest
conquistador conquering; *m.* conqueror
conquistar to conquer, win
consagrado consecrated, made sacred
consagrarse to devote oneself
consecuencia consequence, result; **a — de** as a result of; **en —** consequently
conseguir to achieve, to obtain; to succeed
consejero adviser, counsellor
consejo advice; counsel
consentir to admit; to consent
conservación preservation, preserving
conservador *adj.* conservative
conservar to preserve, keep, retain

conservas de frutas canned fruit, preserves
considerado *adj.* esteemed, considered
considerar to consider; **se considera** it is considered
consiguiente consequent, resulting; **por —** consequently
consiguió *pret. of* **conseguir**
consistir (en) to consist (of), to be composed of
consolidar to establish, consolidate
conspiración conspiracy
conspirar to conspire
constantemente constantly
constar to be evident; to be on record; **hacer —** to state
constitución constitution
constituir to constitute, to form; **—se** to set oneself up
constituyente: Cortes —s Nacional Constituent Assembly
construcción construction, structure, building
constructor *adj.* building; *n.* builder
construir to build, make
consubstancial consubstantial, of the same nature
consultivo: órgano — advisory body
consumir to consume
consumo *n.* consumption; **artículos de —** consumer goods
contabilidad accounting
contacto contact
contagio *n.* contagion
contar to count, tell, number; **— con** to depend (count) on; **se cuenta** it is said
contemporáneo contemporary
contener to contain, to hold
contenido *n.* content(s), enclosure
contentarse to be satisfied
contestar to answer, reply
continente *m.* continent
contingente *m.* group, contingent
continuación continuation, extension
continuar to continue, follow
continuidad continuity
contorno area, contour
contorsionado *adj.* contorted, twisted

contra against
contradecir to contradict
contradictorio contradictory
contraer to contract; **— matrimonio** to marry
contra-Reforma = Contrarreforma Counter Reformation
contrario *adj.* opposed, opposite; *n.* opponent; **de lo —** otherwise; **por lo —** on the contrary
contrarrestar to counteract, to offset
contrastar to contrast, oppose
contraste *m.* contrast
contrato *n.* (labor) contract
contribución tax
contribuir to contribute
controlar to control
controversia debate, discussion
contuvieron *pret. of* **contener**
convencer to convince
conveniente suitable, profitable
convenio pact, agreement; **lo convenido** what has been agreed
convenir to suit; be advantageous; to be proper; to be important
convento convent; monastery
conversación conversation
conversión conversion
converso converted; *n.* convert
convertir to convert, change; **—se (en)** to turn into, to become
convicción conviction, belief
convino (*pret. of* **convenir**); **¿Qué se — ?** What was agreed?
convivencia coexistence, living together
convivir to live together
convocar to convoke, call, convene
cónyuge *n.* spouse, husband or wife
cooperación cooperation
cooperar to cooperate
copiar to copy
copioso abundant
Corán *m.* Koran
corazón *m.* heart
Córcega Corsica (*French island in the Mediterranean*)
cordialidad cordiality
cordillera mountain range

cordobés *m.* Cordovan (*from Córdoba*)
Corea Korea
coro chorus; choir
corona crown; throne
coronación coronation
corporativo corporate
corregidor *n.* district governor
correo *n.* mail
correr to run; **al — de la historia** in the course of history
corresponder to correspond; to fit; to belong; to be one's lot
correspondiente corresponding
corresponsal *m.* correspondent
corrida (de toros) bullfight
corriente *adj.* ordinary, common; *f.* current; **— fluvial** river
corromper to corrupt
corrompido *adj.* corrupt
corruptor *adj.* corrupting
corsario corsair, pirate
corte *f.* court, capital; *m.* cut, division; **Cortes** Spanish Parliament
cortesano *adj.* courtly; *n.* courtier
cortina hanging, curtain
corto *adj.* short, brief, small
cosa thing; **en — de** in about
cosecha crop, harvest
costa coast; **a — de** at the cost of; **a toda —** at any price, at all costs
costalero *n.* bearer
costar to cost
coste (costo) *m.* price, cost; **— de vida** cost of living
costear to pay the cost, pay for
costero *adj.* coastal
costoso expensive
costumbre *f.* custom, manner; **como de —** as usual
costumbrista *n.* writer of **costumbrismo** (*the portrayal of life and customs of a place*)
cotizar to quote
cráneo skull, cranium
creación creation, foundation
creador creator; *adj.* creative
crear to create
crecer to grow, enlarge

creciente growing, increasing
crecimiento growth, growing
credo creed
credulidad (credibilidad) credibility
creer to believe; **se cree** and **créese** it is believed
creyente *n.* believer
creyeron *pret. of* **creer**
criatura creature; creation
crisol *m.* melting pot; crucible
cristalizar to crystallize
cristiandad Christendom
cristianismo Christianity
cristianizar to Christianize
cristiano Christian
Cristo Christ
criterio criterion; idea
crítica criticism; **crítico** critic
criticar to criticize
cronista *m.* chronicler
cronológico chronological
cruce *m.* intersection, crossing
crucificado crucified; *n.* one crucified
crucifijo crucifix
crudeza crudeness
crueldad cruelty
cruento cruel
cruz *f.* (*pl.* **cruces**) cross; intersection
cruzada crusade
cruzar to cross
cuadrado square
cuadrilla matador's group of helpers in the ring
cuadro picture, painting; **— de conjunto** tableau
cual which, like; **el (la) —** which, who, whom; **cada —** each one; **cuál** which, which one
cualidad quality, characteristic; **— de duración** lasting quality
cualquier(a) any; anyone
cuando when; **aun —** even though; **de vez en —** from time to time, occasionally; **cuándo** when
cuantía amount; abundance
cuantioso numerous
cuanto as much (as), all that; **todo —** all that; **en —** as soon as, whenever;

en — a as to, as for, insofar as; **por —** since, inasmuch as; *pl.* all the, all those who; **cuánto** how long; *pl.* how many
cuartel *m.* barracks
cuarto room, quarter; *adj.* fourth
cuaternario quaternary (*period of the prehistoric era*)
cubierto (*p.p. of* **cubir**) covered
cubrir to cover
cuenta account; **darse — de** to realize; **tener en —** to take into consideration; **por su —** for himself; **por — propia** on (his) own accord
cuentista *m. & f.* story teller
cuento short story, tale
cuerda rope
cuero leather
cuerpo body; element
cuestión question, matter
cuestionario questionnaire
cueva cave, cavern
cuidadoso careful
cuidar to take care
culminación culmination
culminar to culminate, to climax
culpa blame, fault, guilt
culpabilidad guilt
culpable *adj.* guilty; *n.* guilty person
culterano baroque writer
culteranismo baroque style
cultismo the use of learned words
cultivado cultivated; farmed
cultivar to cultivate, farm, till; produce
cultivo cultivation; culture of the mind
culto *adj.* learned, cultured; *n.* worship, cult; devotion
cultura culture, civilization
cumbre *f.* peak, pinnacle; *adj.* outstanding
cumplidor *n.* person who keeps his word
cumplir to carry out, fulfill; **— años** to be years old; **— con (su) deber** to perform (his) duty
cúpula dome, cupola
cursar to study (courses)
curso course; route; year of study

custodia   monstrance ("a receptacle in which the consecrated host is exposed for adoration")

cuyo   whose, of which, of whom

CH

charlar   to chat

chocar   to strike, crash; **— con** to crash against

choque   *m.* collision

D

d. de C. = **después de Cristo** (A.D.)

dado   given, granted

dama   lady; **dama de honor** lady-in-waiting

Damasco   Damascus (*capital of Syria*)

danza   dance

daño   damage, harm

dar   to give; **— a conocer** to make known, become known; **— base a** to give grounds for; **— la hora** to strike the hour; **— muerte** to kill; **— origen (lugar) a** to give rise to; **—se** to occur; **—se cuenta (de)** to realize

dato   fact, datum; *pl.* data

de   of, from; at, in, with; as, by, for; about

debajo (de)   below, under; **hasta por —** even below

deber   *m.* duty, obligation

deber   to owe; must, should; to have to; ought to; to be due

debido   due (to); proper; **— a** because of; **— a que** due to the fact that

débil   weak

debilidad   weakness

debilitarse   to weaken

decadencia   decadence, decline

decaer   to fail, decay, decline

decepcionante   disappointing

decepcionar   to disappoint

decidido   decided; determined

decidir(se)   to decide, to resolve

decir   to say, tell; **es —** that is to say; **se dice** it is said; **se nos dice** we are told

decisión   decision, resolution

decisivo   decisive

declaración   declaration, statement

declarar   to declare

decoración   decoration

decorado   *n.* decoration; scenery

decorador   decorator

decorar   to decorate, adorn

decorativo   ornamental

decoro   *n.* honesty

decretar   to decree

decreto   *n.* decree, law

dedicar   to dedicate; **—se a** to devote oneself to

dedicatoria   dedication

deducir   to deduce

defecto   *n.* defect, fault

defender   to defend, protect

defensa   defense

defensivo   defensive

defensor   defender, supporter

deficiente   deficient, faulty

definido   well-defined, established

definir   to define

definitivo   definitive, final

degeneración   degeneration

dejar   to leave, let, allow; **— de** to cease to, fail to

delante (de)   in front of, ahead

delegación   delegation

delegado   *n.* delegate

delegar   to delegate

deleitar   to delight

deliberar   to deliberate

delicadeza   tenderness, refinement

delicado   exquisite

delicioso   delicious, delightful

delictivo   *adj.* punishable; criminal

delincuente   delinquent; *m.* offender

delito   *n.* crime

demagogia   demagogy

demanda   demand; **— interior** national demand

demandar   to demand

demás: lo —   the rest (of it); **los —** the others, the rest (of them)

demasiado   too, too much

democracia   democracy

democrático democratic
democratizar to democratize
demográfico demographic
demonio demon, devil
demostrar to show, prove, demonstrate
denominar to name; to call
densidad density
dentro inside, within; — **de** within; **por** — inside
depender to depend; — **de** to depend upon (on)
dependiente dependent, subordinate
deponer to depose, to remove
deporte *m.* sport
deportivo sporting; sport
depositario depository, deposit
depósito: — **de agua** reservoir
depresivo depressive, depressing
deprimente depressing
depurar to depurate, purify
derecha right; **las** —**s** right wing; conservative parties; **a la** — on the right
derechista rightist
derecho *adj.* right, straight; *n.* law, right, claim
derivar to derive
derogar to abolish
derramamiento de sangre bloodshed
derramar to shed, spill
derribar to overthrow
derroche *m.* waste
derrota defeat
derrotar to defeat
desacierto *n.* error, blunder
desacreditado discredited
desafiar to defy, to challenge
desahogo ease; relief
desahucio eviction
desaliento discouragement
desaliño neglect
desamortización freedom from mortmain
desamortizador *adj.* amortizable
desaparecer to disappear
desarrollar to develop
desarrollo development
desastre *m.* disaster

desastroso disastrous
desatender to neglect
desayuno *n.* breakfast
desbalanza unbalance; deficit
desbandar to disband, scatter
descendencia offspring, descent
descendiente *m.* descendent
descentralizar to decentralize
descollar to stand out, to excel
descomposición disorganization
desconfianza distrust
desconfiar to distrust, mistrust
desconocer to not know, disregard
desconocido *adj. & n.* unknown
descontento *adj.* discontented; *n.* unrest
describir to describe
descripción description
descubierto (*p.p. of* **descubrir**) discovered; exposed; **al** — in the open, openly
descubridor *n.* discoverer
descubrimiento *n.* discovery
descubrir to discover
descuidado careless, negligent
desde since, from; — **entonces** from that time on; — **hace siglo y medio** for a century and a half; — **luego** of course, certainly; — **que** since
desdeñoso scornful, disdainful
desembarcar to land
desembocar to empty into
desempeñar to perform, carry out; to fill (a job)
desenvolvimiento development
deseo *n.* desire, wish
deseoso anxious
desequilibrado unbalanced
desesperanza hopelessness, despair
desfilar to parade, march
desfile *m.* parade
desgaste *m.* wear and tear
desgracia misfortune; disfavor; **por** — unfortunately
desgraciado *adj.* unfortunate
deshacer to destroy, undo
deshecho *adj.* exhausted; destroyed
designación selection

designar   to designate, select, appoint
desigualdad   inequity; unevenness
desintegrar   to disintegrate
desinterés   *m.* disinterestedness
desinteresado   uninterested
desmandamiento   abuse; disobedience
desmentir   to belie, disprove
desmoralización   corruption
desmoronarse   to crumble, wear away
desnudo   *adj.* naked; *n.* nude, nudity
desorden   *m.* disorder
despacho   office, bureau
despectivo   contemptuous
despedir   to dismiss, discharge
despejado   cloudless, clear (weather)
despertar   to wake up, awaken
despiadado   heartless, pitiless
desplazar   to displace; **—se** to move
desplegar   to display
despótico   despotic
despotismo   despotism
despreciar   to despise, scorn
desprecio   *n.* scorn
desproporción   disproportion
desproporcionado   disproportioned
después (de)   after, afterwards, later
desquiciamiento   downfall
destacado   outstanding
destacar   to single out; **—se** to stand
   out, be outstanding
desterrar   to exile, banish
destierro   *n.* exile, banishment
destinar   to destine, designate
destino   *n.* destiny; destination
destituir   to dismiss (from office)
destreza   skill
destronar   to dethrone
destrozado   destroyed, shattered
destrucción   destruction
destructor   *adj.* destructive; *n.* destroyer
destruir   to destroy, demolish
desventura   misfortune
desventurado   unfortunate
desviar   to deviate
detallar   to detail, specify
detalle   *m.* detail
detenido   *adj.* careful; lengthy
determinado   *adj.* definite, certain

determinar   to decide, specify
detractor   *n.* detractor, enemy
detrás   behind; **por —** from behind
deuda   debt
devoción   devotion
devolver   to return, give back
devoto   devout, devoted; *n.* worshiper
día   *m.* day; **al —** per day; **nuestros —s**
   nowadays
dialecto   dialect
dialogante   conversing, chatting
diálogo   *n.* dialogue, discussion
diamétricamente   diametrically
diámetro   diameter
diario   *adj.* daily; *n.* newspaper
dibujante   *m.* draftsman, illustrator
dibujar   to draw, design
dibujo   *n.* drawing
diccionario   dictionary
dictador   dictator
dictadura   dictatorship
dictamen   *m.* verdict, opinion
dictar   to dictate; to issue
dicho   (*p.p. of* **decir**) said, called
didáctico   didactic(al)
diferencia   difference
diferenciar(se)   to differentiate; to dif-
   fer, be different
diferente   different
difícil   difficult
difícilmente   with difficulty, hardly
dificultad   difficulty
dificultar   to make difficult
difundir   to spread, disseminate
dignidad   dignity, rank
dignificar   to dignify
digno   worthy
dijeron   *pret. of* **decir**
diligencia   diligence, speed
dimensión   size, proportion
diminutivo   diminutive
dimisión   resignation; dismissal
dimitir   to resign
dinámico   dynamic
dinamismo   dynamism
dinastía   dynasty
dinástico   dynastic(al)
dinero   money

diócesis *f.* diocese
Dios God
diplomático *n.* diplomat
diputado deputy, representative; **— del Congreso** congressman
dirección direction; leadership
directo direct(ly)
director *m.* editor, director; *adj.* governing, leading
dirigente *m. & f.* leader; *adj.* leading, ruling
dirigir to direct, to lead; to edit; **—se a** to address onself to; to turn to
disciplina discipline; teaching
discípulo follower, disciple
disco disk
discriminación discrimination
discurso *n.* speech
discusión discussion
discutido (much) discussed; controversial
discutir to discuss, debate, argue
disentimiento disagreement
disfraz *m.* disguise
disfrazar to disguise, masquerade
disfrutar to enjoy
disfrute *m.* enjoyment
disgusto displeasure, annoyance
disidente *m. & f.* dissenter; *adj.* dissident
disimuladamente on the sly
disimulo *n.* pretense; indulgence
disminuir to diminish, decrease
disolución dissolution; dissolving
disolver to dissolve
disparar to fire, to shoot
disperso dispersed, scattered
disponer to dispose, resolve, decree, arrange; **— de** to have at one's disposal; **—se** to get ready
disponible available
disposición provision; decree
dispuesto (*p.p. of* **disponer**) disposed; **— a** ready for, determined to
dispuso *pret. of* **disponer**
disputar to dispute, to fight over
distancia distance; **a corta —** at a short distance

distante distant
distender to stretch, extend
distinción distinction, importance
distinguido distinguished
distinguir to distinguish; **—se** to stand out, excel from
distintivo distinctive
distinto different
distribuir to distribute
disuelto (*p.p. of* **disolver**) dissolved
diversidad diversity, variety
diversificar to diversify
diversión amusement, entertainment
diverso diverse, different
divertirse to amuse (enjoy) oneself; to have a good time
dividir to divide
divinidad divinity
divino divine
divisas extranjeras foreign exchange
divisorio dividing
divorcio divorce
divulgar to publish; to spread
doble *m.* double
docente educational; learning
doctorado doctorate (*Ph.D. degree*)
doctrina doctrine
documental documentary
dodecagonal having twelve sides
dogmático dogmatic
doler to pain, ache
dolor *m.* pain, grief
doloroso painful, regrettable
dominación domination; power
dominador *adj.* dominating; *n.* ruler, master
dominar to dominate, to master
dominio domain, rule, power; territory
don *m.* gift; **Don** (*Spanish title used only with first names*)
donativo (donación) donation
doncella maiden, girl
donde where, whither; **dónde** where
dorado golden, gilt
dorar to gild
dormir to sleep; **—se** to fall asleep
dormitorio bedroom

dotación   endowment
dotar   to endow; **— de** to endow with
dote   *f.* gift, talent; dowry
dramatismo   dramatic quality; drama
dramaturgo   playwright
duda   doubt; **sin —** doubtless
dudar   to doubt
dudoso   doubtful
dueño   owner, master
dulce   sweet
duplicar   to double, duplicate
duque   *m.* duke
duquesa   duchess
duración   duration; length; **cualidades de —** lasting qualities
durante   during
durar   to last
dureza   harshness; toughness
duro   *adj.* hard, harsh, rigorous

E

e = y   (*before* **i** *or* **hi**) and
eco   echo; **se hizo —** became aware
eclesiástico   *n.* clergyman; *adj.* eclesiastic(al)
economía   economy, economics
económico   economic; cheap
echado   lying down
echar   to throw, expel; **— raíces** to take root
edad   age; **de corta —** very young; **Edad Media** Middle Ages
edición   edition
edicto   *n.* edict
edificar   to build
edificio   building
editor   publisher
editorial: empresa or **casa —** publishing house
educación   education
educador   educator; *adj.* educational
educando   *n.* student
educar   to teach, educate
efectivo   effective, real
efecto   effect; *pl.* results; **en —** indeed, in fact; **por — de** as a consequence of
efectuar   to carry out, accomplish; **—se** to take place

eficacia   efficacy; effectiveness
eficaz   effective
efímero   ephemeral
efusivamente   heartily
egipcio   *n.* Egyptian
égloga   eclogue
egoísta   selfish
eje   *m.* axis. **Eje:** the military alliance of Germany and Italy in the last world war
ejecución   execution, performance
ejecutante   *m.* performer
ejecutar   to execute; to perform; carry out
ejemplar   exemplary, model
ejemplificar   to exemplify
ejemplo   example; **por —** for example
ejercer   to practice, to exercise; to exert
ejercicio   *n.* exercise, use, practice
ejercitar   to put into practice
ejército   army
elaboración   development; working
elaborar   to work out, prepare
elección   election; choice
elector   voter
electorado   *n.* electorate
elegante   stylish, elegant
elegía   *n.* elegy
elegir   to choose; to elect
elemental   elementary
elemento   element; *pl.* resources
elevación   elevation, height
elevado   high; upper
elevar   to rise, raise; **—se** to be exalted
eliminar   to eliminate
elocuencia   eloquence, oratory
elogio   *n.* praise, eulogy
ello: por — for that reason, hence
embajador   ambassador
embalse   *m.* dam
embargo: sin — nevertheless, however
emigrado   *n.* exile, emigré
emigrar   to emigrate
emir   *m.* Arab governor, emir
emirato   territory governed by an emir
emocionante   exciting, moving
emocionar   to arouse emotion; to excite
empeñado: — en engaged in
emperador   emperor

emplear to use, employ

empleo *n.* employment, job

empobrecer to impoverish

emprender to undertake

empresa *n.* undertaking; firm; **— editorial** publishing house

empujar to push

en in, on, at, into, as, to; **— que** where

enaltecer to exalt

enamorado *n.* lover; *adj.* in love

enano dwarf

encaje *m.* lace, embroidery

encaminar to direct, to aim at

encapuchado covered by a hood

encarcelamiento imprisonment

encarcelar to imprison

encarecimiento increase (cost)

encargado person in charge

encargar(se) (de) to take charge of, to entrust (with)

encargo: por — de at the request of

encauzar to channel, to direct

encendido *adj.* burning

encerrar to lock up

encierro *n.* the rounding up of the bulls

encima: por — over and above; **por — de** above; **por — de todo** above everything else

enclavado embedded

encomendar to entrust

encomendero *n.* holder of an **encomienda**

encontrar to find; **—se** to be; **—se con** to meet

encuentro *n.* encounter, meeting

encuesta investigation; poll

enemigo enemy

enemistad enmity

energía energy

enérgico energetic

énfasis *m.* emphasis

enfermedad illness

enfermo sick, ill; **— mental** feebleminded

enfrontarse (enfrentarse) con to face, to confront

engañar to deceive

engendrar to create

engendro *n.* creation

engrandecer to aggrandize, enlarge

enlazar to link, join; **—se** to be linked

enmarcar to place (between)

ennoblecer to ennoble

enorme huge, enormous

enriquecer to enrich; **—se** to become rich

ensalzar to praise, to exalt

ensanchar to broaden, expand

ensayista *m. & f.* essayist

enseñanza teaching; education; **— primaria** elementary school; **— media** secondary school; **— universitaria** higher education

enseñar to teach

entablar to initiate, start

entender to understand

entendimiento *n.* understanding

entero whole, entire; **de cuerpo —** full length

enterrar to bury

entierro *n.* burial

entonces then, that time; **de —** of that time; **por —** about that time

entrada entrance, admission; gate

entrar to enter

entre between, among; **— sí** among (within) themselves

entrega *n.* surrender, delivery

entresacar to take out, extract

entretenimiento pastime, entertainment

entusiasmar to excite

entusiasmo *n.* enthusiasm

entusiasta enthusiastic

enviado *n.* messenger

enviar to send

épica epic

epigrama *m.* epigram

episodio episode

Epístola Epistle

epíteto epithet

época epoch, period, era

equilibrar to balance, equilibrate

equipo *n.* team; **— industrial** tools

equivalente equivalent

equivaler to be equivalent, equal to

era *f.* era, age

erario public treasury

erasmista *m. & f.* Erasmian (*follower of Desiderius Erasmus*)

Erasmo: Desiderius Erasmus (*Dutch humanist*)

ermita hermitage

erróneo mistaken, erroneous

erudito *n.* erudite, scholar

esbelto slender; graceful

escalada: — del coste de vida cost of living scale

escalafón *m.* roster, roll

escalera stairway; **— de mano** ladder

escandalizarse to be shocked

escándalo scandal

escandaloso scandalous

escapar to escape

escasez *f.* scarcity

escaso scarce, limited

escena scene; stage

escenario stage

escénica: literatura — theater, drama

esclavitud *f.* slavery; subjection

esclavo *n.* slave

escoger to choose

escolar *adj.* school, educational

escribir to write

escrito (*p.p. of* **escribir**) written; *n.* writing

escritor *m.* writer, author

escritorio *n.* writing desk

escritura writing, document; **las Escrituras** the Scriptures

escrúpulo scruple

escuadra fleet; navy

escuchar to listen

escudero squire

escudo *n.* coat of arms; shield

escuela school; **Escuela Normal de Maestros** School of Elementary Education

esculpir to sculpture

escultor sculptor

escultórico sculptural

escultura sculpture

esencia essence

esencial essential

esfera sphere; rank

esfericidad roundness, sphericity

esforzar to exert oneself, to make an effort

esfuerzo *n.* effort

esgrimidor fencer

esmerado with great care

esmero *n.* care; neatness

espacio space, period; **por — de** during

espada sword

espalda back; **de —s** behind

espantoso frightful, dreadful

español *adj.* Spanish; *n.* Spaniard, Spanish (language)

españolista pro-Spanish

españolizarse to become Spanish; to adopt Spanish ways

esparcimiento *n.* amusement

esparto *n.* esparto grass

especial special; **en —** specially

especialista *m. & f.* specialist

especializado specialized

especie *f.* kind, sort

especificar to specify

espectáculo spectacle, show, performance

espectador *m.* spectator

especulador *m.* speculator

esperanza hope

esperar to hope, expect, await; **en espera de** waiting for

esperpento *n.* absurdity

espina thorn, spine; **— dorsal** spinal column

espíritu *m.* spirit

espléndido splendid, magnificent

esplendor splendor, greatness

esplendoroso magnificent

espontaneidad spontaneity

espontáneo spontaneous

esposa wife

estabilizar to stabilize, to hold steady

establecer to establish; **—se** to settle, to become established

establecimiento establishment, institution; **— de imprimir** printing establishment

estadio stadium

estadista *m.* statesman

estadística statistics; **estadístico** statistical

estado *n.* state; rank, condition; — **llano** commoners

estallar to break out, explode

estallido *n.* burst, explosion

estampado *n.* engraving

estancia room; stay

estandarte *m.* banner, flag

estaño tin

estar to be; stay

estatal *adj.* state

estatua statue

estatura stature; **de baja —** short

estatuto statute

éste (ésta) the latter

este *m.* east

esterilizar to sterilize; nullify

esterilla small mat

estético aesthetic

estilizado stylized

estilo style

estimable highly esteemed

estimación esteem

estimar to esteem, judge, think

estimulante stimulating, exciting

estimular to encourage, stimulate

estímulo incentive, stimulus

estoicismo stoicism

Estrabón Strabo (63?–21 A.D.) *Greek geographer*

estratégico strategic(al)

estrechamente tightly

estrechar to tighten; to narrow

estrechez *f.* narrowness; lack

estrecho *n.* strait; *adj.* tight, narrow, strict, close

estrellarse to crush (against)

estrenar to show or present for the first time

estribaciones *pl.* slopes

estrofa stanza

estructura structure

estructurar to construct; to organize

estudiantado *m.* student body

estudiante *m.* student

estudiantil *adj.* student

estudiar to study

estudio *n.* study; studio

estuvo *pret. of* **estar**

etapa stage, period

etc. et cetera, and so forth

ética ethics; **ético** *adj.* ethical

etimología etymology

étnico *adj.* ethnic(al)

Eucaristía Holy Eucharist

europeo European

evaluación evaluation

evangélico evangelical

Evangelio Gospel

evangelización evangelizing

evaporación evaporation

evidencia evidence, proof

evidentemente evidently

evitar to avoid, prevent

evocar to evoke

evolución evolution, development

evolucionar to evolve, develop

evolutivo evolutionary

exacción levy

exactitud *f.* precision, exactness

exacto exact

exageración exaggeration

exagerar to exaggerate

exaltación exaltation

exaltado enthusiastic; exaggerated

exaltar to exalt, praise

examen *m.* examination; **— de ingreso** entrance examination

examinarse to take an examination

exceder to surpass, exceed

excelente excellent

excelso *adj.* sublime; outstanding

excepción exception

excepcional exceptional, unusual

excepto except, excepting

excesivo excessive

exceso *n.* excess, intemperance

excitar to stir up, stimulate

excluir to exclude

exclusivo exclusive

exención exemption, privilege

exento *adj.* free, exempt

exigencia demand

exigir to demand, require

exiliado (exilado)   exile, expatriate
exilio   exile, banishment
eximir   to exempt
existencia   existence
existente   existing
existir   to exist; to be
éxito   success; **tener —** to succeed
expansivo   expansive
expatriado   *n.* and *adj.* exile, expatriate
expatriarse   to be exiled
expectación   expectation
expedición   expedition
expedido   issued
expediente   *m.* record, proceedings (law)
experiencia   experience
explicable   explainable
explicación   explanation
explicar   to explain
exploración   exploration
explorador   explorer
explotación   exploitation
explotar   to exploit; to operate
exponente   *m.* exponent
exponer   to expose, explain; exhibit
exportación   export
exportar   to export
exposición   exhibition
expresar   to express
expresión   expression
expresividad   expressiveness
expresivo   expressive
expropiación   expropriation
expropiar   to expropriate
expuesto   *p.p. of* **exponer**
expulsar   to expel, drive out
expulsión   expulsion
expuso   *pret. of* **exponer**
exquisito   exquisite
éxtasis   *m.* ecstasy
extender   to extend, spread (out)
extensión   extension, spread
extenso   extensive, vast
exterior   abroad, outside; foreign
exterminar   to exterminate
externo   exterior, external; on the outside
extinción   abolition
extinguir   to extinguish, abolish, suppress

extranjero   *adj.* foreign; *n.* foreigner; **del —** from abroad; **en el —** abroad
extrañar: no es de —   it is not surprising
extraño   *adj.* strange; foreign; **por — que parezca** no matter how strange it may seem
extraordinario   *adj.* extraordinary
extremar   to carry to the limit
extremo   *n.* end, limit; extreme
exuberancia (exhuberancia)   exuberance

F

fábrica   factory; **Real Fábrica de Tapices** Royal Tapestry Factory
fabricación   manufacture
fabricar   to manufacture, to make
fabulosamente   fabulously
facción   faction
facer=hacer
fácil   easy
facilidad   facility, ease
facilitar   to facilitate, make available
factor   *n.* element, factor
facultad   quality; faculty; school (*in a university*)
fachada   façade
faja   strip, zone
Falange   *f.* Phalanx (*Spanish Fascist Party founded in 1933*)
falangista   fascist (*member of the Falange party*)
fálico   phallic
falseamiento   forgery, falsification
falsear   to adulterate
falsedad   falsehood, untruth
falsificar   to forge, falsify
falso   *adj.* false
falta   lack, want; fault; **a — de** for lack of
faltar   to lack, be missing
falla   *n.* image burning
fallecer   to die
fallecimiento   demise, death
fama   fame, reputation
familia   family
familiar   *adj.* family; familiar

famoso famous
fanático fanatic(al)
fanatismo fanaticism
fantasía fancy, imagination
fantástico fantastic
farmacéutico pharmaceutical
farmacia pharmacy
farsa farce
fascista *n.* Fascist
fastuosidad pomposity, elaborate
  display
favor favor; **a — de** in favor of
favorecer to favor
favorito *n.* favorite
fe *f.* faith; **de buena fe** in good faith
fealdad ugliness
fecundidad fecundity
fecundo prolific; fruitful
fecha date
fechar to date
federación federation
felicidad happiness
feliz happy
felón treacherous, cruel
femenino feminine
fenicio Phoenician
fenómeno phenomenon
feo ugly
feria fair
feroz fierce, ferocious
férreo *adj.* stern, harsh
fertilización fertilization
fertilizar to make fertile
fervoroso fervent
festejo *n.* festivity
festividad festivity
feudalismo feudalism
fibra fiber; vigor
ficción fiction; story
ficticio fictitious
fidelidad fidelity
fiebre *f.* fever; excitement
fiel faithful
fiera beast
fiesta feast, festivity; **la — brava**
  bullfight
figura figure; personage
figurar to appear; to imagine

fijar to fix, set; **—se (en)** to notice
fijo = hijo
fijo fixed, stationary
filantrópico philanthropic
filigrana filigree (*ornamental work
  complicated design*)
Filipinas Philippines
filología philology
filosofía philosophy
filosófico philosophic(al)
filósofo philosopher
filtración filtration; leak
filtrar to infiltrate
fin *m.* end, purpose; **poner —** to put an
  end to; **tener —** to finish; **a — de** in
  order to; so that; **a fines de** at the end
  of; **en —** in short; **con el — de** in
  order that; **por —** at last
final *m.* end, ending; **al —** in the end;
  a finales de toward the end of
finalmente finally
financiero financial; *n.* financier
fino fine, delicate
firma signature
firmar to sign
firme solid
firmeza firmness
fiscal *m.* prosecutor
física physics
físico *adj.* physical; *n.* physician
fisiológico physiological
fisonomía (*also* **fisionomía**)
  physiognomy
flamenco Flemish; popular Andalusian
  song and dance
flamígero highly ornate style
Flandes Flanders
flaqueza weakness
flecha arrow
flor *f.* flower
florecer to flourish
florecimiento flowering
florentino Florentine (*from Florence*)
florido flowery, excessively ornate
flota fleet
fluctuante fluctuant, wavering
fogoso vehement
folleto pamphlet

fomentar   to foster, promote
fomento   *n.* development
fondo   background; *pl.* funds, money; **al —** in the background; **en el —** at heart, basically
foral: statutory (in law)
forastero   stranger, outsider
forestal   pertaining to forestry
forma   form, shape
formación   formation; **de nueva —** with new approaches
formar   to form, create; educate; **— parte de** to be a part of
fórmula   formula, way
formular   to formulate
foro   *n.* court (of justice); forum
fortalecer   to strengthen
fortalecimiento   strengthening
fortaleza   fortress; strength
fortificación   fortification
fortuna   luck, fortune
forzar   to force, be forced
forzoso   forced, compulsory
fosfato   phosphate
fracaso   failure
fracción   fraction
fraccionamiento   fragmentation
fraccionar   to divide, split up
fragmentación   breaking apart
fraile   *m.* friar, monk
frailuno   monkish
francés   *m.* French
Francia   France
franco   *adj.* frank, open; *n.* Frank
franqueza   frankness
franquista   follower of Franco
frase   *f.* phrase, sentence
fray   friar (*used as a title*)
frecuencia   frequency; **con —** frequently
frecuente   frequent
frente   *m.* front, *f.* forehead; **— a** facing, in front of; **al — de** at the head of, in charge of; **Frente Popular** Popular Front (*a coalition of liberal and leftist parties in the Spanish Republic*)
frigorífico   refrigerator
frío   *adj.* cold, cool; *n.* cold
friso   *n.* frieze

frívolo   frivolous
frontera   frontier, border
fronterizo   *adj.* border, frontier
frustración   frustration
fruta   fruit
frutal: árbol —   fruit tree
fruto   fruit, product
fue   *pret. of* **ser** & **ir**
fuego   fire; **a —** by fire; **—s de artificio** fireworks
fuente   source, fountain
fuera   outside
fuero   *m.* charter; rights and guarantees
fuerte   *adj.* strong, firm
fuerza   strength, force; **a (por) la —** by force; **— pública** police power; *pl.* army
fuga   flight; **poner en —** to put to flight
fugitivo   fugitive
función   function, performance
funcionamiento   *n.* functioning
funcionar   to function
funcionario   *n.* civil servant, public official
fundación   foundation, origin; **— benéfico-docente** charitable and educational foundation
fundador   founder
fundamento   ground, reason, basis
fundar   to found, to base
fundición   foundry
fundir   to fuse
funesto   fatal, dismal
furioso   furious
fusilado   *n.* executed (by shooting)
fusilamiento   execution by shooting
fusionar   to merge
fustigar   to lash
futuro   future

G

gabinete   *m.* cabinet
galaico   Galician
galeón   *m.* galleon
galería   gallery
gallego   Galician (language)
ganadería   cattle breeding
ganadero   *n.* stock breeder

ganado *n.* cattle, livestock

ganar to win, earn, obtain

ganga bargain

garantizar to guarantee

garra claw

gastar to spend

gasto *n.* expense, expenditure

generación generation, lineage

general general; **por lo —** as a rule

generalidad majority

generalización spreading, generalization

géneros *n.* kind, genre; **— chico** one-act play

generoso generous

genial brilliant

genio *n.* genius

Génova Genoa (*Italy*)

gente *f.* people

genuino genuine

geográfico geographic(al)

geometría geometry

gerente *m.* manager

germano (germánico) Germanic

germinar to germinate

gestión effort, action

gesto *n.* gesture; look

gigante *m. & f.* giant

gigantesco gigantic

gimnástico *adj.* gymnastic

gitano gypsy

glaciación glaciation, freezing

gleba landed property; **siervo de la —** serf

gloria glory

gobernación government

gobernador *n.* governor

gobernante *m. & f.* ruler

gobernar to rule, govern

gobierno government

godo Visigothic; *n.* Visigoth

golfo gulf; **— Pérsico** Persian Gulf

golpe *m.* tap, blow

gordo fat; **premio —** big prize, first prize

gota drop

gótico Gothic

goyesco relating to Goya

gozar (de) to enjoy

grabado etching, engraving

grabador engraver

gracia grace, charm; *pl.* thanks

gracioso funny, amusing

grado degree, grade; **a tal —** to such a degree

graduado *n.* graduate

graduarse to graduate

gramática grammar

gramático *n.* grammarian

gran(de) great, large, big; **Gran Bretaña** Great Britain

granadino from Granada

grandeza greatness

grandiosidad magnificence

grandioso magnificent

gratitud *f.* gratitude

gratuito free of charge

gravamen *m.* tax

grave serious, grave

gravedad seriousness

gravoso onerous; costly

gremio guild

griego Greek

grito *n.* cry, shout

grotesco grotesque

grueso thick, heavy

grupo group

Guadarrama: Sierra de — mountain range near Madrid

guardar to keep, protect

guardia *n.* guard

gubernativo government(al)

guerra war; **— mundial** World War; **— a muerte** war to the death; **— de la Independencia** war against the French (1808–1813)

guerrear to wage war

guerrero (guerreador) warrior; *adj.* warlike

gustar to be pleasing, to please, to like; **— de** to like (to), to enjoy

gusto taste; pleasure, liking

H

haber to be, to have; **— de** must, to be to; **— que** to be necessary

habilidad   ability, skill
hábilmente   skillfully
habitación   room
habitante   *m.* inhabitant
habitar   to inhabit, to live
hábito   *n.* habit, dress
hablar   to speak, talk
hacer   to do; to make; to cause; **— calor (frío)** to be hot (cold); **— frente** to face, resist; **—se** to become
hacia   toward; **— abajo** downward
hacienda   plantation; treasury
hallar   to find; **—se** to be found, to be
hallazgo   discovery, finding
hambre   *f.* hunger; **tener (pasar) —** to be hungry
hambriento   hungry, famishing
harén   *m.* harem
hasta   until, as far as; even; **— que** until
hay   there is, there are; **— que** one must; **— quienes** there are those who
haz   *m.* bundle; sheaf
hazaña   feat, exploit
hebreo   Hebrew
hectárea   about 2½ acres
hecho   (*p.p. of* **hacer**); *n.* fact, deed, event
hegemonía   hegemony, predominance
helénico   Hellenic, Greek
hembra   female
hemisferio   hemisphere
heredad   estate, property
heredar   to inherit
heredero   heir, successor
hereditario   hereditary
hereje   *m. & f.* heretic
herejía   heresy
herencia   inheritance
herida   wound
hermandad   brotherhood
hermano   brother
hermoso   beautiful
héroe   *m.* hero
heroico   heroic
herradura   horseshoe
herreriano   *in the style of* Juan de Herrera, *architect* of El Escorial

heterodoxo   *n.* heterodox
hexagonal   having six sides
hicieron   *pret. of* **hacer**
hidalgo   nobleman
hidráulico   hydraulic
hidrográfico   hydrographic
hierro   iron
hija   daughter
hijo   son; **— mayor** oldest son; **— varón** male
hilo   thread
himno: cantos de —s   the singing of hymns
hipocresía   hypocrisy
Hispania   Roman name for Spain
hispánico   Hispanic
hispanizado   Hispanized
hispano   Hispanic, Spanish
historia   history
historiador   historian
histórico   historic
historiógrafo   historiographer
hizo   *pret. of* **hacer**
hoguera   bonfire
hoja   leaf; sheet
Holanda   Holland
holandés   *m.* Dutch
hombre   *m.* man; **— de carrera** professional man
hombro   shoulder; **a (en) —s** on the shoulders
homogéneo   homogeneous
hondo   deep, profound
hondura   depth, profundity
honorífico   honorary
honrado   honorable
honrar   to honor
honroso   honorable
horizonte   *m.* horizon
hortaliza   vegetable
hospitalidad   hospitality
hostil   hostile, adverse
hostilidad   hostility
hoy   today; **hoy (en) día** nowadays
hubo   (*pret. of* **haber**) there were
hueco   *adj.* hollow; *n.* hole, void
huelga   strike
huella   trace; track; imprint

Huerta irrigated land near Valencia
huerto garden, orchard
hueso bone
huevo egg
huida flight, escape
huir to flee, to escape; — **de** to avoid
hulla soft coal
humanidad humanity
humanista humanist
humano human
humillación humiliation
humorismo humor
humorista humorist

I

Iberia Iberia (*Spain and Portugal*)
ibérico (ibero) Iberian
iberoamericano Latin American
idea idea, concept
idear to devise, conceive
ideario *n.* body of ideas
identificar to identify
ideología ideology
idioma *m.* language
iglesia church
ignorancia ignorance
igual equal, like; — **que** like; **al — que**
the same as, just as
igualar to equal, to match
igualdad equality
igualitario equalizing
igualmente likewise
ilícito unlawful, illicit
ilustrado enlightened; learned
ilustrar to explain, to enlighten
ilustre illustrious, famous
imagen *f.* image; **a — de** in the image of
imaginar(se) to imagine
imaginería imagery
imaginero sculptor of religious images
imitación imitation; **a — de** in imitation of
imitador imitator
imitar to imitate, to follow
imparcialidad impartiality
impartir to impart
impedimento *n.* obstacle, hindrance

impedir to prevent (from)
imperio empire
ímpetu *m.* impetus, impulse
impidieron *pret. of* **impedir**
implantar to implant; to establish
imponente imposing
imponer to impose; **—se a** to dominate
impopular unpopular
importación import
importancia importance
importante important
importar to be important, to matter; **lo que más importa** what matters most
imposible impossible
impostura fraud, deception
impráctico *adj.* unpractical
imprecisión vagueness
imprenta printing; press
impresionante impressive
impresionar to impress
impresionista impressionist(ic)
impresos *pl.* printed matter
imprimir to print
improductivo unproductive
improvisar to improvise
impuesto *n.* tax; *p.p. of* **imponer**
impulsar to impel, push forward
impulso *n.* impulse, impetus
impuso *pret. of* **imponer**
imputación charge
inca Inca (*Peruvian Indian*)
incansable tireless
incapacidad inability
incapaz incapable, unable
incautarse to take possession, confiscate
incendio fire
incertidumbre *f.* uncertainty
incesantemente incessantly
incierto uncertain
incipiente incipient, beginning
inclinación desire, inclination
inclinar to incline; **—se** to lean
incluir to include
incluso (inclusive) even; including
incomprendido misunderstood
incomprensible incomprehensible
incomprensión lack of understanding
inconcebible inconceivable

incorporar to incorporate
increíble incredible
incremento growth, increase
incuestionable unquestionable
inculcar to inculcate; impress
incultivable unfit for cultivation
inculto *adj.* uncultivated; ignorant
incursión attack; inroad
indeciso uncertain, vague
indefinido indefinite
indemnización indemnity, compensation
independencia independence
independiente independent; **— de** aside from
independizar to free, emancipate
Indias *pl.* Indies (Spanish America)
indicación indication
indicar to indicate
índice *m.* index
indicio sign, indication
indiferente indifferent
indígena native
indigno unworthy
indio Indian
indirecto indirect
indisciplina lack of discipline
indistintamente indistinctly
individualidad individuality
individuo *n.* individual
índole *f.* class, kind, nature
indolencia indolence
indudable indubitable, doubtless
indumentaria clothes, garb
industria industry
industrial *n.* industrialist
inefable ineffable, unexplainable
inepto incompetent
inequívoco unequivocal, clear
inevitable unavoidable
inexorablemente inexorably
inexplicable unexplainable
infanta princess
infante *m.* prince
infeliz unfortunate
inferior inferior, lower
infiel unfaithful; *m. & f.* infidel
infiltración infiltration

infiltrar to infiltrate, penetrate
inflación inflation
influencia influence
influir (en) to influence
influjo *n.* influence
influyente influential
influyó *pret. of* **influir**
información information
informar to inform, tell
informe *m.* report, information
infortunio *n.* misfortune
infracción infraction, violation
infructuoso unsuccessful
infundir to instill
ingeniería engineering
ingeniero engineer; **— agrónomo** agricultural engineer; **— de caminos, canales y puentes** civil engineer; **— de montes** forestry engineer; **— de la marina** naval engineer; **— de minas** mining engineer
ingenio *n.* wit
ingenioso ingenious, witty
ingenuidad simplicity, naïveté
Inglaterra England
inglés English, Englishman
ingresar to enter
ingreso *n.* entrance; *pl.* revenue
iniciador initiator
iniciar to begin, start
iniciativa initiative
inicuo wicked, unjust
inigualado unsurpassed
injertar to graft
injuriado insulted
injusticia injustice
injusto unjust
inmediato following, near by, next
inmortal immortal
inmortalizado immortalized
inmuebles *m. pl.* real estate
inmutable unchangeable
innegable undeniable
inquietante disturbing
inquietar to cause uneasiness, disturb
inquietud *f.* anxiety, uneasiness
inquilino *n.* tenant
inquisición inquisition

inscribir(se) to register
inscripción inscription
inseguridad insecurity
insensatez *f.* folly, stupidity
insensato senseless; *n.* fool
insertar to insert
insigne *adj.* noted, renowned
insolidaridad lack of community spirit
insostenible indefensible
inspirador inspiring; *n.* inspirer
inspirarse to be inspired
instalarse to settle down; to establish
instaurarse to be installed, be set up
institución institution
Institutos: state schools for secondary education
instrucción instruction, education; — **primaria** elementary education
instrumentista *m. & f.* instrumentalist
insubordinado rebellious, unruly
insuficiente insufficient
insuperable unsurpassable
integración integration
integral whole; integral
integrar to integrate; to form
intelectualidad intelligentsia
inteligencia intelligence, understanding
inteligente intelligent
intención intention, purpose
intencionado disposed
intenso intensive
intentar to attempt, try to
intento *n.* attempt
intercalar to insert
intercambio exchange
interés *m.* interest
interesante interesting
interesar to interest
interior interior, inner, inside
intermedio intermediate, in between
interminable endless
internarse to move inland
interno internal
intérprete *m. & f.* interpreter
interrogante *m.* question
interrumpir to interrupt
intervención intervention
intervenir to intervene

intimidad intimacy, privacy
íntimo intimate
intolerancia intolerance
intransigencia intransigency
intriga intrigue, plot
introducción introduction
introducir to introduce
introductor introducer
introdujo *pret. of* **introducir**
invadir to invade
invasor invading; *n.* invader
invencible invincible
invento *n.* invention
inversión investment
invertir to invest; to spend
investigación research
investigador researcher, scholar
investir to confer upon
invierno winter
invocar to invoke
inyección injection
ir to go; to be; **irse** to go away, leave
Irlanda Ireland
irónico ironical
irradiar to radiate
irresponsable irresponsible
irreverente irreverent
irrigación irrigation
irritación irritation
irritado irritated
isla island
islamismo Islam (religion)
islamita Islamite
istmo isthmus
izquierda(s) left; left wing

J

jacobeo: peregrino — pilgrim to Santiago de Compostela
Jaime James
jarcha: the last stanza of certain Arabic and Hebrew poems
jardín *m.* garden
jardinería gardening
jarro jug, pitcher
jefe *m.* head, chief; officer
jerarquía hierarchy

jerárquico hierarchical
jerarquización the rule of those in power
jesuita *m.* Jesuit
jornada working day; **— de ocho horas** 8-hour work day
jornal *m.* daily wage
jornalero wage earner
joven *adj.* young; *m.* young man; *f.* young woman
joya jewel
joyería jewelry
jubileo *n.* jubilee
judaico Jewish
judaísmo Judaism
judío Jewish; *n.* Jew
juego game; play
juez *m.* judge, magistrate
jugar to play
juglar *m.* minstrel
juicio judgment; lawsuit; appraisal
junta council, board
juntamente together (with)
junto together; **— a** next to, along with
Jurado Mixto de Trabajo Labor Relations Board
juramento *n.* oath
jurar to swear (allegiance)
jurídico legal, lawful
jurista *m.* jurist
justa *n.* tournament, contest
justicia justice
Justiniano Justinian (483–565), *ruler of the Eastern Roman Empire*
justo just
juventud *f.* youth
juzgar to judge; **a — por** judging by

L

labor *f.* task, work; **tierras de —** arable lands
laboriosidad hard work; diligence
laborioso hard-working
labrador farmer, peasant
labrar to carve; to build; to till
lacerante painful, disturbing

lado *n.* side; **al —** close by; **de (por) un —** on the one hand; **de otro —** on the other hand
ladrar to bark
ladrillo brick
lago lake
lágrima tear
laicismo *n.* secularism
laico lay
lamentarse to regret
lamento *n.* lament
lámpara lamp
lana wool
lanza lance
lanzar(se) to throw, hurl; to utter; to plunge into
largo long; **a todo lo — de** all along; **de —** in length
latifundio concentration of land in the hands of a few
latifundista *m.* rich landowner who does not cultivate much of his estate
latino Latin; *n.* Latin (language)
leal loyal
lealtad loyalty
lector reader
lectura reading
lechero milkman
lecho *n.* bed
leer to read
legado *n.* bequest, legacy
legalidad legality
legalizar to legalize
legendario legendary
legislación legislation
legislador legislator
legislar to legislate
legitimidad legitimacy
legítimo legitimate; lawful
legumbre *f.* vegetable
lejano distant, far-away
lejos far, away
lema *m.* motto, slogan
lengua language
lenguaje *m.* language
lento slow
león *m.* lion
leonés (native) of León

Lepanto: entrance to the Gulf of Corinth (Greece)

letra letter; lyrics; *pl.* literature, letters

letrado learned; *n.* lawyer; man of letters

letrero *n.* (painted) sign

levantamiento uprising

levantar to raise, lift; **—se** to rise, to get up; to rebel

Levante Eastern coast of Spain

levantino from the region of Levante

levantisco turbulent

léxico lexicon; vocabulary

ley *f.* law

leyenda legend

liberalidad liberality, generosity

liberar to liberate; **—se** to be exempt (from)

libertad liberty, freedom

libertino libertine

librar to free

libre free

libro book

licencia permission

licenciado: holder of a university degree

licenciatura: years required to obtain the "licenciado" degree

líder *m.* leader

lidia bullfight

lidiar to fight (bulls)

lienzo canvas

liga league, alliance

ligado linked, connected

ligereza lightness

ligero light(ly)

limitar to limit, to border on

límite *m.* boundary, limit

limítrofe bordering

limpiar to clean

línea line

liquidar to settle, liquidate

lírica lyric poetry

lirismo lyricism

liso flat, unadorned

literato *n.* writer

literatura literature

litoral *m.* coast

liturgia liturgy

litúrgico liturgical

liviano frivolous

loar to praise

lobreguez *f.* darkness

loco *n.* insane, mad(man)

lógica logic

lógico logical

lograr to obtain, attain; to manage; to succeed (in)

longitud *f.* length

lonja market (building)

lucerna chandelier

lucimiento success, display

lucha struggle, fight

luchar to struggle, fight

luego then, later; **desde —** of course

lugar *m.* place; **dar — a** to give rise to; **tener —** to take place

lujo luxury

luna moon

lusitano Portuguese

Lutero: Martin Luther (1483–1546), German Protestant reformer

luz *f.* light; **— solar** sunlight

LL

llaga sore, wound

llama flame

llamado called; so-called

llamar to call; **— la atención** to attract attention; **—se** to be called, be named

llave *f.* key

llegada arrival

llegar to arrive; **— a** to reach, to go as far as to, to succeed in; **— a ser** to become

llenar to fill

lleno full

llevar to carry, take, wear; **— a cabo** to carry out

lluvia rain

M

m.=**muerto** dead

macabro macabre

macizo   massive; *n.* mass; prominence
madera   wood
madre   *f.* mother
madrileño   Madrilenian (*of Madrid*)
madroño   shrub with red berries
madrugada   early morning
maestría   mastery, skill
maestro   teacher, master; maestro
magistrado   *n.* magistrate, judge
magnánimo   generous
magnate   *m.* magnate, grandee
magnífico   magnificent
magnitud   *f.* magnitude, quantity
Magos: Reyes —   Wise Men
Mahoma   Mohammed (571?–632),
   founder of Islam
maja: *attractive young lady of the lower*
   classes of Madrid in Goya's time
mejestuoso   majestic
mal   *adv.* badly; *m.* evil, ill
malentendido   misunderstood
malo   *adj.* bad, badly
malogrado   ill-fated
malquisto   disliked
Mallorca   Majorca (*largest of the Balearic*
   Islands)
mancilla   *f.* stain, blemish
Mancomunidad   Catalonian
   Commonwelath
mandar   to command, rule, order
mandato   *n.* command, order
mando   *n.* command; officer; **al — de**
   under the command of
manejar   to handle
manera   way, manner; **de igual —**
   likewise; **de otra —** otherwise
manifestación   public demonstration
manifestar   to reveal, declare
manifiesto   manifest, obvious; **poner**
   de — to make evident
maniobra   maneuver
mano   *f.* hand; **— de obra** labor
mantener   to maintain, to keep
mantenimiento   maintenance
manto   *n.* robe, gown
manuscrito   manuscript
mañana   tomorrow; morning; future
mapa   *m.* map

maqueta   mock-up; model
Maquiavelo: N. Machiavelli (1469–
   1527) *Italian political writer*
maquinaria   machinery
mar   *m. & f.* sea; **alta —** high seas;
   salir a la — to set sail
maravilla   marvel, wonder
maravilloso   marvelous
marcado   *adj.* pronounced
marcha   march, progress
marchar   to march, to go
marfil   *m.* ivory
marido   husband
marina   navy
marino   *n.* sailor, mariner
marítima: frontera —   sea coast
mármol   *m.* marble
marqués   *m.* marquis
marrano   *n.* hog, swine
Marruecos   Morocco
mártir   *m. & f.* martyr
mas   but
más   more, most; **— de** more than;
   no — que only; **— alto** higher;
   — tarde later
masa   mass; **en —** en masse
masivo   *adj.* massive; imposing
matadero   *n.* slaughter house
matanza   slaughter
matemáticas   *pl.* mathematics
matemático   *n.* mathematician
materia   matter, subject, topic
material   *m.* (war) matériel
matiz   *m.* shade, hue
matricular(se)   to register, enroll
matrimonio   marriage
mausoleo   mausoleum
máxime   mainly
máximo   greatest; maximum
mayor   greater, greatest; **el —** the
   greatest; **—mente** mainly
mayoría   majority; **— de edad** of legal
   age
medallón   *n.* medallion
mediado   *n.* middle; **a —s de** about the
   middle of
mediano   mediocre, average
mediante   by means of

mediar to intervene; **al —** by the middle of

medicina medicine

médico doctor

medida measure; **a — que** as

medio *adj.* half, average; *n.* middle, environment; *pl.* means; **en — (de)** in the middle (of)

mediodía *m.* south; noon

Medio Oriente Middle East

Mediterráneo Mediterranean Sea

Méjico=México Mexico

mejor better, best; **— dicho** rather; **el —** the best

mejora improvement

mejoramiento improvement

mejorar to improve

melancolía melancholia, melancholy gloom

Melilla Spanish city in Morocco

mención mention

mencionar to mention

menina young lady-in-waiting

menor less, lesser; younger, smaller, least; minor; **— (de) edad** under age

menos less, except; **al —** at least; **por lo —** at least; **a — que** unless

menosprecio *n.* contempt, scorn

mensaje *m.* message

mente *f.* mind

mentira lie, untruth

menudo small; **a —** often

mercader *m.* merchant

mercado market

mercancía merchandise, goods

mercantil commercial

merced *f.* favor, gift

mercurio mercury

merecer to deserve

meridional southern

merienda afternoon snack

merino royal judge

mérito merit, worth

mero mere

mes *m.* month

mesa table; secretariat

meseta plateau

mestizaje *m.* crossbreeding

mestizo half-breed

metáfora metaphor

metalúrgico *adj.* metallurgical

método method

metrópoli *f.* mother country

mezcla mixture, blend

mezclar to mix

mezquino mean, wicked

mezquita mosque

miedo fear

miel *f.* honey

miembro member

mientras (que) while; **— tanto** meanwhile

mil a thousand

milenio *n.* millennium

militar military; *n.* officer

milla mile

millón *m.* million

mina mine

minería mining

minero *n.* miner

minifundio *n.* small piece of land

mínimo *n.* minimum (salary)

ministerio cabinet, government; **— de Trabajo** Labor Department

ministro *n.* cabinet member

minoría minority

minuciosamente thoroughly, in detail

mirar to look at; to consider

misa mass

miseria misery, poverty

misericordia mercy

mismo same, self; **lo — que** just as

mística *n.* mysticism

misticismo mysticism

místico mystic

mitad *n.* half; **— sur** southern half

mitología mythology

mitológico mythological

mobiliario furniture

moda *n.* fashion; style; **de —** in fashion; **pasar de —** to be old-fashioned

modalidad manner, way

modelo model, example

moderado moderate

modernización modernization

moderno recent, modern

modificación   change

modo   way, manner; **— de ser** nature, disposition; **al — de** in the manner of; **de — que** so that; **de otro —** otherwise; **de todos —s** in any case; **en cierto —** to a certain extent

molestar   to annoy

molino   mill; **— de viento** windmill

monarca   *m.* monarch

monarquía   monarchy

monárquico   *n.* monarchist

monasterio   *n.* monastery

moneda   coin; money

monja   nun

monje   *m.* monk

monogamia   monogamy

monopolio   monopoly

monoteísta   monotheist

monotonía   monotony

monstruo   monster

monstruosidad   monstrosity

monstruoso   monstrous

montaña   mountain

montañoso   mountainous

monte   *m.* mountain, forest

montón   *m.* pile, heap

monumento   monument

morado   purple

moral   morale, morality, moral

morir   to die

morisco   *adj.* Moorish; (*Name given to the "mudéjar" after supposedly having accepted Christianity*)

moro   *adj.* Moorish; *n.* Moor; **Antonio Moro** (1512–1577), *Dutch painter*

mosaico   mosaic

mostrar   to show

motín   *m.* mutiny

motivar   to cause

motivo   *n.* reason, cause; motif

movible   variable

móvil   *m.* motive, incentive

movilizado   mobilized

movimiento   movement

mozárabe: Christian living in Moslem Spain

muchacha   girl

mucho   much; *pl.* many

mudéjar: Spanish Moslem living under Christian rule; style of architecture

mueble   *m.* piece of furniture; *pl.* furniture

muerte   *f.* death; **dar —** to kill; **a —** to the death

muerto   *adj.* dead; *n.* dead person: *p.p. of* **morir**

muestra   sample

mujer   *f.* woman; wife

mula (mulilla)   mule

multar   to fine

multiplicar   to multiply, increase

mundial   *adj.* world; **—mente** internationally

mundo   world

municipio   municipality, town

muralla   wall

muro   wall

museo   museum

música   music

músico   *n.* musician

musicólogo   musicologist

musulmán   Moslem

mutuo   mutual

muy   very

N

n. = nacido   born

nacer   to be born; originate

nacimiento   *n.* birth

nación   nation

nacionalista   *m. & f.* nationalist

nada   nothing, anything; not at all

nadie   no one, nobody

Nápoles   Naples (*Italy*)

naranja   orange

naranjo   orange tree

narración   narrative; story

natal   *adj.* native

natural   *m.* native; natural

naturaleza   nature

naturalidad   naturalness

naufragio   *n.* shipwreck

náutico   nautical; *n.* navigation

nave   *f.* ship; aisle

navegación   navigation

navegante *m.* navigator
navío *n.* ship, vessel
nebuloso hazy, nebulous
necesario necessary
necesidad necessity, need
necesitado needy
necesitar to need
necrópolis *f.* burying ground
negación negation, denial
negar to deny; **—se** to refuse
negociar to negotiate
negocio(s) business, affairs
negro black
Nerón Nero (36–68), *Roman emperor*
nerviosidad nervousness
nervioso nervous
neutralidad neutrality
ni nor, not even; **ni...ni** neither . . . nor
nicho niche
nieta grand-daughter; **nieto** grandson
nieve *f.* snow
ninguno (ningún) no, none, not any
niña girl; **niño** boy
nivel *m.* level; **— de vida** standard of living
nivelación leveling
no no, not, none
nobiliario of the nobility
noble *m.* nobleman; *pl.* nobility
nobleza nobility
noche *f.* night
nocturno *adj.* night, nocturnal
nogal *m.* walnut (wood)
nombramiento appointment
nombrar to name, to appoint
nombre *m.* name
nordeste *m.* northeast
norma norm, standard
normalidad normalcy
noroeste *m.* northwest
norte *m.* north
norteamericano *n.* North American
nota note; grade
notable remarkable, noted
notar to note, to notice
noticia piece of news; information
notorio obvious, self-evident
novedad novelty, innovation

novela novel
novelística novel, fiction
noveno ninth
núbil marriageable
núcleo *n.* group, nucleus
nuevo new; **de —** again
número number
numeroso numerous
nunca never, not ever

O

o = ó (*between numbers*) or
obcecado blinded, obsessed
obedecer to obey
obediencia obedience
obispado bishopric
obispo bishop
objetivo objective
objeto object
obligado: se vió — he was forced
obligar to oblige, compel
obligatorio compulsory
obra *f.* deed, work; **— maestra** masterpiece
obrador *m.* studio (of a painter)
obrar to act, operate
obrerista *adj.* labor; *n.* laborite
obrero *adj.* labor, working; *n.* worker
observancia observance
observar to observe
obstáculo obstacle
obstante: no — nevertheless
obtención obtainment
obtener to obtain, to get
obtuvo *pret. of* **obtener**
ocasión opportunity
ocasionar to cause
occidental western
occidente *m.* west
océano ocean
oculista *m. & f.* oculist
ocultar to hide, conceal
oculto hidden
ocupar to occupy; to hold; to take up
ocurrir to happen, occur
odio *n.* hatred, hate
odioso hateful

oeste *m.* west
oferente *m.* offerer
oficial *m.* officer; trained workman
oficiante *m.* (church) officiant
oficio trade, craft
ofrecer to offer
oir to hear, listen
ojival ogival (pointed arch); gothic
ojo eye; **a los —s de** in the estimation of
oleada wave
oligarquía oligarchy
olivo *n.* olive tree
olvidar to forget
olvido *n.* forgetfulness; **con — de** forgetting
Omeya: ruling dynasty in Damascus and in Córdoba
omitir to omit
operar to operate
opio *n.* opium, narcotic
oponer(se) to oppose, to resist
oportunidad opportunity
oposición opposition; competitive examination (for a position)
opositor contestant; competitor
optar por to opt for; to choose
opuesto opposite; *p.p. of* **oponer**
Opus Dei: A Catholic organization of rather secret character whose members take the religious vows but continue to live as laymen; it has been quite successful in infiltrating the educational and economic fields.
opusieron *pret. of* **oponer**
oración prayer
orador *m.* orator
oralmente orally
oratoria eloquence
oratorio *n.* oratory
orden *m.* order, rank, category; *f.* order, command
ordenamiento ordinance, set of laws
ordenar to order; decree
orfebre *m.* goldsmith
orfebrería gold or silver work
organismo organism, agency
organización organization

organizar(se) to organize
órgano instrument; means
orgullo pride
orgulloso proud
orientación direction
oriental eastern
orientar to direct, to orient
oriente *m.* east, Orient
Oriente Medio Middle East
origen *m.* origin, beginning
originalidad originality
originar to create
originario native
orilla bank (of a river)
ornamentación ornamentation, ornament
ornamento ornament, decoration
ornato decoration, ornament
oro *n.* gold
orográfico orographic
ortografía orthography
oscilar to oscillate; vary
oscuridad darkness, obscurity
oscuro dark, obscure
oso *n.* bear
ostentar to display; to boast, to show off
ostracismo ostracism
otorgamiento *n.* approval, granting
otorgar to grant
otro *n. & adj.* other, another; **— tanto** just as much
ovalado oval shape
oveja sheep

P

pacífico peaceful
pacto *n.* pact, covenant
padecer to suffer
padre father; *pl.* parents
pagar to pay
página page
pago *n.* payment
país *m.* country; **Países Bajos** Netherlands
paisaje *m.* landscape
paisajista landscape painter

pájaro bird

palabra word

palacio palace; **— de las Cortes (del Congreso)** Parliament

Palestrina: Giovanni de (*m.* 1594) *Italian composer of religious music*

palmadas: dar — to clap one's hands

palpitante throbbing

pánico *n.* fear

pantano reservoir, dam

panteón pantheon

paño cloth

Papa *m.* Pope

papel *m.* paper; rôle

par *m.* pair

para for, to, in order to, as; **para que** so that, in order that

paradigma *m.* paradigm, example

paraíso paradise

parásito parasite

parcela piece of land

parecer *m.* opinion

parecer to seem, to appear; **al —** apparently; **—se** to look like

parecido similar, resembling; *n.* likeness

parezca *subj. of* **parecer**

pared *f.* wall

pareja pair, couple

pariente *m.* relative

parlamentario *n.* parliamentarian

parlamento parliament; speech (in the theater)

parte *f.* part; place; **en (por) todas —s** everywhere; **en —** partially; **la mayor — most**; **en su mayor —** for the most part; **por otra —** on the other hand; **por — de** on the part of; **por una —** on the one hand

participación participation

participar to take part, participate

particular *adj.* private

particularidad peculiarity

partidario follower, supporter

partidista *m. & f.* partisan, follower

partido party; game

partiere *from* **partir** (*obsolete form*)

partir to leave, start; divide; **a — de** beginning with

partitura score

pasado last, past; **de pasada** in passing

pasar to pass, to happen; **— de** to go beyond; **— a ser** to become

Pascua (de Resurrección) Easter

pasear to take a walk; to stroll

pasión emotion; **Pasión del Señor** Torments of Christ

pasional passionate

paso *n.* step, passing; **dar —s** to take steps; **— a —** step by step; **dar un — adelante** to take a step forward; (*see* **sainete**)

pastor *m.* shepherd

pastora shepherdess

pastoril pastoral

paternalista paternalistic

paternidad fatherhood

patético pathetic

patín *m.* (ice) skate

patio courtyard

patria fatherland

patriarca *m.* patriarch

patricio patrician

patrimonio heritage

patriota patriot

patrocinar to sponsor

patronazgo patronage

pavimento pavement

pavo turkey

paz *f.* peace

pecador *m.* sinner

peculiar particular, special

pechero commoner

pecho *n.* breast; chest

pedernal *m.* flint

pedir to ask (for), request

peineta ornamental comb

pelear to fight

peligro danger

peligroso dangerous

pelo *n.* hair

peluca wig

pena punishment; sorrow

penalidad hardship

pendiente *m.* earring

penetración penetration; insight

penetrar to penetrate

peninsular Spanish, of the Iberian Peninsula

penitente *m.* penitent (*man who accompanies the* "pasos" *in Passion Week*)

pensador thinker

pensamiento thought, thinking

pensante *n.* thinker

pensar to think; to intend; **— en** to think about

peñón rock

peor worse, worst

pequeño little, small

perceptible noticeable

percibir to perceive, to notice

perder to lose; to waste

pérdida loss

perdón *m.* pardon

perdurar to last

perecer to perish

peregrinación pilgrimage

peregrino *adj.* wandering; *n.* pilgrim

perfeccionar to perfect, improve

perfecto perfect

perfidia perfidy

perfil *m.* contour, profile

periferia periphery

periódicamente regularly

periódico *n.* newspaper

periodismo journalism

período period, interval

perito *n.* expert

perjudicar to harm, damage

perjudicial damaging

perjuicio harm; disadvantage

permanecer to remain

permiso permission

permitir to allow

pero but

perpetuar to perpetuate

perpetuidad perpetuity

persecución persecution

perseguir to persecute; pursue

perseverar to persevere, continue

persiguieron *pret. of* **perseguir**

personaje *m.* personage; character

personal *m.* personnel; **— de mando** army officers

personalidad personality; identity

personalmente personally, in person

personificar to personify

pertenecer to belong

perteneciente belonging

perturbación agitation

perturbador *n.* disturber

perturbar to disturb

pesadez *f.* heaviness

pesado heavy

pesar to weigh; **a — de** in spite of

pésima deplorable

peso weight; **— bruto** gross weight

peste *f.* plague

petición petition, request; **a — de** at the request of

petróleo *n.* oil

petrolero *n.* oil tanker

petulante insolent, boastful

piadoso pious

picador bullfighter with a goad

picaresco picaresque

pícaro rogue

pico *n.* peak

pictórico pictorial

pie *m.* foot; **de (en) pie** standing; **en — de igualdad** on an equal footing

piedad mercy

piedra stone; **— trabajada (tallada)** carved (cut) stone

piel *f.* leather, skin

pieza piece; composition

pila: — de agua bendita holy water font

pillaje *m.* plunder

pincel *m.* brush

pintar to paint

pintor painter; **— de palacio** court painter

pintura painting

pirata *m.* pirate

Pirineos Pyrenees Mountains

pisar to step on

piso *n.* apartment; floor

pistolero terrorist

placer *m.* pleasure

plan: en — de as

plano *n.* plan; level; plane

planta plant; plans (of a building)

planteamiento planning; calling; problem; issue

plantear to plan; present; to raise an issue

plata silver

plátano banana

plateado silver-plated

plateresco *n.* plateresque (style)

platería silversmith's shop or trade

platero silversmith

plaza square, city; **— de toros** bull ring

plazo *n.* term; time limit

plebeyo plebeian, commoner

pleno full, complete

plomo *n.* lead

pluma pen

pluriempleo (having) several jobs

población population, city; inhabitants

poblado *adj.* populated; *n.* settlement

poblador settler; inhabitant

poblar to settle, populate

pobre poor

pobreza poverty; scarcity

poco little; not very; *pl.* few; **— a —** little by little; **a poco de** soon after; **— antes (después)** shortly before (after)

poder to be able, can; *m.* power; **— superior** higher authority; **—es públicos** state authority; **por —es** by proxy

poderoso powerful

poesía poetry, poem

poeta *m.* poet

poetisa poetess

policía *f.* police (force); *m.* policeman

policromado multicolored

poligamia polygamy

polilla moth

politeísta *m. & f.* polytheist

política *n.* politics; policy

político political; *n.* politician

politización engaging in politics

pompa pomp

poner to put, place; **— fin** to put an end; **— fuego** to set fire; **— sitio** to lay siege; **—se** to become; **—se frente a** to oppose

pontífice *m.* Pontiff, Pope; **Sumo —** Supreme Pontiff

por by, for, through, during, because of; **por ello** for that reason, hence; **por esto** therefore; **por virtud de** because of; **por ciento** per cent

porcelana porcelain

porcentaje *m.* percentage

porción part

porque because, so that

portada façade; title page

portador bearer

portal *m.* main door

portátil portable

portentoso marvelous

pórtico gate, doorway

portugués *m.* Portuguese

poseedor possessor, holder

poseer to possess, own

posesión possession

posibilidad possibility

posible possible; **todo lo —** everything possible

posición position, post

posteridad posterity

posterior subsequent; later, following

postguerra (posguerra) postwar (period)

postulado *n.* proposal, assertion; principle

potencia power; strong nation

potestad potentate; power; medieval nobleman

práctica *n.* practice; **poner en —** to put in execution

practicar to practice, exercise

práctico practical

prado pasture land, field

preceder to precede

precepto precept, rule

precio price

precioso valuable, beautiful

precipitación precipitation (atmospheric); hurry

precisar to determine with precision; to need

preciso precise, exact, necessary

precursor forerunner

predecesor forerunner
predicador preacher
predicar to preach
predilección predilection
predominante predominant, prevailing
predominio *n.* predominance
prefecto prefect; mayor
preferencia preference
preferente (preferible) preferable
preferir to prefer
pregunta question
preguntar to ask
prehistoria prehistory
prejuicio prejudice
prelado prelate
preliminar preliminary
preludio (de) introduction (to)
prematuro premature
premiado *n.* winner
premio prize, reward
prenda article of clothing
prensa press; newspapers
preocuparse (de) to worry (about)
preparación (preparativo)
   preparation
preparar to prepare
preponderancia influence
prerrogativa prerogative
prescindir to do without
presencia: en — de in the presence of
presenciar to witness, be present at
presentar(se) to appear; to present
   (oneself)
presente present; **tener —** to bear in
   mind
preservar to save, preserve
presidencia presidency
presidir to preside
presión pressure
préstamo *n.* loan
prestar to lend; **— ayuda** to assist,
   render help
prestigio prestige, influence
prestigioso well-reputed, renowned
presupuesto *n.* budget
pretender to pretend; to seek
pretendiente *m.* pretender, candidate
pretensión aspiration

pretor *m.* praetor (Roman dignitary)
prevalecer to prevail
prevaleciente prevalent, prevailing
previo previous, prior
previsión social social security
primado primate (first)
primer(o) first, early; **Primer Minis-**
   tro Prime Minister
primo *m.* cousin
primogénito first born; the chosen one
primor skill, elegance; **—es de lo**
   vulgar charm of the commonplace
primoroso beautiful(ly), elegant
princesa princess
principal principal, main
príncipe *m.* prince
principiar to begin, start
principio *n.* beginning; principle; **a —s**
   de about the beginning of; **al —** at first;
   desde el — since the beginning
prisionero prisoner
privado private; deprived; *n.* favorite
privar to deprive
privilegiado privileged
privilegio privilege, exemption
probar to try, prove; to test
problema *m.* problem
procedencia origin, source
procedente coming (from); proper
procedimiento procedure, method,
   device
procesión procession
proceso process, progress; lawsuit, trial
proclamar to proclaim
procónsul: Roman governor or military commander of a region
procurador *n.* member of the Spanish
   Parliament (see **diputado**)
procurar to try, attempt
prodigio prodigy; miracle
prodigioso marvelous
producción production, yield
producir to produce
producto product; result
productor producing; *n.* producer
produjo *pret. of* **producir**
profano profane
profesar to profess

profeta *m.* prophet
profundo deep, intense
profusamente profusely
profuso abundant
progresar to progress
progresivo progressive
progreso *n.* progress
prohibir to prohibit, forbid
proletariado proletariat
proletario proletarian
proliferación proliferation
prólogo preface, prologue
prolongación extension
prolongar to prolong, continue
promedio *n.* average
prometedor *adj.* promising
prometer to promise
promover to promote, cause
promulgar to promulgate; to issue
pronto soon, quickly; **por lo —** to begin with
pronunciamiento military uprising
pronunciar to pronounce; **—se** to rebel
propagación propagation; spread
propagandista propagandist
propicio favorable, opportune
propiedad property, ownership
propietario *n.* owner
propina tip
propio *adj.* own; very; proper; self, same; **el — rey (emperador)** the king (emperor) himself
proponer(se) to propose (to)
proporcionar to provide, furnish
proposición proposal, proposition
propósito purpose, aim
propuesta *f.* proposal; **propuesto** *p.p. of* **proponer**
propuso *pret. of* **proponer**
prosa prose
proseguir to pursue, continue
prosperar to prosper
prosperidad prosperity
próspero prosperous
protección protection
proteger to protect
protestante Protestant

protuberancia projection (of a rock)
provecho profit, benefit
proveedor provider
provenir to derive (come) from, originate
provenzal Provençal
provincia province
provisión measure; decree
provocar to provoke, cause
próximo next, near
proyectar to project; plan, device
proyecto *n.* project, plan; **— de ley** bill
prueba proof, evidence; test: testimony
psicología (sicología) psychology
psicólogo (sicólogo) psychologist
publicar to publish
publicidad publicity
público *adj.* public; *n.* audience, public
pudo *pret. of* **poder**
pueblo people, town; population
puente *m.* bridge
puerta door; **— de entrada** entrance door; **— de la calle** street entrance
Puerta del Sol: *famous square in the center of Madrid*
puerto port; **— de mar** seaport
pues for, as, then; **— bien** well then
puesto *n.* position, job; **— que** since; *p.p. of* **poner**
pulmonar: lesión — lung ailment
púlpito pulpit
punta tip
punto *n.* point, place; **a — de** about to; **hasta cierto —** to a certain extent; **hasta el —** to the extent
pureza purity
purgación purgation; purge
purgar to atone for
purificación purification
puro pure; sheer
puso, pusieron *pret. of* **poner**

Q

quebrantar to break, destroy
quedar to remain, be left; to be
queja complaint
quejarse to complain

quema *n.* burning
quemar to burn
querellante *m. & f.* plaintiff
querer to wish, want, love; **— decir** to mean
química chemistry
químico *adj.* chemical; *n.* chemist
quince fifteen
quinientos five hundred
quinto fifth
quiso, quisieron *pret. of* **querer**
quitar to take away, remove
quizá (quizás) perhaps

R

rabino *n.* rabbi
racionamiento rationing
radical *n.* member of the radical party
radicalmente radically
radicar to lie; to settle
raíz *f.* (*pl.* **raíces**) root, origin; **echar raíces** to take root
rama branch; **ramo** branch, cluster
rapidez *f.* rapidity
rápido quick, fast
rapsodia rhapsody
raro strange, rare
rascacielos *m. pl.* skyscraper
rasgo trait, characteristic
Rastro flea market (in Madrid)
ratificación ratification
raza race; stock
razón *f.* reason; **— de ser** reason for being; **a — de** at the rate of; **con —** rightly; **por — de** because of; **dar —es** to account for
reacción reaction
reaccionar to react
reaccionario reactionary
real royal; real
realengo royal patrimony
realeza kingship
realidad reality
realista realist(ic); *n.* royalist
realizador exponent
realizar to carry out, to accomplish
realmente really; actually

reanudar to renew
rebaño *n.* flock
rebasar to surpass, go beyond
rebelde *m. & f.* rebel; *adj.* rebellious
rebeldía rebellion, revolt
rebelión rebellion
recaer to fall; fall again
recargado overadorned
recaudador *n.* tax collector
recaudar to collect
recepción reception
recibir to receive
recién (reciente) recently
recinto *n.* enclosure; area
recio strong, robust
recíproco reciprocal, mutual
recitado *n.* dialogue
reclamación claim; reclamation
reclamar to claim
reclutamiento recruiting
reclutar to recruit
recobrar to recover, regain
recoger to gather, take up, collect
recomendación recommendation
recomendar to recommend
recompensa *n.* reward
reconciliar to reconcile
reconocer to recognize; accept, admit
reconocimiento recognition
Reconquista: the reconquest of the Spanish territory occupied by the Moslem invaders
reconquistar to reconquest
recordar to remember
recorrer to go over, travel over
recorrido *n.* run, course (of a river)
recreo *n.* recreation, amusement
recto straight, direct
rector *m.* president of a university
recuerdo *n.* remembrance; memory
recuperación recovery; reconquest
recuperar to recover, regain
recurso *n.* recourse, remedy; *pl.* means
red *f.* network
redacción editorial office; editing
reducido small, limited
reducir to reduce, confine
reencarnación reincarnation

reestructurar to rebuild, rearrange
referente referring
referirse to refer
refinado refined, polished
refinamiento refinement
reflejar to reflect
reforma reform; **—agraria** land reform
reforzar to reinforce, strengthen
refugiado *n.* refugee
refugiarse to take refuge
refugio *n.* shelter
regadío: tierras de — irrigated land
regalo *n.* gift, present
regencia regency
regente *m. & f.* regent
régimen *m.* regime; government
regir to rule, govern; **—se** to be ruled
reglamento regulation
regocijo *n.* amusement, joy
regresar to return
regulador *adj.* governing
regularmente regularly
rehacer to remake, make over
reina queen
reinado *n.* reign
reinar to reign
reino *n.* kingdom, realm
reir to laugh
reja grate, grating
rejería ironwork
relacionado related
relacionar to relate; to connect
relativo relative, concerning
relato *n.* account, narrative
relegar to relegate
relicario reliquary
relieve *m.* relief, design; raised
religiosidad religiousness
religioso religious
relinchar to neigh
reliquia relic
reloj *m.* clock
remesa remittance
remoto remote, distant
remunerar to remunerate
renacentista pertaining to the Renaissance
renacer to be born again; *m.* renewal

Renacimiento Renaissance
rencilla quarrel
rendición surrender
rendimiento yield
rendir to render, produce; to conquer; **— culto** to pay homage; **—se** to surrender
renegado *n.* renegade
renombrado renowned, famous
renombre *m.* fame, reputation
renovación renovation, reform
renovar to renew, reform; to change
renta *n.* revenue; income
renunciar to resign, give up; renounce; **— al trono** to abdicate
reñir to quarrel
repartidor de periódicos newspaper boy
repartir to distribute; divide
reparto *n.* partition, distribution
repetir to repeat
repoblación repopulation
repoblar to resettle, repeople
reponer to revive (a play)
reposar to rest
represalia reprisal
representación performance; image
representante *m. & f.* representative
representar to represent; to perform
represión repression
reprimir to repress
república republic
republicano republican
repulsivo repulsive
requerir to require; to need
requisito *n.* requirement
reservar to reserve, keep
reses bravas wild bulls
residente resident, residing
residir to reside; to live
resistencia resistance
resistir to resist, oppose; **—se a** to be reluctant to
resolver to resolve, solve
resonancia: tener — to attract attention
respecta: por lo que — a with respect to

respectivo respectively

respecto: con — a (de) regarding, with respect to

respetable respectable; reliable

respetar to respect

respeto *n.* respect

resplandeciente resplendent, glittering

responder to answer

responsabilidad responsibility

responsable responsible

restablecer to restore, re-establish

restauración restoration

restaurador *n.* restorer

restaurar to restore

resto *n.* rest; *pl.* remains

restricción restriction

restringir to limit, restrict

resucitar to revive; to resurrect

resuelto determined, resolved

resultado *n.* result, consequence

resultar to result, turn out to be

resumen: en — in brief

resumir to summarize

resurgimiento *n.* revival, resurgence

resurrección resurrection

retablo *n.* altar piece, altar screen

retaguardia: en la — in the rear

retardar to delay

retirarse to withdraw, retire

retiro *n.* retirement

retorcimiento twisting, contortions

retórica rhetoric

retraso *n.* delay; **vivir en —** to lag behind

retratar to portray; to paint

retratista *m. & f.* portrait painter

retrato *n.* portrait

retribución compensation

reunión meeting, gathering

reunirse to meet, get together

reválida: examen de — valedictory examination

revelar to reveal; to show

revestir to cover, clothe

revista *n.* journal, magazine

revitalizar to revitalize

revivificar (vivificar) to revive, restore

revivir to revive, relive

revolucionario revolutionary

rey *m.* king

Reyes Magos: día de los — The Twelfth Night (Jan. 6)

ría *n.* long narrow inlet

rico rich; exquisite; *n.* rich man; **rico-home (rico-hombre)** member of the high nobility in the Middle Ages

ridículo ridiculous; **poner en —** to expose to ridicule

riego *n.* irrigation

rienda rein; **dar — suelta** to give free rein

riesgo risk, danger

rigidez *f.* rigidity

rígido rigid, stiff

rigor *m.* harshness, severity

riguroso (rigoroso) severe, strict

río river

riqueza wealth, richness; *pl.* riches, resources

rito rite, ritual, ceremony

rivalidad rivalry

roca rock

rodear (de) to encircle, to surround

rojo red

romance *m.* ballad; language

romancero collection of ballads

románico Romanesque (style)

romanizar to romanize (to make Roman)

romano *adj.* Roman Catholic; *n.* Roman

romería pilgrimage *and* fiesta

romper to break

rondar to haunt

ropa clothes

rosado pink

rosetón *m.* large rose window

rostro face

rótulo *n.* sign

rubio blond, fair

rudimentario rudimentary

rueda wheel

ruina ruin, downfall

rumbo direction, course

rupestre relating to rocks

Rusia Russia
rústico crude, rustic
ruta route

S

saber to know, know how; *n.* knowledge, learning; **se sabe** it is known
sabiduría wisdom
sabio *n.* scholar, wise man
sabor *m.* taste, flavor
sacar to draw, take out
sacerdote *m.* priest
sacramental *see* **auto**
sacrificio *n.* sacrifice
sacudir to shake
sagrado sacred, holy
sagrario sanctuary
sainete *m.* one-act farce
sal *f.* salt
salario wage, salary
salazón *f.* salting
salida exit, outlet; **— del sol** sunrise
saliente of importance
salir to go out, leave
salmantino native of Salamanca
salmo *n.* psalm
Salomón Solomon (*king of Israel in the Xth century B.C.*)
salón *m.* large hall; **— del trono** throne room; **— de sesiones** assembly room
salud *f.* health
salvador savior
salvo except (for)
sangre *f.* blood
sangría bleeding
sangriento bloody
Santiago St. James (*patron saint of Spain*)
Santísimo Sacramento Holy Sacrament
santo (san) *adj.* holy; *n.* saint; **Santo Oficio** Holy Office (of the Inquisition)
saquear to sack
sarcástico sarcastic
sátira satire
satírico satiric(al); *n.* satirist

satirizar to satirize
satisfacer to satisfy; to please
satisfecho (*p.p. of* **satisfacer**) pleased
satisfizo *pret. of* **satisfacer**
Scarlatti, Domenico (1685–1757), *Italian composer*
sea: o sea that is to say; **sea como sea** be that as it may; **sean... o** whether . . . or
seco dry
secretariado staff (of secretaries)
secretario secretary; **— de despacho** "office boy"
secta sect
secular secular; age-old
secularizar to secularize
secundario secondary
seda silk
sede *f.* See; seat; **Santa Sede** Holy See
sefardita (sefardí) *m. & f.* Spanish-Portuguese Jew
seguir to follow, continue, go on
según according to, as
seguridad safety, security; **con toda —** most assuredly
seguro sure, certain; *n.* insurance; **de —** to be sure; **— Social** Social Security
seleccionar to select, choose
selecto chosen; distinguished
selva forest
sello stamp; seal
semana week; **— Santa** Holy Week
semanal weekly
semanario *n.* weekly publication
semblanza resemblance, likeness
sembrar to sow; plant
semejante similar, like; **de un modo —** in a similar manner
semejanza similarity; **a — de** like
semidestruido semidemolished
semi-libre partly free
semita *adj.* Semitic; *n.* Semite
sencillez *f.* simplicity; candor
sencillo simple
sensación feeling, sense
sensatez *f.* good sense
sensibilidad sensitiveness
sentarse to sit down

sentencia sentence, verdict

sentido *n.* sense, feeling, meaning; **con — de** with a sense for

sentimiento feeling

sentir to feel, sense; to regret; *n.* feeling, opinion; **dejar(se) —** to be felt

señal *f.* signal, sign

señalar to point out, indicate

señor *m.* lord, master; sir

señorial lordly, aristocratic

señorío *n.* estate, domain

separación separation, secession

separadamente separately

separar to separate

sepulcro tomb, mausoleum

ser to be; *n.* being

serenar to calm, pacify

sereno *n.* night watchman

servicio service

servidor *n.* servant

servil servile

servir to serve; **— de** to serve as; **— para** to be good for; **—se de** to make use of

sesión session

seudónimo pseudonym

severidad severity

severo severe, rigorous, stern

sevillano from Seville

sexo *n.* sex

si if, whether; **si bien** although; **por si** in case

sí yes, indeed; itself, himself . . .

sicología *see* **psicología**

sicológico (psicológico) psychologic(al)

Sidón Saida (old *Phoenician seaport in today's Lebanon*)

siempre always; **para —** forever; **— que** whenever

sierra mountain range

siervo serf

siglo century; **Siglo de Oro** Golden Age

significación meaning

significado *adj.* distinguished; *n.* meaning

significar to mean

significativo significant, important

signo *n.* sign, symbol

sigo, siguen *pres. of* **seguir**

siguiente following

siguieron *pret. of* **seguir**

sílaba syllable

silenciosamente silently

silla chair

sillería stalls or seats in a choir

sillón *m.* armchair

simbólico symbolic

símbolo symbol

simio monkey

simpatía attraction, liking

simpático likable; nice

simpatizar to be congenial, to get along well

simplicidad simplicity

simultáneo simultaneous(ly)

sin without; **— embargo** however; **— que** without

sinagoga synagogue

sinceridad sincerity

sincero sincere

sindicación syndicalism, unionism

sindicalista *m. & f.* syndicalist

sindicato labor union, syndicate

sinfónico symphonic

singularidad peculiarity

sino but, except; **— que** but, on the contrary

sino *n.* fate, destiny

síntesis *f.* synthesis

siquiera even; **ni —** not even

sirvió *pret. of* **servir**

sistema *m.* system, method

sistemático systematic

sitio *n.* place, space; **poner —** to lay siege

situación condition, situation

situar to locate, place

ski (esquí) *m.* skiing

soberanía sovereignty

soberano sovereign, king

soberbio superb; arrogant

sobornar to bribe

sobre on, upon, above, over; concerning; **— todo** above all, especially

sobrenombre *n.* surname

sobrepasar to surpass, exceed
sobreponerse to overcome, to master
sobresalir to excel, stand out
sobrevenir to happen, come about
sobrevivir to survive
sobrino *n.* nephew
sociedad society
sol *m.* sun; **no se ponía el —** the sun never set
solamente only
solar: energía — energy of the sun
soldado soldier
solemnidad solemnity
soler to be accustomed to
solicitar to request, ask for
solidaridad acting together, solidarity
solidario jointly
solidarizarse to side up with, to sympathize
solidez *f.* solidity
sólido strong, sturdy
solo *adj.* only, alone; **por sí —s** by themselves
sólo only, single
solución solution
solucionar to solve
sombra shadow; shade
sombrero *n.* hat; **— de ala ancha** wide-brim hat
someter to subject, subdue
sonreir to smile
sonrisa smile
soñador *n.* dreamer
soportal *m.* portico
soportar to support; to endure
sorprendente surprising
sorprender to surprise
sorpresa *n.* surprise
sorteo *n.* drawing (in lottery)
sosegadamente calmly, quietly
sosiego *n.* calm, repose
sospecha suspicion
sospechoso suspicious; **hacerse —** to become suspicious
sostén *m.* support
sostener to support, sustain
sostenimiento maintenance, support
suave soft, mild

suavizar to smooth, soften
súbdito *n.* subject; citizen
subir to go up, to climb
sublevación uprising, revolt
sublevado *adj.* in revolt; *n.* rebel
sublevarse to rebel, rise in revolt
submarino submarine
subordinación subordination
subordinado subjected
subsidio subsidy
subsistir to subsist; to last
subsuelo *n.* subsoil
subterráneo underground
subvencionar to subsidize
subyugar to subdue, defeat
suceder to happen; to follow
sucesión succession
sucesivo: en lo — in the future
suceso *n.* event, happening
sucesor *n.* successor, heir
sudoeste (suroeste) *m.* southwest
suegro father-in-law
sueldo *n.* salary
suelo *n.* soil, ground
sueño *n.* sleep
suerte *f.* luck; performance (of a bullfighter)
suficiente enough, sufficient
sufragio right to vote, suffrage
sufrir to suffer
sugerir to suggest
suicidarse to commit suicide
Suiza Switzerland
sujeto subjected; *n.* subject
sultán *m.* sultan
suma *n.* sum, amount
sumamente extremely, highly
sumar to add
sumido sunk; fallen
sumisión submission
sumo supreme; great
suntuosamente magnificently
suntuosidad magnificence
suntuoso sumptuous, splendid
superación excelling
superar to surpass, excel
superficie *f.* surface; area
superior superior, higher

superposición superposition
superstición superstition
suplantar to replace
supletorio additional
súplica supplication, despair
supo *pret. of* **saber**
suponer to suppose, to imply
supremacía supremacy
supresión suppression, elimination
suprimir to suppress
supuesto *adj.* supposed, imaginary; *n.*
    assumption; **bajo el — de que** on the
    assumption that
surgir to rise, arise, appear
susceptible receptive, responsive
suscitar to raise, stir up, produce
suscribir to subscribe, sign
suspender to suspend, stop
sustancia substance
sustancial important
sustentar to support, sustain
sustituir to replace
sutil subtle

T

tabla table; painting on a board; *pl.*
    stage (theater)
táctica tactics
taifa faction; **Reinos de Taifas**
    Principalities
Tajo Tagus (*river in central Spain flowing
    into the Atlantic at Lisbon*)
tal such as, such a; **con tal (de) que**
    provided that
talaverana (ceramics) from Talavera
    (town in the province of Toledo)
talento talent
talla wood carving; statue
tallar to carve
taller *m.* workshop; studio
tamaño size
también also, too
tampoco either, neither
tan as, so, such
tanto as, so, so much; *pl.* as many, so
    many; **— como** as well as; **— ... como**

both ... and; **otro —** as much, the
    same; **por (lo) —** therefore
tapiz *m.* (*pl.* **tapices**) tapestry
tardar to delay, to be long in
tarde *f.* afternoon; *adv.* late; **más —**
    later (on)
tarima bedstead; bench
tarjeta: — de felicitación greeting
    card
tasa *n.* legal tax fixing
taurina: fiesta — bullfight(ing)
teatral theatrical, dramatic
teatro theater
técnica technique
técnico *adj.* technical; *n.* technician
techo ceiling; roof
techumbre *f.* ceiling
teja roof tile
tejido *n.* textile; tissue; **arte del —** art
    of weaving
tela cloth; canvas (in painting)
televisor *m.* television set
telón curtain; **— de acero** iron curtain
tema *m.* theme; topic
temer to be afraid, to fear
temeroso fearful
temible dreadful
temor *m.* fear; **— a que** fearful that
temperatura temperature
tempestad storm
templo temple, church
temporada season
temporal temporary; *n.* storm
temprano early
tendencia trend, tendency
tender to tend, to extend
tener to have; to hold; **— ... años** to
    be ... years old; **— lugar** to take place;
    — por to consider; **— que** to have to
teniente *m.* lieutenant
tentativa attempt
teología theology
teólogo theologian
teoría theory
teorizante *m.* theorizer
tercero (tercer) third
tercio *n.* (one) third; regiment
termas *pl.* hot baths

terminar to finish, to end

término *n.* term; **en primer —** in the first place; in the foreground

termómetro thermometer

terrateniente *m.* landowner

terrenal earthly, worldly

terreno *n.* land, ground

territorio territory; land

tertulia friendly gathering

tesis *f.* thesis

tesorero treasurer

testamentario *n.* executor

testifical witness testimony

textil textile

texto text, textbook

tiempo time; weather; **a —** on time; **al mismo —** at the same time; **al poco —** shortly afterwards; **al propio —** at the same time; **con el —** in (the course of) time; **en algún —** for some time; **en todo —** always

tierra land; earth; soil; country; **— de labor** cultivated land

tímpano rectangular space over a door

típico typical

tipo *adj.* typical; *n.* type, kind

tipógrafo *n.* typographer

tiranía tyranny

tirano tyrant

tirar to throw; pull

tiro *n.* shot; **Tiro** Tyre (*old Phoenician city on the coast of Lebanon*)

titulado titled

titular *m.* headline

titularse to be (en)titled

título *n.* title, degree; **a — perpetuo** in perpetuity; *pl.* qualifications

tocar to touch; to play

todavía yet, still

todo *adj.* every, whole, all; *n.* all, everybody; **del —** completely; **sobre —** especially; **toda clase de** all kinds of

tolerancia tolerance

tolerante tolerant

tolerar to tolerate

toma *n.* conquest, seizure

tomar to take, conquer; **Tomar** *city in central Portugal*

tonelada ton

tono *n.* tone; tune

toreo *n.* bullfighting

torero bullfighter

tormento torture, torment

tormentoso stormy, turbulent

torneo *n.* tournament

toro bull

torpe dull, stupid

torre *f.* tower

tosco rough, coarse

tosquedad coarseness

totalidad totality; whole; **la casi —** almost all

totalmente completely

trabajador working; *n.* worker, workman

trabajar to work

trabajo *n.* work, labor, task

tradición tradition

tradicional traditional

tradicionalista *m. & f.* traditionalist (*supporter of an absolutist monarchy*)

traducción translation

traducir to translate; express

traductor translator

tradujo, tradujeron *pret. of* **traducir**

traer to bring; to carry

Trafalgar: cape south of Cádiz (*Spain*)

traficar to trade, deal (with)

tráfico traffic

trágico tragic

tragicomedia tragicomedy

traición treason

traicionar to betray

traidor treacherous; *n.* traitor

traje *m.* suit, dress; **— de fiesta** dressy attire

traje, trajo *pret. of* **traer**

tramo *n.* section; panel

transcurrir to pass; to elapse (time)

transcurso *n.* lapse; passing (of time)

transición transition

transitorio ephemeral, transitory

transmitir (trasmitir) to pass down

transporte *m.* transportation; **— rodado** transportation on wheels

tras behind, after

trascendencia importance
trascender to transcend
trasladar to move, transfer; **—se** to move (away)
tratado *n.* treaty; treatise
tratar to try; to treat; **— de** to deal with, to resort to; **—se de** to be a question of
trato *n.* treatment; dealings, trade
través: a — de across, through; by means of
trazar to draw, to plan
trazo *n.* stroke; line
tregua truce
tremendo tremendous
Trento Trent (*city in northern Italy where the famous Council of Trent met*)
tribu *f.* tribe
tribuna rostrum; podium
tribuno *n.* orator
tributación taxation
tributo *n.* tax
trigo wheat
trilogía trilogy
triste sad; pitiful
tristeza sadness
triunfar to triumph, win (over)
triunfo *n.* triumph
trompa horn, trumpet
tronco trunk
trono throne
tropa *n.* troop; *pl.* soldiers
tropezar to stumble (over)
trovador *m.* troubadour
trozo *n.* piece, part; selection
tumba tomb
Túnez Tunis (*city and country in North Africa*)
turbulencia turbulence
turco Turkish; *n.* Turk
turnante alternating, rotating
turno *n.* turn, shift
Turquía Turkey
tutela tutelage
tuvo *pret. of* **tener**

U

u = o (*before* **o** *and* **ho**) or
ultimar to end, finish

último last, latest; *n.* last one; **por —** finally
ultramar lands beyond the sea
unánime unanimous
unanimidad unanimity
único only; unique; **lo —** the only thing
unidad unity
unido united; **— a** together with
unificar to unify
uniforme *m.* uniform
unir(se) to join
unitario unitary; centralized
universalmente universally
universidad university
universitario *adj.* university; **Ciudad —a** University City
unos some, a few
urbano urban
usar to use
uso *n.* use, usage
usufructo usufruct
utensilio tool, utensil
útil useful
utilizar to use, make use of
uva grape

V

va, voy *pres. of* **ir**
vaca cow
vacaciones *pl.* vacation
vacante vacant
vacuna vaccination, vaccine
vacuno *adj.* bovine (cattle)
vago *adj.* vague
vajilla table service
valenciano pertaining to Valencia
valentía bravery, courage
valer to be worth; **—se de** to make use of, to avail oneself of; **de nada valía** it was of no avail
valeroso courageous
valía *n.* worth, merit
validez *f.* value; validity
valioso valuable
valor courage; value; **sirvieron de — adquisitivo** helped to acquire

valoración appraisal, evaluation

valorar to value, appraise

valle *m.* valley

vandalismo vandalism

vargueño (bargueño) gilt desk

variable changeable

variante *f.* variation, difference

variar to vary, change

variedad variety

varios several

varón *m.* male

varonil virile, manly

vasallo vassal, subject

vasco Basque; **provincias vascongadas** Basque Country

vascuence *m.* Basque language

vasija vessel, jar

vaso glass; vase

vasto extensive, vast

vecinal *adj.* neighboring

vecindad nearness, vicinity

vecindario *n.* neighborhood; *pl.* population

vecino *adj.* neighboring; *n.* neighbor, resident

vegetal *m.* vegetable

vehemencia vehemence

vejación oppression, vexation

vejez *f.* old age

velar to watch (over)

veleidad caprice; fickleness

vena vein, blood vessel

vencedor *adj.* conquering; *n.* victor

vencer to conquer, win; to defeat

vencido vanquished

vender to sell

venera *see* **concha**

veneración worship

venganza vengeance

vengarse to get revenge

venida *n.* arrival, coming

venir to come; to be; **— a ser** to become

venta sale

ventaja advantage

ventajoso advantageous

ventanal *m.* large window

ver to see; **tener que — con** to have to do with; **—se** to be

verano summer

verbena popular night festival

verdad truth; **si bien es —** although it is true

verdadero true; real

verde *adj.* green

verdura *n.* vegetable

vergonzoso shameful; shy

verídico truthful

verificarse to take place, occur

vernáculo vernacular

verraco (berraco) boar

versículo verse (in the Bible)

versión translation

verso verse; line

verter to translate; to pour

vertiente *f.* slope

vestido *n.* clothing

vestigio vestige

vestir to clothe, to dress

veterinaria veterinary medicine

vez (*pl.* **veces**) time; **a la —** at the same time; **de — en cuando** from time to time; **en — de** instead of; **por primera —** for the first time; **por última —** for the last time; **tal —** perhaps; **una —** once; **a (algunas) veces** sometimes; **pocas (raras) veces** seldom

vía *n.* way; road; **—s de comunicación** means of transportation

viable feasible, possible

viaje *m.* trip, travel, voyage

vicio vice; defect

vicisitud *f.* change, vicissitude

victoria victory

victorioso victorious

vid *f.* grapevine

vida life, living; **con —** alive

vidriera glass window, stained-glass window

vidriería glass work

vidrio glass

viejo old

viento wind

vigente in force

vigilancia   vigilance
vigilar   to watch
vigorizar   to invigorate
vil   vile, dastardly
villa   town
vinculación   tie; perpetuation
vincular   to entail (in perpetuity)
vínculo   link
vino   *n.* wine; *pret. of* **venir**
violencia   violence
violoncelista   *m. & f.* cellist
virreinato   viceroyalty
virrey   *m.* viceroy
virtud   *f.* virtue; **en — de** by virtue of;
   por cuya — on account of which;
   por su — as a result of (this)
visigodo   Visigothic; *n.* Visigoth
visigótico   Visigothic
visita   *n.* visit
visitar   to visit
vista   *n.* view, sight; **a primera —** at
   first glance; **corto de —** nearsighted
visto   *p.p. of* **ver**
vistoso   showy, beautiful
vitalicio - life-long
vitalidad   vitality
viuda   widow
vivacidad   vivacity
vivienda   housing, dwelling
viviente   living
vivir   to live

vivísimo   intense, lively
volumen   *m.* volume
voluminoso   voluminous
voluntad   will, will power
voluntario   *adj.* voluntary; *n.* volunteer
volver   to return, come back; **— a** to
   (do) . . . again
votación   vote, voting
voto   *n.* vote, right to vote; vow
vuelo   *n.* flight; **de alto —** ambitious
vuelta   *n.* return, turn
vulgar   common

Y

ya   already, now, at once; **— no** no
   longer; **— que** since; **— ... —** both . . .
   and
yacente   lying
yacer   to lie, to rest
yermo   uncultivated; sterile
yerno   son-in-law
yeso   plaster
yugo   yoke

Z

zapato   shoe
zarza   bush
zarzuela   Spanish musical comedy
zarzuelista   *m.* composer of **zarzuelas**
zéjel   *m.* type of a Spanish-Arabic poem

ÍNDICE GENERAL

[*n* indica que el número que le sigue representa una nota.]

AGRADECIMIENTO

The American Museum of Natural History; Courtesy of the Breuil-Obermaier: 13
Anderson-Art Reference Bureau: 145, 146
Photographs from Harry E. Babbitt: 10, 56, 73, 85, 100, 233
The Bettman Archive: 119
Black Star; Photograph by Pietzsch: 17
Photographs from Juan R.-Castellano: 8, 64, 67, 86, 107, 164, 185, 206, 230
Columbia Records: 207
Culver Pictures: 124, 136, 173
Foto Mas, Barcelona, Spain: 12, 26, 70, 88, 91, 99, 103, 138, 139, 149, 150, 151, 152, 156, 157, 171, 244, 246
The Frick Collection, New York: 129
Philip Gendreau: 42, 237
Photograph from E. Aranda Heredia, ETSIA, Madrid, Spain: 238
The Hispanic Society of America, New York: 21 bottom, 44, 61, 89, 143, 159, 204, 205, 243
Índice Magazine, Madrid, Spain: 146
The Metropolitan Museum of Art, New York: 114
Ministerio de Información y Turismo, Madrid, Spain 37, 49, 80, 97, 112 113, 123, 135, 178, 180, 216, 229, 231, 235, 236
Monkmeyer Press Photo Service; Photographs by Silberstein: 4, 79
The Museum of Modern Art, New York: 190 191, 211
Museum of Fine Arts, Boston, Massachusetts; Maria Antoinette Evans Fund: 139
The New York Public Library: 104; Picture Collection: 110
Philadelphia Museum of Art: 210
Scribner Art Files: 139
Spanish National Tourist Office, New York: 2, 6, 22, 71, 75, 93, 106, 235
Three Lions, Inc.: 21 top, 23
Wadsworth Atheneum, Hartford, Connecticut: 209
Walters Art Gallery Collection, Baltimore, Maryland: 29
Photograph by Katherine Young: 147

MAR CANTÁBRICO

Santander

Coruña

⑧

Lugo

③ Oviedo

CORDILLERA CANTÁBRICA

⑫

Pontevedra

R. MIÑO

Orense

León

⑨

⑤

Burgos

Palencia

Valladolid

R. DUERO

Zamora

Segovia

SIERRA DE GUADA

Salamanca

Ávila

Guadalaja

Madrid ⑳ ④

OCÉANO

PORTUGAL

Toledo

R. TAJO

Cáceres

⑦

Ciudad Real

Lisboa

Badajoz

R. GUADIANA

SIERRA MORENA

Córdoba

R. GUADALQUIVIR

Jaén

Huelva

Sevilla ①

Granada

SIERRA NEVADA

Cádiz

Málaga

ATLÁNTICO

Gibraltar

ESTRECHO DE GIBRALTAR

Tánger

MARRUECOS

MILLAS

0   50   100

KILÓMETROS

0   50   100